The Art of Choosing

Sheena Iyengar

選択の科学

コロンビア大学
ビジネススクール
特別講義

シーナ・アイエンガー

櫻井祐子／訳

文藝春秋

選択の科学

コロンビア大学ビジネススクール特別講義

〈目次〉

オリエンテーション　私が「選択」を研究テーマにした理由　*7*
シーク教の教えに従って着るものまで決められていた私は、高校にあがる頃に失明する。が、アメリカの学校で私は「選択」こそ力であることを学ぶことになる

第1講　選択は本能である　*15*
選択は生物の本能である。なぜ満ち足りた環境にもかかわらず、動物園の動物の平均寿命は短いのか。なぜ、高ストレスのはずの社長の平均寿命は長いのか

第2講　集団のためか、個人のためか　*43*
父は結婚式のその日まで、母の顔を知らなかった。親族と宗教によって決められた結婚は不幸か。宗教、国家、体制の違いで人々の選択のしかたはどう変わるか

第3講　「強制」された選択　*107*
あなたは自分らしさを発揮して選んだつもりでも、実は他者の選択に大きく影響されている。その他大勢からは離れ、かといって突飛ではない選択を、人は追う

第4講 選択を左右するもの 141
人間は、衝動のために長期的な利益を犠牲にしてしまう。そうしないために、選択を左右する内的要因を知る必要がある。確認バイアス、フレーミング、関連性

第5講 選択は創られる 175
ファッション業界は、色予測の専門家と契約をしている。が、専門家は予測ではなく、単に流行を創っているのでは？ 人間の選択を左右する外的要因を考える

第6講 豊富な選択肢は必ずしも利益にならない 217
私が行った実験の中でもっとも多く引用され、応用されている実験にジャムの実験がある。ジャムの種類が多いほど売り上げは増えると人々は考えたのだが

第7講 選択の代償 263
わが子の延命措置を施すか否か。施せば、重い障害が一生残ることになる可能性が高い。その選択を自分でした場合と医者に委ねた場合との比較調査から考える

装幀　関口聖司

選択の科学

コロンビア大学ビジネススクール特別講義

どんなことも可能であることを教えてくれた父へ、
そして、どんなときも傍らにいてくれた母へ

オリエンテーション

私が「選択」を研究テーマにした理由

シーク教の教えに従って着るものまで決められていた私は、高校にあがる頃に失明する。が、アメリカの学校で私は「選択」こそ力であることを学ぶことになる

すべては物語から始まる――ジョーゼフ・キャンベル

運命の物語

わたしはカナダのトロントで、予定日より一月早く産声をあげた。その日トロントは、猛烈な吹雪に見舞われた。街はすっぽりと雪で包まれ、静寂があたりを支配した。予定日より一月も早く生まれたという驚きと、猛吹雪による視界不良。この二つのことは、まるでその後のわたしの人生を予兆していたかのようだった。

その頃まだインドから移住したばかりだった母は、アメリカとインドという、二つの世界に属していた。わたしはそんな彼女から、当然のように二つのアイデンティティを受け継いだ。父は、インドからカナダに向かっていたが、まだ到着していなかった。父がわたしの出生に立ち会えなかったことは、その後わたしたちを見舞うことになる、かれの長い不在を予示していた。今にして思えばわたしの人生は、わたしが生まれ落ちたその瞬間から、何もかもがあらかじめ定められていたことがわかる。それが星々に記されていたのか、石に刻まれていたのか、あるいは神の手や、何らかの名状しがたい力によって書かれていたのかはわからない。でもそれはすでに決まったことで、わたしの行動の一つひとつは、ただその筋書きをなぞっていくだけだった。

わたしの誕生を、ひとつの側面から語ると、こんな物語になる。しかし、わたしが生を受けたことは、次のように語ることができるのだ。

偶然の物語

わかるはずがないじゃないの、そうでしょう？　人生はびっくり箱なのだ。用心深く、一つずつ包みを開けていっても、次から次へといろいろなことが起こっては、飛び出してくる。わたしはそんなふうに、いきなりこの世に生を受けた。予定日より一月も早く、父の立ち会いすら受けずに。父はまだインドにいた。母も終生そこで暮らすものと思っていたのに、今やどういうわけかトロントで、わたしを腕に抱きながら、窓越しに舞う雪を見つめていたのだ。まるであたりを舞う氷片のように、わたしたちもさまざまな場所へと運ばれていった。ニューヨーク市クイーンズ区のフラッシングへ、それからニュージャージー州エルムウッド・パークへ。

わたしはシーク教徒移民の居住地に育った。周りの人はみな、インドの習慣をアメリカに持ち込んでいた。だから、わたしも、アメリカという国のなかにあるもうひとつの国で育つことになった。両親もまた、インドでの暮らしをアメリカで再現しようとしたのだ。

両親に連れられて週に三日、グルドワーラーと呼ばれるシーク教寺院に通った。そこでは女たちに混じって右側に座り、男たちは左側に座った。わたしはシーク教のきまりに従い、神に創られたものの完璧さを象徴する髪を、一度も切らずに長く伸ばしていた。右手首には、揺るぎない信仰と献身の証《あか》しとして、カーラという真鍮製《しんちゅうせい》の腕輪をはめていた。それは自分のあらゆる行動が神に見守られていることを忘れないための戒めでもあった。またいつでも、シャワーを浴びるときでさえ、カチャを身に着けていた。これはボクサーショーツに似た下着で、性的な欲望の抑制を象徴していた。これらはわたしが敬虔《けいけん》なシーク教徒として守っていたきまりごとの、ほんの一部にすぎない。宗教によって定められていないことは、ことごとく両親によって決められた。すべてがわたしの幸せのためと教えられた。

だが人生というものは、わたしたちの計画や、だれかがわたしたちのために立ててくれた計画に、えてして風穴を空《あ》けるものだ。

幼い頃のわたしは、四六時中ものにぶつかっていた。初めのうちは両親も、わたしがとても不器用な子なのだとしか思わなかった。でも、パーキングメーターほど大きな障害物を避けられないってことがあるだろうか？　それになぜちゃんと前を見て歩きなさいと、四六時中声をかけていなければならないのだろう？　どうやら不器用なせいだけではないらしい。わたしはニューヨーク市にあるコロンビア長老教会病院の視覚障害の専門家の下に連れて行かれた。謎はすぐに解けた。わたしは珍しい型の網膜色素変性症を患っていたのだ。遺伝性の網膜変性症のせいで、視力は〇・〇五にまで低下していた。高校に上がる頃には全盲になり、光しか感じなくなった。

早くに思いがけないできごとを経験した人は、その先に待ち受ける驚きへの心構えができるのではないだろうか。失明に立ち向かうことで、わたしは強い精神力を身につけたにちがいない（それとも持ち前の精神力のおかげで、うまく立ち向かうことができたのだろうか？）。でもどんなに心構えをしているつもりでも、予期せぬ事態はやってくる。父が亡くなったとき、わたしはまだ一三歳だった。その朝、父は母をハーレムの職場に送り届け、前から悩まされていた足の痛みと息苦しさを医者に診てもらうよと、母に約束した。父は医院に行きはしたが、予約時間に関するちょっとした行き違いがあって、すぐに診てもらえなかった。すでにほかの理由で苛立《いらだ》っていた父は、猛然と医院を飛び出し、ずんずん歩いているうちに、バーの前でいきなり崩れるように倒れた。バーテンダーが父を中に入れ、救急車を呼んでくれたおかげで、父はようやく病院に運び込まれた。だが病院に到着するまでに起こした数回の心臓発作から生還することはなかったのだ。

もちろん人生は、無秩序な、予期せぬできごとだけで作られるわけではない。それでもわたしたちの人生は、望むと望まざるとにかかわらず、地図にない場所を選んで進んでいくように思われる。視界がほとんどきかず、天候があっという間に変わってしまうとき、自分の人生をどれだけ自分で決められるというのだろう?

選択の物語

いや、違う。わたしはこんな第三の物語を語ることもできる。そしてこの物語は、あなたと分かち合うことができるはずだ。

わたしの両親は、一九七一年にインドからカナダ経由でアメリカに移住してきた。新天地で新しい人生を踏み出そうとした二人は、多くの先人たちのように、アメリカンドリームをつかもうとした。夢を追い求めるには苦難の道が続くことを、二人はほどなくして知ったが、けっしてあきらめなかった。わたしは、この夢の中で生まれたのだ。両親よりもアメリカでの生活に慣れていたわたしは、アメリカンドリームの何たるかを、二人よりずっとよくわかっていた。特にその中心にある、光り輝くもの、とてつもなく明るいために、目が見えなくとも見えるものに気がついた。

それが、「選ぶ」ということだった。

両親はこの国に来ることを選択したが、それとともに、インドの習慣をできる限り守ることも選んだ。二人はシーク教徒の中に暮らし、宗教の教義を忠実に守り、服従の大切さをわたしに教えてくれた。わたしが何を食べ、身につけ、学ぶか、また後にはどこで働き、だれと結婚するか。こうしたことはすべて、シーク教のおきてと父母の意向によって、決められるはずだった。

しかしわたしは、アメリカの公立学校に上がった。そこでは、自分のことを自分で決めるのが、あたりまえというだけでなく、望ましいことでもあると教えられた。それは文化的背景や個性や能力の問題ではなく、まったくの真理であり、当然の権利でもあるのだ。それまでさまざまな制約に縛られてきた、盲目のシーク教徒の少女にとって、それはとてつもなく力強い思想だった。

わたしは自分の人生を、すでに定められたもの、両親の意向に沿ったものとして考えることもできた。また自分の失明と父の死に折り合いをつける一つの方法として、それを自分の意思を超えた、思いがけないできごとの重なりと見なすこともできた。しかし、自分の人生を「選択」という次元で、つまり自分に可能なこと、実現できることという次元でとらえた方が、はるかに明るい展望が開けるように思われたのだ。

多くの人が、選択という言語の文脈のなかで、ものごとを理解し、語ろうとする。選択はアメリカの共通語であり、世界の他の地域でも、ますます多くの人たちが「選択」を基準にものごとを判断するようになっている。「選択」という文脈のなかに置かれたときにこそ、一人ひとりの物語は初めて意味を持つようになるのだ。

本書は、「選択」という文脈のなかで考えることの利点をつづろうと思う。だがそれだけでなく、生きるため、自分の人生について語るための、それ以外の方法をも明らかにしたい。そうすることで、先に述べたような「運命と偶然」の単純化された物語よりも、ずっと複雑でニュアンスに富んだ物語を構成する方法を示せればと思っている。

わたしは子ども時代に「選択」について漠然と考えていたことを、大学に入ってから学術研究として進めるようになった。ペンシルベニア大学では、さまざまな宗教団体の調査を通じて、宗教が人生観に与える影響を明らかにしようとした。この研究によって、選択に関する考え方が人それぞれ違うということ、またわたし自身シーク教徒とアメリカ人としての経験を通して、そのうちのほんの一部分にしか触れていないことを思い知らされた。その後進んだスタンフォード大学の社会心理学部博士課程では、選択がどのように組み立てられ、実践されているかを、文化間で比較した。また文化差やその他日常的な要因が、選択にどのような影響を与えるかを解明しようとした。これを中心テーマとして、過去一五年にわたって研究を進めてきた。

「選択」にはいろいろな意味があるし、さまざまな角度から切り込むことができるため、一冊の本ではとてもその全貌を紹介することはできない。そこで、その中で最も示唆に富み、わたしたちの生き方に最も関係が深いように思われる側面を掘り下げようと思う。

本書は心理学にしっかりとした軸足を置きながらも、経営学や経済学、生物学、哲学、文化研究、公共政策、医学などをはじめとする、さまざまな分野を参照している。そうすることで、できるだけ多くの視点を紹介し、人生における選択の役割と実践に関する通説に、見直しを迫ることができればと思っている。

これからの七つの章のそれぞれで、異なる視点から選択をとらえ、選択がわたしたちの人生におよぼす影響にまつわる、さまざまな疑問を取り上げる。

なぜ選択には大きな力があるのだろうか、またその力は何に由来するのだろう？

選択を行う方法は、人によってどう違うのだろう？

わたしたちの出身や生い立ちは、選択を行う方法にどのような影響を与えるのだろうか？

なぜ自分の選択に失望することが多いのだろう？

選択というツールを最も効果的に使うには、どうすればよいのだろう？

選択肢が無限にあるように思われるとき、どうやって選択すればよいのだろうか？

他人に選択を委《ゆだ》ねた方がよい場合はあるだろうか？　その場合だれに委ねるべきか、そしてそれはなぜだろうか？

本書で示される見解や提案、結論に賛成していただけなくても構わない。こうした問題についてじっくり考えてみるだけでも、情報に基づく確かな決定を行う、その一助になるはずだ。選択は、ささいなものから人生を変えるようなものまで、選択の自由がある場合もそうでない場合も、わたしたちの人生の物語の、切っても切り離せない部分なのだ。本書を通して、読者の皆さんが自分自身について理解を深め、自分の人生について——すべてがどのようにして始まり、どこに向かっているかについて、少しでも得るところがあればと願っている。

第1講

選択は本能である

選択は生物の本能である。なぜ満ち足りた環境にもかかわらず、動物園の動物の平均寿命は短いのか。なぜ、高ストレスのはずの社長の平均寿命は長いのか自由とは何か？　自由とは選択する権利、つまり自分のための選択肢を作り出す権利のことだ。選択の自由を持たない人間は、人間とは言えず、ただの手足、道具、ものにすぎない。

――アーチボールド・マクリーシュ
アメリカのピューリッツァー賞受賞詩人

I．生存者たちの証言

あなたならどうする？　もし救命イカダに乗って、海を漂流するはめになったら？　足を骨折して、山で身動きが取れなくなったら？　それとも、まさにことわざ通り、船をこぐオールもなく川に取り残されたら？　あなたはどれくらいの間泳いでから、あきらめて溺れるだろう？　どれだけの間、希望を捨てずにいられるだろうか？

わたしたちが夕食やパーティの席で、またはくつろいだ日曜の午後に、こんな問いを投げかけるのは、なにも生き残るための秘訣を知りたいからではない。備えるすべもなく、これまで経験したこともない極限状況に立ち向かう、人間の限界や能力に興味をかき立てられるからなのだ。こうした極限状況を生き延び、物語を伝えることができるのはだれなのだろう？

たとえばスティーブン・キャラハンのこんな話はどうだろう。

一九八二年二月四日、カナリア諸島の西約一三〇〇キロメートルの海上で、キャラハンのヨット、ナポレオン・ソロ号が、クジラに激突されて転覆した。当時三〇歳だったキャラハンは、空気漏れしていたゴム製の救命イカダにわずかな物資を載せて、一人っきりで海を漂流するはめになった。雨水を集めて飲み水とし、手製のモリで魚をつかまえた。エボシガイを食べ、時にはエボシガイの残骸に集まってきた鳥を捕らえて食べた。正気を保つために自分の体験を記録し、弱った体が許す限りヨガをやった。それを除けばひたすら待ち、西に向かって漂流し続けた。七六日後の四月二一日、キャラハンはグアドループ島沖で、小型船によって発見された。今日に至るまで、単独で漂流して一月以上生き延びた人は、かれを含めて数人しかいない。

経験豊かな船乗りのキャラハンは、航海術に長《た》けていた。かれが生き延びる上で、たしかにそれは重要なカギだった。しかし、かれの命を救ったのはそれだけなのだろうか？　キャラハンは著書『大西洋漂流76日間』（一九八八年、早川書房）の中で、災難から間もない頃の精神状態を、こんなふうに説明している。

わたしの周りにはソロ号からの回収品がある。装備はしっかり固定され、命に関わるシステムは機能している。日々の仕事の優先順位は決まっていて、異論の余地はない。耐え難い心細さと恐れ、苦痛をなんとか抑えている。わたしは危険な海に浮かぶ、ちっぽけな船の船長なのだ。ソロ号を失った後の動揺を乗り越え、とうとう食糧と飲み水を手に入れた。ほぼ確実と思われた死を免れた。そしていまや私は選ぶことができる。新しい人生を探して進むか、あきらめて死を受け入れるかだ。わたしは可能な限り、死に抵抗する道を選ぶ。

キャラハンはひどい苦境に置かれたが、かれはそれを「選択」という観点からとらえた。かれの前にはあたり一面、広大な海が広がっていた。目に映るものといえば、果てしなく広がる青い水面だけ。そしてその下には数々の危険が潜んでいた。それでもかれは、打ち寄せる波や吹き渡る風の中に、死の宣告は聞かなかった。その代わりに、こんな問いかけを聞いたのだ。「お前は生きたいのか?」。この問いかけを聞くことができ、それにイエスと答えられたからこそ、つまり苦境によって奪われたかのように思われた選択を、その手に取り戻すことができたからこそ、かれは生き延びることができたのではないだろうか。今度だれかに「あなたならどうする?」と聞かれたら、キャラハンにならって「わたしなら、生きる道を選ぶ」と言ってみてはどうだろう。

ザイルを切られた登山家

また別の有名な生存者の話を紹介しよう。ジョー・シンプソンは、ペルー・アンデスの氷の岩を下山中、死の瀬戸際に立たされた。

シンプソンは滑落して手足を骨折し、ほとんど歩けなくなった。登山仲間のサイモン・イエイツは、ザイルを使ってかれを下に下ろそうとした。だが手違いで崖の縁から吊してしまう。シンプソンは垂直な氷面に自分を固定することも、よじ登って戻ることもできなくなった。イエイツにはシンプソンの姿が見えず、声も聞こえなかった。かれは今やシンプソンの全体重を支えなくてはならなかった。だが遅かれ早かれ、いつかは堪《た》えきれなくなり、二人とも墜落死してしまう。もはや選択の余地なしと見たイエイツは、自らの手で友人に死刑を執行していることを意識しながら、ザイルを切断した。しかし続いて起こったのは、驚くべきことだった。

シンプソンはクレバスの氷棚に引っかかり、命をとりとめた。そしてそれから数日をかけて、氷河を十キロメートルも這い進み、まさにイエイツが下山しようとしていたその時に、ベースキャンプにたどり着いたのだ。この事故の手記『死のクレバス――アンデス氷壁の遭難』（一九九一年、岩波書店）に、シンプソンはこう書いている。

アプザイレン〔ザイルを伝って岩壁を懸垂降下すること〕をやめたいという欲求は、ほとんど耐え難いほどだった。下に何があるのかまったくわからなかったが、二つのことだけは確かだった――サイモンは行ってしまい、もう戻ってはこない。つまり、このまま氷橋にとどまっていれば、一巻の終わりだということだ。上に抜けることは不可能だったし、逆側の急斜面は、すべてを早く終わらせよとわたしを招いていた。ついその気になったが、絶望のさなかにあっても、自殺する勇気は持てなかった。氷の橋の上で、寒さと疲労で死ぬまでには、まだまだかかるだろう。しかし、長い時間をかけて、一人ぼっちで死を待ちながら、狂っていくのだ。この考えが、わたしに決断を迫った。脱出法を見つけるまでアプザイレンするか、その過程で死ぬかだ。死が来るのをただ待っているより、自分から死を迎えに行った方がいい。もう後戻りはできない。だが心の中で、わたしはやめろと叫んでいた。

この意思堅固な男たちにとって、生存は、自ら選び取るものだった。そして特にシンプソンが身をもって示したように、その選択は機会というよりは、至上命令だった。機会を逸することはあっても、至上命令に抗《あらが》うことはできない。

ほとんどの人は、ここまでの極限状況を経験することは（願わくば）ないだろう。だがわたしたちはわたしたちなりに、日々選択の必要に迫られている。行動すべきだろうか、それとも一歩下がって見守るべきだろうか？　何が起ころうと平然と受け入れるべきだろうか、それとも自ら課した目標をねばり強く追求すべきなのか？

人生を計るものさしは、人によって違う。年月、重要なできごと、業績など。だが人生は、わたしたちの行う選択によって計ることもできる。さまざまな選択が積もり積もって、わたしたちを今いるところに導き、今ある姿にしているのだ。このレンズを通して人生をとらえれば、選択がとてつもなく強力な力であり、わたしたちの生き方を決定する、必要不可欠な要因だということがはっきり分かる。これほどの力を秘めた選択だが、その力は何に由来するのだろう？　そしてどうすれば、それを最大限に活用することができるのだろう？

Ⅱ．選択できると感じること

ジョンズ・ホプキンス大学医学部の精力的な精神生物学者カート・リクターは、人によっては残酷だとショックを受けるような、ある実験を行った。一九五七年に行われたその実験は、水温が持久力におよぼす影響を調べるためのものだった。リクターと同僚たちは、数十匹のラットをガラスビンに一匹ずつ入れ、それからビンを水で満たした。ビンの内壁は高く滑らかで、よじ登れないようになっていたため、ラットは文字通り「溺れるか泳ぐか」の状況に置かれた。ラットが命がけで泳がずに、ただ浮かんでいるようなことがあれば、ラットを水面下に沈めるために上から水を噴射した。このようにしてラットが、エサも、休息も、逃げるチャンスも与えられないまま、溺れるまでどれくらい泳ぎ続けるかを計ったのだ。

研究者たちが驚いたことに、水温が一定でも、体力が等しいラットが泳いだ時間には、大きな個体差があった。平均して六〇時間泳いでから溺れたラットと、ほとんど時を置かずに溺死したラットに、はっきり分かれたのだ。一五分ほどあがいてから、あっさりあきらめるラットもいれば、肉体的限界まで頑張りとおすことを心に決めているかのようなラットもいたのである。リクターたちは困惑した。泳ぎ続ければいつか必ず逃げられるはずだと、固く信じているラットがいるのだろうか？　ラットによって「信念」が違う、などということが一体あり得るだろうか？　だがこの状況では、すべてのラットに強い生存本能が働いていたはずだ。その中で、これほど著しい個体差が見られた理由は、ほかにあるだろうか？　もしかすると、強い精神力を見せたラットは、ひどい苦境から脱出できると信じるべき理由を、どういうわけか持っていたのかもしれなかった。

そこで次の実験では、ラットをすぐに水に投げ入れることはせず、何度かつかまえ、そのたびに逃すということをした。それからラットをビンに入れ、数分間水噴射を浴びせた後で、また取り出してケージに戻した。このプロセスは数回繰り返された。そしてとうとうラットは、「溺れるか泳ぐか」のテストのためにビンに入れられた。ところがこのとき、あきらめる気配を見せたラットは一匹もいなかったのだ。そして、ラットが力尽きて溺れるまでに泳いだ時間は、平均六〇時間を超えていた。

ラットに「信念」があるなどという説明は、何だかしっくり来ないかもしれない。それでもラットは前に捕獲者から逃げおおせ、水噴射も切り抜けた経験から、自分が不愉快な状況に堪えるだけでなく、抜け出すことさえできると知っていた。ラットはこの経験から、自分の力で結果を多少なりとも変えられること、そして救助がすぐそこまで来ているかもしれないことを知ったのだろう。ラットはその驚異的なねばり強さにおいて、キャラハンやシンプソンと大差なかった。でもだからと言って、ラットが選択をしたと言えるのだろうか？　ラットは、少なくとも体力の限界まで、生きることを自ら選んだのだろうか？

見過ごされた救助の可能性

報われない忍耐の悲痛な物語の次は、見逃された救助の痛ましい物語だ。一九六五年にコーネル大学のマーティン・セリグマンが、心理学の様相を一変させることになる、一連の実験を行った。研究チームはまず、ビーグルやウェルシュ・コーギーほどの大きさの雑種犬を、一匹ずつ白い箱に入れて、ゴム引きの布で作った引き具で全身を固定した。それからイヌの体長と同じ長さのパネルをそれぞれのイヌの両側に置いて、ほとんど身動きが取れない状態にした。パネルには首のところに小さな穴を空け、そこにくびきを通して、二匹ずつイヌをつないだ。

実験の間それぞれのペアは、無害だが不快な電気ショックを周期的に与えられた。しかし、二匹の入っていた箱には、大きな違いがあった。一方の箱は、イヌが鼻で両脇のパネルのどちらかを押せば、ショックを止められるようになっていたのに対し、もう一方の箱は、イヌがどんなに身をよじってもだえても、ショックを止めることはできなかった。ショックは同期化されていて、両方のイヌに対して同時に始まり、ショックを止められる方のイヌがパネルを押したとき、同時に終わった。つまり、与えられたショックの量は、どちらのイヌも同じだった。しかし、一方のイヌが痛みを自分の意思でコントロールできるものとして経験したのに対し、もう一方はそうではなかった。ショックを自力で止められない方のイヌは、すぐに萎縮して、哀れっぽく鼻を鳴らすようになった。この不安と落ち込みの兆候は、セッション終了後も持続した。これに対しショックを止められたイヌは、多少の苛立ちは見せたものの、すぐにショックに身構え、パネルを押して痛みを回避することを学んだ。

実験の第二段階では、両方のイヌを新しい状況に置いて、自分の意思で状況を変えた経験、または変えられなかった経験から学習したことを、どのように活用するかを調べた。低い壁で二つの部屋に仕切られた大きな黒い箱を用意して、二匹のイヌを一方の部屋に入れた。イヌたちのいる方の部屋には、床に周期的に電流を流し、もう一方の部屋には流さなかった。仕切りは低く、簡単に飛び越えられるようになっていたため、前の実験でショックを止めることができたイヌは、すぐにショックを回避する方法を見つけた。しかし、ショックを止められなかったイヌの三分の二が、ただじっと横たわって苦しみ続けた。ショックが続くと、イヌは哀れっぽく鼻を鳴らしたが、決して逃げようとはしなかった。ほかのイヌが壁を飛び越えるのを見ても、研究者たちに箱の向こう側に引きずって行かれ、ショックを回避できることを教えられても、イヌたちはただあきらめて、苦痛に耐えるばかりだった。仕切りの向こう側にある苦痛なき世界は、すぐ近くにあり、すぐ手に入るものでありながら、このイヌたちの目にはまったく入らなかったのだ。

わたしたちが「選択」と呼んでいるものは、自分自身や、自分の置かれた環境を、自分の力で変える能力のことだ。選択するためには、まず「自分の力で変えられる」という認識を持たなくてはならない。例の実験のラットが、疲労が募るなか、これといって逃《のが》れる方法もないのに泳ぎ続けたのは、必死の努力を通じて手に入れた（と信じていた）自由を、前に味わっていたからこそだ。これに対して、自分の置かれた状況を自分でコントロールする能力を完全に奪われたイヌは、自分の無力さを思い知った。後にコントロールを取り戻しても、イヌの態度が変わらなかったのは、コントロールが取り戻されたことを認識できなかったからだ。その結果、イヌたちは事実上、無力なままだった。

つまり動物たちにとっては、実際に状況をコントロールできるかどうかよりも、コントロールできるという認識の方が、はるかに大きな意味を持っていたということになる。ラットはこの実験では設計上、死を運命づけられていた。だがかれらが見せたねばり強さは、キャラハンやシンプソンの例が示すように、現実の世界では報われた可能性が十分あるのだ。

Ⅲ・前頭葉は統合する

わたしたちは生まれながらに選択するようにできている。鏡を見れば、一目瞭然だ。目と鼻、耳と口を使って周囲から情報を集め、腕と足を使って、それに応じた行動を取ることができる。こういった能力に頼りながら、わたしたちは飢餓と飽食、安全と脆弱、さらには生と死の折り合いをうまくつけているのだ。とは言え、ただ感覚情報に反応するだけでは、選択はできない。たとえば医者にゴムハンマーで、しかるべき場所を叩かれれば、足が跳ね上がるが、この反射が選択だとはだれも考えない。本当の意味で選択を行うためには、すべての有効な選択肢を分析して、その中から最良のものを選ぶ必要がある。つまり選択を行うには、肉体と同じくらい、精神も活用しなくてはならないのだ。

最近の科学技術の進歩はめざましく、たとえば機能的磁気共鳴画像（ｆＭＲＩ）装置を使って脳をスキャンすれば、選択にかかわる主要な脳の部位を特定することができる。それは皮質線条回路だ。その主要な構成要素である線条体は、脳の中央部に深く埋め込まれていて、その大きさと機能は、爬虫類《はちゅうるい》から鳥類、哺乳類に至るまで、動物界全体でほとんど変わらない。線条体は、高次と低次の精神機能をつなぐ配電盤のような役割を果たす、大脳基底核と呼ばれる構造の一部だ。線条体は脳のほかの部位から感覚情報を受け取るほか、選択を行う上で欠かせない身体運動の準備にも関わっている。だが線条体が選択決定で担う一番大事な役割は、経験に伴う報酬について判断を下すことだ。たとえば「砂糖＝良い」、「歯の根管治療＝悪い」といったことに、注意を促す働きである。要するに線条体は、欲するものを欲しいと思うために必要な、脳内リンクを提供する。

とは言え、ただ甘いものがおいしくて、歯の治療がとても辛いことを知っているだけでは、選択の助けにならない。ある状況で甘いものを食べすぎると、やがて根管治療をする羽目になるという、関連づけが必要なのだ。ここで、皮質線条回路のもう半分である、前頭前皮質が絡んでくる。額のすぐ後ろにある前頭前皮質は、脳の司令センターのような働きをする。線条体や身体のその他の部分からメッセージを受け取り、このメッセージをもとに、最良の行動方針を決定し、実行する。また前頭前皮質は、行動が今または将来的におよぼす影響の、複雑な費用効果分析にもかかわっている。そしてもう一つ、わたしたちは前頭前皮質があるおかげで、長い目で見て自分のためにならないとわかっていることをやってしまいそうになっても、その衝動を抑えることができるのだ。

前頭前皮質の発達は、現在進行中の自然淘汰の、きわめつけの例と言える。前頭前皮質は人間にも動物にもあるが、それが脳に占める割合は、すべての種の中で人間が最も大きい。そのおかげでわたしたちは、競合するその他の本能を抑えて「合理的」な選択を行うという、ほかの動物にはない能力を与えられているのだ。前頭前皮質の発達は思春期以降も続くため、この能力は年齢とともに向上する。運動機能の発達が主に幼児期までに、事実をもとにした論理的な思考能力の発達が思春期までに、ほぼ完了するのに対し、前頭前皮質の成長と統合のプロセスは、二〇代半ばまで続く。幼児が大人に比べて抽象概念を理解する力が弱く、また特に子どもやティーンエージャーが衝動にかられがちなのは、このせいだ。

賢明な選択を行う能力が、環境を支配する最も有効な手段であることは、おそらくまちがいない。なにしろ、鋭いかぎづめや、厚い皮膚や、翼などの、目につく防御手段を持たないことでかえって目立つ人間が、地球を支配するまでになったのだから。人間は、生まれながらに選択を行う手段を持っている。だが、それと同じくらい重要なのは、わたしたちが「選択したい」という欲求を生まれ持っていることなのだ。たとえば線条体のニューロンは、まったく同じ報酬であっても、受動的に与えられた報酬よりも、自分から能動的に選んだ報酬に、より大きな反応を示す。ミュージカル『ショーボート』の劇中歌にあるように、人はだれしもまるで「魚が泳ぐように、鳥が飛ぶように」、選択せずにはいられないのだ。

選択したいというこの欲求は、生得的なもので、それをまだ言葉で表現できない子どもでさえ、この欲求にかられて行動する。生後四ヶ月の乳児を対象にしたある研究で、乳児の手にひもを結わえつけ、ひもを引っ張れば心地良い音楽が流れることを教えた。その後ひもをとり外し、代わりにランダムな間隔で音楽を流してみた。すると、自分で音楽を鳴らしたときと同じ時間だけ音楽が聴こえたにもかかわらず、子どもたちは悲しげな顔をし、腹を立てた。子どもたちは、ただ音楽が聴きたかっただけではなかった。音楽を聴くかどうかを、自ら選ぶ力を渇望したのだ。

たとえ成果が少ないことがわかっていても

このように、選択に力を与えているのは、すべての選択肢の中から、最良のものを選び出す能力である。だが皮肉なことに、ときには選択したいという欲求が強くなりすぎて、選択が与えてくれるメリットを十分活かしきれないことがある。選択肢を増やしても何の利益も得られない状況、つまり余分な時間や労力がかかるだけ、という状況でさえ、わたしたちは本能的に選択の幅を拡大しようとするのだ。

ある実験では、ラットを迷路に入れて、まっすぐな経路と、枝分かれした経路のどちらを選ぶか、見てみた。まっすぐな経路と枝分かれした経路のどちらを選んでも、最終的にたどり着くエサの量は同じだったため、どちらかがもう一方より有利ということはなかった。それでも複数回の試行で、ほぼすべてのラットが、枝分かれした経路を選んだ。同様に、ボタンを押すとエサが出ることを学習したハトやサルも、複数のボタンのついた装置を選んだ。ボタンが一つでも二つでも、得られるエサの量は変わらなかったのにもかかわらずだ。人間は、この優先傾向を意識的に覆すことができるが、必ずしもそうするとは限らない。別の実験で、カジノのチップを与えられた被験者は、ルーレット式の回転盤が一つあるテーブルよりも、二つのまったく同じ回転盤があるテーブルでチップを賭けたがった。賭けることができるルーレットは一つだけで、ルーレットは三つとももまったく同じものだった。

このように、選択したいという欲求は自然な心の動きであり、おそらく生き残るために欠かせない働きだからこそ、発達したのだろう。それなのに、この欲求はどんな利益とも、まったく無関係に作用することが多い。そんなとき、選択の力は大きくなりすぎて、単なる目的を達成する手段ではなく、それ自体価値があり、必要なものと化してしまうのだ。だとすれば、選択が本来与えてくれるはずの恩恵に与《あずか》っているのに、選択したいという欲求そのものが満たされないとき、わたしたちは一体どうなるのだろうか？

Ⅳ. リルケの『豹』

これ以上はないというほど贅沢なホテルを想像してほしい。朝昼晩と豪華な食事が用意されている。日中はお好きなようにどうぞ。プールサイドのラウンジで過ごすもよし、美容施術を受けるもよし、娯楽室で遊びに興じるもよし。夜にはキングサイズのベッドで、羽根枕と織り密度の高い柔らかなシーツにくるまれて、眠りをむさぼる。にこやかなスタッフがいつも控えていて、どんな要望にも喜んで応えてくれる。その上、ホテルでは最先端の医療サービスが受けられる。家族連れでやって来て、新しい出会いを楽しんでもいいし、独りで訪れて、魅力的な男女の中から特別なだれかを探すのもいい。そして何といっても最高なのは、すべて無料だということだ。だが一つだけ、ちょっとした条件がある。チェックインしたが最後、永久に出られない。

これは、あの有名なホテル・カリフォルニアのことではない。このような贅沢な監禁は、世界中の動物園の動物たちにとって、あたりまえのことなのだ。一九七〇年代から八〇年代にかけて以降、動物園は飼育動物の自然の生息環境を再現しようとして、コンクリートの床や鉄格子の代わりに、草地や岩、木、池などを設置してきた。こうした環境は自然を装っているが、中にいる動物は、エサやすみかを探したり、捕食動物から身を守ったりする心配がない。生きていくのに必要なものは、すべて与えられているように思われる。

一見、そう悪くない話のようだ。しかし、動物たちはいろいろと厄介な問題に悩まされる。シマウマは、つねにダモクレスの剣の下で暮らしているようなものだ。近くのネコ科の大型動物館にいるライオンのにおいを毎日嗅ぎながら、逃げることもできないのだから。鳥やクマにしてみれば、冬場に渡りをしたり食料を蓄えられないことも、やはり確実に破滅を約束するように思われる。実際動物たちには、これまで毎日魔法のように現れていたエサが、明日もまた現れるかどうかを知るすべも、自分で食料を調達する能力もない。手短に言えば、動物園での生活は、動物に最も深く刻み込まれた生存本能とは、まったく相容《あいい》れないものなのだ。

人間の飼育係がこれほど手を尽くしているのに、動物園の動物たちは自分の生活を自分の手で変えることがほとんどできないために、死のわなにかかったように感じるのかもしれない。毎年のように多くの動物が、張り巡らされた堀や塀、網、ガラスの囲いなどをものともせずに脱出を企て、中には逃げおおせるものもいる。二〇〇八年には、ロサンゼルス動物園のブルーノという名の二九歳のオランウータンが、獣舎の網の囲いに穴をあけて逃げたつもりが、檻の奥の部屋に入ってしまった。負傷者は出なかったが、飼育係がブルーノを麻酔注射で眠らせるまでの間、三〇〇〇人の来園客が避難させられた。この一年前にサンフランシスコ動物園では、タティアナという名の四歳のシベリアトラが、八メートルほどの堀を飛び越えて、来園客一人をかみ殺し、二人にケガを負わせた末に射殺されている。また二〇〇四年にはベルリン動物園のメガネグマのホアンが、丸太を使って「サーフィン」しながら堀を渡り、壁をよじ登って自由の身になった。だが園内のメリーゴーラウンドに乗り、すべり台を何度かすべったところで、動物園の職員に麻酔銃で撃たれた。

これらやほかの無数の物語が教えてくれるのは、状況を自分でコントロールしたいという欲求が、それ自体、強力な動機になり得るということだ。不都合を招くことがわかっていても、その衝動に突き動かされてしまう。これは単に、自分で状況をコントロールすることが、気分が良いというだけではない。そうできない状態が、本質的に不快で、ストレスを引き起こすからでもある。強迫下に置かれると、身体が差し迫った危険に対処できるように、内分泌系からアドレナリンをはじめとするストレス・ホルモンが分泌される。あなたも危険な状況に置かれたり、ストレスを与えられたり、不満を持ったり、パニックを起こしたとき、闘争的な反応、もしくは逃走的な反応を起こしたことがあるだろう。呼吸数と心拍数が上昇し、血管が収縮するため、酸素を多く含む血液が四肢末端にまで素早く行きわたる。消化や免疫システムの維持などの身体過程に費やされるエネルギーが一時的に減少し、とっさの行動に使えるエネルギーの量が増える。瞳孔が拡張し、反射が速くなり、集中力が高まる。体が正常機能を再開するのは、危機が過ぎ去ってからだ。

このような反応は、野生の環境では、短期的な生存のチャンスを高める。ストレス源を絶ち、状況をコントロールする能力を取り戻す動機として働くからだ。しかしストレス源がいつまでもなくならないとき、つまり逃げたり戦ったりできる対象ではないとき、身体が消耗するまでストレス反応は続く。動物園の動物であっても、基本的な生存欲求や、捕食者による攻撃の危険は感じる。動物には、自分が安全だということがわからないからだ。持続的な厳戒状態は、身体面では免疫システムの弱体化や潰瘍、心臓障害さえ誘発することがある。また精神面では反復性の、場合によっては自己破壊的な行動を引き起こしかねない。これは常同症と呼ばれ、人間でいう、手を揉みしぼったり唇をかんだりする癖の動物版で、ほとんどの生物学者によって、落ち込みや不安のしるしと見なされている。

動物園の動物はなぜ寿命が短いのか

ニューヨーク・セントラルパーク動物園の、体重三二〇キログラムのホッキョクグマのガスが、一九九四年にそのような行動を見せた。ガスはプールを延々と往復してひたすら泳ぎ続け、来園客や飼育係を戸惑わせた。生粋のニューヨーカーであるガスは、神経症を克服するために、セラピストと面談した。映画『フリー・ウィリー』のクジラを調教したことで知られる、動物行動学者のティム・デズモンドだ。デズモンドは、ガスには本能を発揮できるような課題や機会が必要だという診断を下した。ガスは自分がどこでどうやって時間を過ごすかを、まだ自分で決めることができると感じたかった。つまり、自分の運命を自分の手の内に取り戻す必要があったのだ。同じように、ペットのハムスターや実験用のネズミが見せる過剰な毛繕いは、潔癖症の表れではなく、神経性習癖であり、毛をこすったりかじったりして所々完全にはげてしまうまで続くことがある。こうした行動は、一般にプロザックという名で知られる抗うつ剤の投与によって、軽減または消失する。

このような身体的、心理的な悪影響のせいで、動物園での飼育は、客観的に見て野生より生活条件が良いにもかかわらず、寿命を縮めることも多い。たとえば野生のアフリカゾウの平均寿命は五六歳だが、動物園で生まれたゾウは一七歳だ。そのほかの悪影響としては、出生数の減少（動物園のパンダにとって深刻な問題だ）、高い乳児死亡率（ホッキョクグマでは六五％を超える）などがある。これらはどんな飼育動物にとっても大きな問題だが、絶滅のおそれのある種にとっては特に憂慮すべき問題だ。

動物園は物質的な快適さを提供し、動物の自然生息環境をできるだけ忠実に再現しようと奮闘している。だがどんなに進んだ動物園であっても、動物が野生で経験するような刺激や、自然な本能を発揮する機会を与えることはできない。監禁生活の絶望を最もよく訴えかけるのは、ライナー・マリア・リルケの詩『豹』だろう。この動物が「小さな環を何度となくなぞっていく」様子は、まるで「円心をまわる儀式めいた舞踏に／すさまじい意思が封印され」ているかのようだ。セリグマンの実験のイヌたちとは違って、このヒョウはじっと横たわってではなく、せわしなく動くことによって無気力を露《あら》わにする。だが無力なイヌたちと同じように、ヒョウもまた、自分が監禁されているという事実にとらわれ、その先の世界を見ることができない。「千本の格子が並び／格子の向こうに世界は見えない」。格子が本物であれ比喩であれ、自己決定権を失った者にとって、この喪失の痛みの先には、何も存在しないように思われるのだ。

V．社長は長生きする

わたしたち人間は、動物のように監禁されるおそれには直面していないかもしれない。しかし、全体の利益のために、個人の選択を部分的に制限するような体制を、自ら進んで生み出し、それに従っている。わたしたちが投票によって法律を作ったり、契約を履行したり、有給で雇用されたりするのは、そうしなければ混沌状態に陥ることを知っているからだ。だがこのような制限のメリットを合理的に認識する能力と、それを回避しようとする本能とがかち合ったら、一体どうなるのだろう？　生活の中で、この自由と統制のバランスをうまく図れるかどうかが、健康のカギを握る。

ロンドン大学ユニーバーシティ・カレッジのマイケル・マーモット教授が、数十年にわたって指揮している研究プロジェクト、ホワイトホール研究は、選択の自由度に対する認識が、健康に大きな影響をおよぼすことを、強力に実証する。この研究では一九六七年以来、イギリスの二〇歳から六四歳の公務員男性一万人あまりを追跡調査して、さまざまな職業階層に属する公務員の健康状態を比較している。この結果、「モーレツ上司が心臓発作を起こして四五歳でポックリ逝く」といった型にはまったイメージと、まったく正反対の結果が出たのである。収入の高い仕事ほどプレッシャーが大きいにもかかわらず、冠状動脈性心臓病で死亡する確率は、最も低い職業階層の公務員（ドアマンなど）が、最も高い階層の公務員の三倍も高かったのだ。

これは一つには、低位層の公務員が高位層に比べて、喫煙率や肥満率が高く、定期的に運動する習慣がなかったせいでもある。だが喫煙、肥満、運動習慣の違いを考慮に入れても、最下層の公務員が心臓病で死ぬ確率は、まだ最上層の二倍も高かった。最も地位が高い人は収入も高く、自分の生活を思い通りにコントロールしやすいからという見方もできるが、それだけでは低位層の公務員の方が健康状態が悪いことを説明できない。社会的な基準からすれば富裕な部類に入る、二番目に高い階層の公務員（医師、弁護士、その他の専門職など）でさえ、上司に比べれば、健康リスクが著しく高かったのだ。

後で分かったことだが、このような結果をもたらした主な理由は、職業階層の高さと仕事に対する自己決定権の度合いが、直接的に相関していたことにあった。上役はもちろん収入が高かったが、それより大事なことに、自分自身や部下の仕事の采配を握っていた。企業の最高経営責任者にとって、会社の利益責任を負うことは、たしかに大きなストレスになるが、それよりもその部下の、何枚あるかわからないメモをページ順に並べるといった仕事の方が、ずっとストレスが高かったのだ。仕事上の裁量の度合いが小さければ小さいほど、勤務時間中の血圧は高かった。さらに言えば、在宅中の血圧と、仕事に対する自己決定権の度合いとの間に、関係は認められなかった。つまりこのことは、勤務時間中の血圧の急上昇を引き起こした原因が、自分で仕事の内容を決められないことにあることを、はっきり示していた。仕事に対する裁量権がほとんどない人たちは、背中のコリや腰痛を訴えることが多かったほか、一般に病欠が多く、精神疾患率が高かった。これらは飼育動物によく見られる常同症の人間版であり、その結果、かれらの生活の質は著しく低下したのだ。

残念ながら、状況は深刻になる一方だ。わたしたちは職場のストレス要因だけでなく、自分の力ではどうしようもない、日々の苦しみに大いに悩まされているという研究報告が相次いでいる。仕事に邪魔が入る、交通渋滞に巻き込まれる、バスに乗り遅れる、スモッグ、蛍光灯のジリジリいう音やちらつき、等々。興奮と筋緊張は、野生生活では命を守る素早い動きを可能にするが、現代社会ではフラストレーションや腰痛を引き起こしかねない。そもそも闘争・逃走本能は、朝六時半のモーニングコールや、将来性のない仕事に向かう遠距離通勤に対処するための働きではない。このような軽度だが持続的なストレス要因にさらされた人は、時間とともに回復するということがない。そのため、たとえば解雇や離婚といった、それほど頻繁に起こらない大きな災難に見舞われるよりも、かえって健康を大きく害することがある。こと自己決定権の欠如に関する限り、ことわざにいうように「悪魔は細部に宿る」ことが多いのだ。

それなら出世の階段を上れない、または上らないことを選ぶ人たちに、一体希望はあるのだろうか？　ホワイトホール研究は、たしかに不安をかき立てるが、希望があることをも示唆している。この研究で、人々の健康に最も大きな影響を与えた要因は、人々が実際にもっていた自己決定権の大きさではなく、その認識にあった。実際、下位層の公務員は、上位層よりも仕事の自由度は少なかったが、同じ階層内でも、自分に仕事の自由度がどれくらいあるかという認識と、それに対応する健康状態は、人によって大きく違ったのだ。つまり十分な報酬を得ていても、日々無力感を抱いている重役は、低賃金の郵便係と同じように、前述のような症状に苦しめられるということになる。

飼育動物とは違い、人間の自己決定権や無力感のとらえ方は、外部の力だけで決まるわけではない。人間は、世界に対する見方を変えることで、選択を生み出す能力を持っているのだ。死より生を選んだキャラハンは極端な例だが、たとえ状況が自分の手に負えないように思えても、自分の力で何とかするという気持ちを持つことで、より健康で幸せな日々を送ることはできる。人生の辛いできごとを不可抗力のせいにする人は、自分次第で何とでもなると信じている人に比べて、鬱病にかかりやすいほか、薬物依存や虐待関係といった破滅的な状況から抜け出せず、心臓発作が起きても助かる確率は低く、そのうえ免疫システムの低下やぜんそく、関節炎、潰瘍、頭痛、腰痛に悩まされやすいという。それではいわゆる「後天的な楽観主義」を培《つちか》うには、何が必要だろうか？　つまり、どうすれば人生の痛手に黙って耐えるのではなく、ものごとの見方を変えて、自分の力で何とでもなるという意識を持つことができるのだろうか？

ある老人ホームでの実験

コネチカット州の高齢者介護施設アーデンハウスで一九七六年に行われた研究から、この答えの手がかりをいくつか得ることができる。心理学者のエレン・ランガーとジュディス・ローディンは、六五歳から九〇歳までの入居者の自己決定権の認識を操作する実験を行った。施設の世話係が、二つの階の入居者を別々に集めた。ある階の集まりでは、まず入居者一人ひとりに鉢植えを配り、鉢植えの世話は看護師がしてくれると伝えた。次に、映画を木曜と金曜に上映するので、どちらかの日に映画が見られるよう予定を組んで連絡すると言った。またほかの階の入居者を訪ねておしゃべりをしたり、読書、ラジオ、テレビなどを楽しむことが許されていると説明した。このときのメッセージの趣旨は、入居者にはある程度の自由は許されているが、かれらの健康は有能な職員が責任を持って管理する、というものだった。これは当時の介護施設としては標準的な方針であり、今なおそうである。世話係はこう言った。「この施設を、みなさんが誇りに思い、幸せを感じられるような家にするのがわたしたちの務めです。みなさんのお世話をするために、努力して参ります」

次に世話係は、別の階の入居者を集めた。だが今回は、一人ひとりの入居者に好きな鉢植えを選ばせ、鉢植えの世話は自分でするようにと伝えた。それから映画上映会を毎週木曜と金曜に行うことを告げ、どちらの日に見てもいいと言った。またお互いの部屋を訪ね合って思い思いにおしゃべりしたり、読書、ラジオ、テレビを楽しむなど、好きなように時間を過ごして下さいと言った。このように世話係は全体として、この新しい家を楽しい場所にできるかどうかは、入居者次第だということを強調した。「みなさんの人生ですよ。どんな人生にするかは、みなさん次第です」

このようにメッセージは違ったが、施設の職員は二つの階の入居者をまったく同じように扱い、同じだけの世話をした。それに、二番目の集団の入居者だけに与えられた選択は、一見ささいなものだった。どの入居者も鉢植えを一つずつ与えられ、木曜であれ金曜であれ、週に一度同じ映画を見たからだ。それなのに三週間後の調査では、選択の自由度が大きい入居者は、そうでない入居者に比べて、満足度が高く、生き生きしていて、ほかの入居者との交流も盛んだった。三週間というこの短期間にも、「選択権なし」の集団では、入居者の七〇パーセント以上に身体的な健康状態の悪化が見られた。これに対して「選択権あり」の集団では、九〇パーセント以上の入居者の健康状態が改善した。六ヶ月後の調査では、大きな自由度を与えられた、いや実は、自由度が大きいという認識を与えられた入居者の方が、死亡率が低かったことが判明した。

このように介護施設の入居者は、多分に象徴的な選択の自由を手にすることで、さまざまな恩恵を受けた。かれらは自分を取り巻く世界を、多少なりとも自分でコントロールしたいという、生まれながらの欲求を行使できた。その結果、動物園の檻に入れられた動物や低位層の公務員が経験することの多い、ストレスや不安を感じずにいられたのだ。この研究が教えてくれるのは、たとえささいな選択であっても、頻繁に行うことで、「自分で環境をコントロールしている」という意識を、意外なほど高めることができるということだ。これは、ささいなストレスが徐々に蓄積していくと、たまの大きなできごとが引き起こすストレスより、大きな害をおよぼすようになるということの裏返しだ。さらに意義深いのは、自分や他人に選択の自由を与えることで、それに伴う恩恵を与えることもできるということだ。行動をちょっと変える、たとえば自分の力を際立たせるような方法で話したり考えたりするだけで、自分の精神的、肉体的状態を大きく変えられるのだ。

精神力で困難を乗り越えようとする患者の姿勢について、これまでさまざまな研究がなされている。ガンやＨＩＶのような悪性疾患との闘病においても、回復の見込みがないことを断固として受け入れない姿勢が、生存確率を高め、再発の可能性を減らすか、少なくとも死を遅らせることがあるという。たとえばガンの研究・治療を専門とする世界で初めての病院、イギリスの王立マーズデン病院で行われた研究がある。この研究によれば、無力感と絶望感が高い乳ガンの患者は、そうでない患者に比べて、五年以内に再発または死亡する確率が著しく高かった。この傾向が、まだ有効な治療がなかった頃のＨＩＶ患者にも見られたことを、さまざまな研究が実証している。「無力感が強い」と回答したＨＩＶ患者は、ＨＩＶからエイズを発症する確率が高く、エイズ発症から死亡までの期間も短かったのだ。だが病気との向き合い方が、身体の健康に直接的な影響をおよぼすなどということが、本当にあり得るのだろうか？

医学界では、この問題をめぐって白熱した議論が繰り広げられている。だが一つはっきり言えるのは、人は可能な限り選択の自由を求めるということだ。わたしたちは、自分の人生を前向きにとらえれば、状態がきっと良くなると信じたいのだ。それに、たとえ身体が快方に向かわなくても、気分は良くなると信じる理由はたしかにある。

たとえばカリフォルニア大学ロサンゼルス校（ＵＣＬＡ）で行われたある研究では、乳ガン患者の三分の二が、自分の病気の進行を自分の力でコントロールできると信じていた。またそう答えた人の三分の一以上が、大いにコントロールできると考えていた。このような意識は、たとえば果物や野菜をもっと摂るといった、行動の変化を引き起こすことも多かったが、純粋に心の作用として表れることの方がずっと多かった。たとえば化学療法を、ガン怪獣のかけらを粉砕する大砲に見立てる、というようなことだ。患者は自分にこうも言い聞かせていた。「これ以上絶対にガンをふやさない」。こうした信念がどれほど理屈に合わなくても、自分の病気を大いにコントロールしているという信念が強い患者ほど、幸福度が高かった。実際、自分に病気に勝つ力があると信じたいという患者の欲求は、病める人も健やかなる人も、老いも若きも、だれもが本能的に必要とする、人生に対する自己決定権への渇望なのである。わたしたちはどんなに悲惨な状況にあっても、自分の人生を、自分の力で選択でき、コントロールできるものと見なしたいのだ。

Ⅵ．物語を語る

そうは言っても、生きることを選んだからと言って、実際に生き延びることができるとは限らない。「人間の精神の勝利」の物語では、ヒーローたる生存者が心の中で「選択の時が来たことを知った」とか、「難しい選択を迫られた」など、命運を左右する瞬間がことさらに強調されることが多い。そのあとは、暗闇から光への感動的な旅を描く絢爛《けんらん》たる散文や、そこから得られる教訓のありきたりのない説明が続くのが、ありがちなパターンだ。しかしリクターの実験のラットは、自分は絶対に安全な場所にたどり着くのだと、どんな生き物にも負けないほど強く確信しているように思われた（にもかかわらず、最後には死が待っていた）。それに、生きることを選びながら命を落とした無数の船乗りや登山家、末期患者の話は聞くことはできない。そのため生存者の物語、特に個人の「驚異的な精神力」をことさらに強調するようなものは、割り引いて聞く必要がある。そうでなければ、どこかで聞いたような話に思えることもある。テレビカメラに向かう生存者には、同じ台本が渡されるのではと疑いたくなるほどだ。

それでもこうした物語は、重病や悲劇につきものの恐れと苦しみに堪える力を与えてくれる。医学界の常識からすればあり得ないほど楽観的な信念でさえ、現実的な見通しなどよりも、病気に立ち向かう助けになる。この場合、病気が治ったと固く信じていたのに再発した患者には、揺り戻しが起こりそうなものだが、研究はそうでないことを示している。健康な人はこのような楽観論を、妄想と片づけるかもしれない。でもあなただって立場が変われば、確率をほんのわずかでも有利に傾けることができるとあれば、わらをもつかむ思いですがりつくかもしれないのだ。

作家のジョーン・ディディオンは、随筆『六〇年代の過ぎた朝』を、次のような言い回しで始めている。「わたしたちは生きるために、自分の物語を自分に語る」。これは簡潔だが、衝撃的な宣言だ。この少し後で、彼女はこうも述べている。「わたしたちは自殺にも訓話を求め、五人殺害事件に社会的、道徳的教訓を求める。目に見えるものに解釈を与え、複数の選択肢の中から一番実行できそうなものを選ぶ。そして特に作家は、バラバラのイメージをひとつの文脈でまとめあげることができる。わたしたちの実体験は、走馬灯のようにとりとめもないものだが、それをひとつの形に固定することができるのだ」。このような、他者によって課される語り《ナラティブ》は、たとえ陳腐で感傷的なものであっても、重要な役割を果たす。わたしたちは、こうした語りを通して、人生の意味を多少なりとも解き明かすことができるのだ。そしてこの語りが「選択の物語」であるとき、つまりわたしたちの手に選択権があるという思想であるとき、わたしたちはまさに「生きるために」それを自分に語り聞かせるのだ。

選択の物語を知る

わたしたちには、選択の物語を生み出し、他者に伝える義務があると言っても過言ではない。というのも、このような物語は知ったが最後、けっして他者によって奪われることがないからだ。たとえ財産や家庭や愛する者を失おうとも、選択の物語にしがみついてさえいれば、選択を実行する能力を失わずにいられる。ストア派哲学者の小セネカ〔ルキウス・アンナエウス・セネカ〕はこう述べている。「隷属状態が、人間の存在全体におよぶと考えるのは誤りである。人間の大切な部分に、隷属はおよばないのだ。たしかに肉体は主人に従属し、捕らえられているかもしれないが、精神は独立している。実際、精神はきわめて自由で奔放なため、肉体を閉じこめている監獄でさえ、それを抑えこむことはできないのだ」。動物にとって、肉体の監禁は、存在そのものの監禁だ。これに対して人間は、肉体的に自立していないときでさえ、自由を選び取ることができる。そのためには、選択が何であるかを知り、選択が当然の権利だという信念を持たなくてはならない。わたしたちは物語を分かち合うことで、想像と言語の中で選択を生かし続けることができる。そして肉体的に不可能なときでも、精神で選択を実行する力を、互いに与え合うことができるのだ。

そんなことから、「選択の物語」が育ち、広まり、ますます大きな力をもつようになっているのは驚くにあたらない。アメリカでは、この物語がアメリカンドリームの灯を燃やし続けている。アメリカンドリームそのものが、独立宣言にうたわれた「生命、自由、そして幸福の追求に対する侵すべからざる権利」の上に成り立っているのだ。しかしこの物語の起源は、はるか昔にさかのぼる。それは自由や自決にかかわるどんな議論にも宿っている。実際、「選択」という言葉が使われていないときでも、その心強い存在を感じることができる。わたしたちは、他者の手で書かれることの多い台本《スクリプト》に従いながら、この語りを行動に移すとき、どのような状況であっても自己決定権を要求する。また次の講義で見ていくように、台本や行動のもたらす結果は人によって違うが、選択したいという欲求と必要は、万人に共通する。

わたしたちは気質、文化、言語など、さまざまな違いはあっても、選択のおかげで互いに結びつき、自由と希望について語り合うことができるのだ。

第2講

集団のためか、個人のためか

父は結婚式のその日まで、母の顔を知らなかった。親族と宗教によって決められた結婚は不幸か。宗教、国家、体制の違いで人々の選択のしかたはどう変わるか

I. 私の父は、結婚するまで母の顔を知らなかった

今から四〇年と少し前のことだ。八月のある朝、カンワル・ジット・シング・セティは、自分の結婚式の準備をするために、明け方に起き出した。まずは儀式の沐浴《もくよく》である。白い引きひものついたシーク教徒の伝統的な下着、ケヒだけを身につけて、デリーにある自宅の沐浴室に入った。明かり取りの窓が一つしかない小さな空間で、背の低い木製の台座に腰掛け、素足に石の床を冷たく感じていた。母親と祖母が沐浴室に入って来て、かれの体にターメリック、ビャクダン、乳、バラ水でできた、ヴァトナと呼ばれる香り高いペーストを塗った。それから二人は桶を水で満たし、杯でかれの頭と肩に水をかけてやった。

カンワル・ジットの母は、かれの背中まで届く髪と、胸骨まで届くあごひげを洗ってやった。シークの伝統に従って、髪もあごひげも、生まれてから一度も切ったり剃ったりしたことがない。髪をきれいにすると、香油を揉みこんできつくまとめ、髪は頭頂部で、ひげは顎の下で結

結婚式で。母の顔はまだベールに覆われている

んだ。

一張羅のスーツに身に包んだカンワル・ジットは、押し出しのいい男だった。二八歳、七三キロ、真っ赤なターバンを巻いた身長は一八三センチ。かれの風貌と陽気なふるまい、優しい目、大らかな態度は、見る者を惹きつけて離さなかった。扉を通って中庭に行ったかれを、百人ほどの友人と親戚が迎え、祝典が始まった。

ここから数区画離れたところで、二三歳のクルディープ・カウル・アナンドが、同じように彼女の朝を迎えていた。彼女はいろいろな意味で、カンワル・ジットと対照的だった。一五三センチ、三九キロと小柄で、カンワル・ジットが外交的なのと同じだけはにかみ屋だった。人目を引くことはなく、他人をじっと観察するタイプだった。クルディープは儀式の沐浴をすませると、オレンジ色のサリーに身を包んだ。その年のインドのヒット映画『ブラマーチャリー』で、お気に入りの女優ムムターズが着ていたものをまねたのだ。彼女は続々と到着する招待客を迎えた。だれもが微笑みをたたえ、彼女の幸せを祝福してくれた。

どちらの家でも、祝宴は終日続いた。チーズと野菜パコラ〔インド風のてんぷら〕の大皿が、出会いと挨拶の席にもれなくふるまわれた。夕暮れ時になると、それぞれの家で、両家の出会いの儀式である、ミルニの準備が始められた。カンワル・ジットの家には楽団が到着し、幸運をもたらすとされるインドのリード楽器シャハナーイで、民謡を演奏した。茶色い刺繍をあしらった毛せんをかけた白馬も来た。カンワル・ジットがクルディープの家まで乗って行く馬だ。出発の前に、妹がかれのターバンに、花の絡んだ金の飾り房、シーラをつり下げて、かれの顔を覆った。カンワル・ジットは馬にまたがり、家族を横に従え、楽隊に先導されて目的地に向かった。

式が終り父は初めて母の顔を見た

クルディープは家族と聖歌を歌いながら、玄関に立っていた。彼女の顔はカンワル・ジットの母から贈られた、凝った装飾を施したベールですっかり覆われていた。一行がシャハナーイを鳴り響かせ、タブラを打ち鳴らしながら到着すると、新郎新婦はバラとジャスミンの花飾りを交換した。これを合図に、家族の一人ひとりが、相手の家族の同じ立場に当たる人と、特別な挨拶を交わした。新郎の母は新婦の母と、新郎の妹は新婦の妹と。これらの両家の「カップル」は、花飾りを交換した。両家は歌や踊りで結婚を祝い、それからカンワル・ジットの家族は帰って行った。

翌日の明け方、新郎新婦の家族は、祝福された結婚の儀、アナンド・カーラジを行うために、近くの寺院に足を運んだ。この時も赤いターバンと黒いスーツを身に着けていたカンワル・ジットは、シーク教の聖典グル・グラント・サヒーブの置かれた、木の祭壇の前にひざまずいた。桃色のサルワール・カミーズという、ゆったりしたズボンと長いチュニックのスーツに身を包み、腰丈あたりまでの金色の飾り房のついたくすんだベールで顔を覆ったクルディープは、かれの傍《そば》にひざまずいた。聖歌を歌い、祈りを唱え終わると、新郎の祖父が孫の手に長いスカーフの一端を、もう一端を新婦の手にゆわえつけた。このようにして結びつけられた二人は、聖典グル・グラント・サヒーブの周りを四度回った。一周する度に立ち止まり、サント（聖人）が結婚の祈りを読むのを聴いた。それから両家の家族は結婚を祝福して、二人の足下に金と花飾りを投げた。そしてこのとき、カンワル・ジットはベールを持ち上げ、初めて妻となった女性の顔を見たのである。

わたしの両親は、このようにして夫婦となった。

だれと結婚するか、何を着るか、何を食べるかなど、儀式のごく細部に至るあらゆることが、あらかじめ決められていた。そのすべてが、長い時間をかけてシーク教の伝統になった文化的規範の一部分であり、二人とその家族はそれに従ったまでだった。

自分の両親が、結婚式の日に初めて出会ったことを人に話すと、とても驚かれることが多い。「家族に、結婚相手を決められたの？　どうしてあなたの両親はそんなことを許したわけ？」。わたしの一族に限らず、インドのほとんどの家族が、このやり方で結婚を取り決めていると言うだけでは、かれらの好奇心を満足させ、不信感を拭うことはできないようなのだ。結婚を決める方法が文化によって異なることを、建前としては理解していても、かれらにはどうにも納得できない、頭を悩ませる部分がある。

それは、わたしの両親がこれほど大事な選択をなぜ手放したかということだ。かれらはどうしてそんなことができたのだろう、そしてなぜそんなことをしたのだろう？

Ⅱ．それでは信仰は無気力につながるのか

前講で紹介したイヌを用いた実験を行ったのは心理学者のマーティン・セリグマンである。セリグマンの、人や動物を対象とした、説得力ある研究が教えてくれるのは、わたしたちが自分の身に起こることを自分で決定しているという感覚、つまり「自己決定感」を切実に必要としているということだ。自己決定権を維持できないとき、わたしたちは無力感、喪失感を覚え、何もできなくなってしまう。

わたしがこのような実験のことを初めて知ったのは、ペンシルベニア大学の学部生としてセリグマンの講座を履修したときだった。こうした研究成果について学んだことをきっかけに、

わたしは自分の守っているシーク教の伝統が、信者に力と高揚感を与えるどころか、無力感を引き起こしているのだろうかと、疑問を持つようになった。シーク教徒の一員として、わたしは非常に多くのきまりごとに絶えず縛られていた。身に着けるもの、食べるもの、してはいけないこと、家族に対する責任など。すべてを考え合わせると、自分自身で決定すべきことは、ほとんど残されていなかった。わたしの意思決定の大部分は、だれかほかの人によって下されていたのだ。これはシーク教に限ったことではなく、ほかの多くの宗教にも言えることだ。それなら、宗教の信徒は、日常生活の中で、ふつうの人たちより大きな無力感を感じる傾向があるのだろうか？　わたしはこの疑問を、セリグマンにぶつけてみた。かれが何らかの手がかりを与えてくれることを期待したのだ。だがこの問題についてはまだ科学的研究がなされておらず、かれにもはっきりしたことは言えなかった。そこでわたしたちは、宗教への帰依が人々の健康と幸福に与える影響を解明する研究に着手したのだった。

その後の二年の間にわたしの予定表を一瞥《いちべつ》した人は、わたしが一生分の罪をあがなおうとしていると思ったかもしれない。わたしの調査は毎週金曜の日没のモスク訪問に始まり、その直後にシナゴーグ訪問が入っていた。土曜日にはさらに多くのシナゴーグとモスクを訪れ、日曜には教会をはしごした。二年間で、合計九つの宗教の、六〇〇人を超える信徒に、インタビューを行ったことになる。これら九つの宗教は、次のように分類した。信徒に多くの日常的な規則を課す原理主義（カルヴァン主義、イスラム、正統派ユダヤ教）、保守主義（カトリック、ルター主義、メソジスト派、保守派ユダヤ教）、そして最も規則の少ない自由主義（ユニテリアン主義、改革派ユダヤ教）である。実際、自由主義に分類された宗教の中には、信徒に神への信仰すら求めない流派がある。またユニテリアン・ユニバーサリズムの信徒は、自分たちを説明する言葉として「世俗的人道主義者」を選んだ人の割合が最も高く、次いで「地球中心的または自然中心的な霊性を持つ者」が高かった。

調査では礼拝者に、三種類の調査票に回答してもらった。

第一の調査票は、宗教が生活に与える影響に関する質問を含んでいた。何を食べ、何を身に着けるか、だれと交際し、だれと結婚するかといったことに、宗教がおよぼす影響の大きさを、数字で表してもらった。その結果、原理主義的信仰を持つ人たちが最も高いスコアを示し、自由主義的信仰を持つ人たちのスコアが最も低かった。この調査票ではそのほか宗教への関与の度合いや（どれくらいの頻度で礼拝に出席し、祈りを捧げるか）、宗教的希望（「天国はあると思いますか？」「あなたの苦しみは報われると思いますか？」）についても尋ねた。

第二の質問票は、一人ひとりの楽観度に関する調査だった。日常生活で起こり得る良いできごとと悪いできごとをいくつか挙げ、これに対する反応を調べた。たとえば「解雇されたらどうしますか」という問いに、「解雇されたのは特定の問題のせいだから、すぐにその問題を解決する」と答えた人は楽観主義者、「解雇されたのは自分の欠点のせいだから、どうすることもできない」と答えた人は悲観主義者に分類した。要するに、回答者が自分の人生に対してどれだけの自己決定権を持っていると思っているかを、説明させたのだ。そして最後に、精神面の健康をチェックするために一般に用いられる質問票に回答してもらい、体重の減少や不眠といった、鬱の症状がないかどうかを調べた。

結果は驚くべきものだった。原理主義に分類された宗教の信徒は、他の分類に比べて、宗教により大きな希望を求め、逆境により楽観的に向き合い、鬱病にかかっている割合も低かったのだ。実際、悲観主義と落ち込みの度合いが最も高かったのは、ユニテリアンの信徒、特に無神論者だった。これだけ多くのきまりごとがあっても、人々は意欲を失わず、かえってそのせいで力を与えられているように思われた。かれらは選択の自由を制限されていたにもかかわらず、「自分の人生を自分で決めている」という意識を持っていたのだ。

この研究が、わたしの目を開かせてくれた——制約は必ずしも自己決定感を損なわず、思考と行動の自由は必ずしも自己決定感を高めるわけではない。そして、この見かけ上のパラドックスを解明するカギは、世代から世代へと受け継がれる、世界の本質や、世界の中でわたしたちが担う役割にまつわる、さまざまな語り《ナラティブ》にある。だれしもが、自分の人生は自分でコントロールしたいと思っている。だが人がコントロールというものをどう理解しているかは、その人がどのような物語を伝えられ、どのような信念を持つようになったかによって決まるのだ。

たとえば、環境は個人の選択を通じてこそ、コントロールできると信じている人もいる。幸せへの道は、だれかに探してもらうのではなく、自分で見つけ出さなくてはならない。自分に代わって見つけてくれる人、見つけられる人は、だれもいないのだから。他方、世界を支配するのは神であり、神の御旨を理解し、それに忠実に従ってこそ、人生に喜びを見出せると信じる人もいる。わたしたちはだれしも、人生と選択に関するさまざまな物語の影響を受けている。そしてどのような物語を受け継ぐかは、どこで、どんな親のもとに生まれたかといった要因によって決まるのだ。だれが選択を行うべきか、選択に何を期待するか、選択の結果をどのように判断すべきかなど、選択に対する人々の考え方が、国によって、文化によってまったく違うことに驚かされる。

学部生時代に、選択をテーマとする正式な研究に着手してからというもの、わたしは実にさまざまな階層の人々を対象に、インタビュー、調査、実験を行ってきた。高齢者、若者、世俗主義者、敬虔な宗教家、アジア文化圏の人、共産主義体制の古参幹部、アメリカの旧家などなど。本講の残りでは、こうしたわたし自身の研究を紹介するとともに、人が自分自身や自分の役割に対して持っている認識が、地理、宗教、政治体制、人口動態といった要因に、どのような影響を受けるかというテーマにとりくんでいる、他の多くの研究者の見解も紹介したい。文化や家庭ごとに異なる方法で伝えられる、人生の物語は、わたしたちが何を、なぜ選択するかに、重大な影響をおよぼすことが分かっている。わたしたちはこうした物語を理解して初めて、すばらしくも不可解な、お互いの個性の違いを、少しずつ明らかにすることができるのだ。

Ⅲ．個人主義と集団主義

一九九五年、わたしは日本の京都で数ヶ月を過ごした。文化・社会心理学分野の草分け的存在である、北山忍氏のもとで博士論文のための調査をしていたのだが、その間、地元のある家族の家にホームステイすることになった。文化の違いや、行き違いさえ経験するだろうとは思っていたが、それはまったく思いがけない時に持ち上がることが多かった。中でも一番驚かされたのは、あるレストランで、砂糖入りの緑茶を注文したときのことだったかもしれない。

ウェイターはぎょっとして一呼吸おくと、緑茶に砂糖は入れないのです、と丁重に説明した。わたしは、ええその習慣は知っているけれど、わたしはお茶を甘くして飲むのが好きなんです、と返した。しかし、同じ説明が、さらに丁重に繰り返されただけだった。緑茶は砂糖を入れて飲むものではありません。そこでわたしは、日本では緑茶に砂糖を入れないのは承知しているけれど、それでも自分が飲む緑茶には、砂糖を入れたいんです、と説明した。こういなされたウェイターは、店長のところに相談に行き、二人は長い間ひそひそと話し合っていた。とうとう店長がやって来て、こう言った。「お客様、申し訳ありませんが、砂糖を切らしておりまして」。自分の好きな方法で緑茶を飲めないことを悟ったわたしは、仕方なくコーヒーに注文を変えた。コーヒーはすぐに運ばれてきた。そしてコーヒー皿に鎮座ましましていたのは、二つの砂糖袋だった。

この「甘い緑茶作戦」の失敗は笑い話だが、それは選択に対する考え方が、文化によって違うことを、端的に表すできごとでもあった。アメリカ人からすれば、金を払う客がこうしたいと言っているのだから、その要求はかなえられて当然、ということになる。だが日本人にしてみれば、わたしが緑茶を飲もうとしていた方法は、一般に認められた文化基準からいって、ひどく不適切だった。ウェイターはわたしが恐ろしい不作法をおかさないよう、気を遣《つか》ってくれただけなのだ。だがこの状況を掘り下げると、ものごとの本質が見えてくる。日米の文化を比較すれば、家庭生活、職場、また潜在的に日常生活のあらゆる側面に、これと同じような個人的選択や社会による影響のパターンが認められるのだ。この二つの文化には、いやどんな文化の間にも、さまざまな違いがあるが、選択に対する考え方や、選択が実際に行われている方法の地域差を理解する手段として、ある文化的特性を通して比較することが、特に有効だと認められている。それは、個人主義と集団主義の度合いだ。

自分のことを少し振り返ってほしい。何か選択をするとき、あなたが真っ先に考えるのは、自分が何を求めているのか、何があれば自分は幸せになるのか、ということだろうか？　それとも、自分だけでなく周りの人たちにとっても、何がベストかを考えるだろうか？　この一見単純な問題が、国の内外を問わず、すべての文化や個人の大きな違いの中心に潜んでいる。もちろん他人のことをまったく顧みないほど自己中心的な人はまずいないし、自分の必要や欲求にまったく頓着しないほど無私無欲な人もいない。だがこうした極端な例を除いても、それでもまだ大きな違いが存在する。わたしたちがこの両極間のどこに位置するかは、文化的背景と、わたしたちが与えられている選択の仕方に関するスクリプト、つまり一種の行動プログラムによって決まるのだ。

あなたは選択を行う際、「わたし」と「わたしたち」のどちらに重点を置くよう教えられているだろうか？　この二つの枠組に限らず、どんな文化的スクリプトにも、人生を成功に導く指針を与えるだけでなく、社会全体の利益のために何をすべきかという一連の価値観を代々伝えていく、という目的がある。

アメリカをはじめ、個人主義志向の強い社会に育った人は、選択を行う際、何よりも「自分」に焦点を置くよう教えられる。文化心理学者のハリー・トリアンディスは著書『個人主義と集団主義――２つのレンズを通して読み解く文化』（二〇〇二年、北大路書房）の中で、個人主義者を「主として自分の好みや欲求、権利、他者との間で結んだ契約に動機づけられ、他者の目標よりも、自分自身の目標を優先させる」人々と定義している。人はまず何よりも、自分の好みに基づいて選択を行う。このことは、わたしたちが人生の中で行う選択の回数や、選択の重要性を考えれば、それ自体意義深いことだ。

だがそれだけではない。わたしたちは自分のことを、自分の興味、性格特性、行動という面からとらえるようになるのだ。たとえば「わたしは映画マニアだ」とか、「わたしは環境問題への意識が高い」というふうに。このように世界をとらえるとき、人間らしい人間になるためには、自ら人生の道を切り拓くことが、決定的に重要となる。それを妨げるすべてのものが、あきらかに不当と見なされる。

個人主義の歴史

近代の個人主義の直接のルーツは、一七世紀から一八世紀の啓蒙運動に求められる。啓蒙運動自体が、さまざまな影響のもとに生み出された。たとえばソクラテス、プラトン、アリストテレスをはじめとする、ギリシャの哲学者たちの著作。「われ思う、ゆえにわれあり」という公理に、すべての知識の基礎を求めた、ルネ・デカルトの試み。信者が神と直接つながるという考えのもとに、カトリック教会の中央権力に対抗した、プロテスタントの宗教改革。宗教に頼らずに世界を理解する方法を生み出した、ガリレオ・ガリレイやアイザック・ニュートンなどの偉人たちによる、科学的前進など。これらが長きにわたって社会を支配した伝統を拒絶し、代わりに理性の力を信奉する、新しい世界観を生み出した。そこでは一人ひとりの人間が、王や聖職者などの外部の力に頼らずに、自分にとって正しいこと、一番良いことを、自力で見つけ出す能力を持っているとされた。

アメリカ建国の父たちは、啓蒙主義の哲学、特に普遍的人権なるものが存在するという、ジョン・ロックの思想に多大な影響を受け、こうした理念を合衆国憲法や権利章典に盛り込んだ。独立宣言の署名と時を同じくして、個人主義の歴史におけるもう一つの画期的なできごとが起こった。それは、一七七六年のアダム・スミスによる『国富論』の刊行である。かれはこの中で、一人ひとりの人間が経済的利己心を追求すれば、あたかも「見えざる手」に導かれたかのように、社会全体の利益が達成されると主張した。個人主義的イデオロギーの中核にあるのが、選択を「機会」という観点からとらえる考え方だ。つまり、自分の望み通りの存在になり、望み通りのことをする機会である。

こうしたできごとが積み重なった結果、人生の中で選択が果たすべき役割について、人々が持っていた考え方が次第に変わっていった。一九世紀の哲学者にして経済学者のジョン・スチュアート・ミルは、このようなできごとが社会構造におよぼす影響について、雄弁に語っている。「自由の名に唯一ふさわしい自由とは、他者の自由を奪ったり、自由を得ようとする他者の努力を妨げたりせずに、自分なりの方法で自らの利益を追求する自由のことだ……人間は、他者に善だと思われる生活をすることを互いに強制するよりも、自分にとって善だと思われる生活を互いに許し合うことで、より大きなものを得るのだ」

この考え方は、わたしたちの心にあまりにも深く刻み込まれているため、わたしたちはそれが世界共通の考え方なのだろうかと、改めて疑ったりなどしない。もしかしたら、自分が選択を放棄したくなる時が来るかもしれないとか、他者に選択を委ねたいと考える人がいるかもしれないなどとは、よもや思いもしないのだ。だが実は個人主義という概念は比較的新しく、この概念を考え方の指針としているのは、世界でもほんの一握りの人たちだけだ。では次に、これに劣らず豊かな集団主義の伝統と、それが選択に対する人々の考え方に与えている影響について見ていこう。

集団主義の系譜

日本などの集団主義社会に属する人々は、選択を行う際、「わたしたち」を優先するよう教えられ、自分というものを、家族、職場、村、国など、主に自分の属する集団との関係性でとらえる。ハリー・トリアンディスによれば、集団主義者は「主に集団の規範や、集団から課された義務に動機づけられ」、何よりも「集団の成員との関係性を重視し」、「個人的な目標よりも、集団の目標を優先させることを厭わない」人々をいう。だれもがナンバーワンを目指す代わりに、集団全体の必要が満たされて初めて、個人が幸せになれると考えられている。たとえば「負けるが勝ち」という日本のことわざ（文字通り、負けることは勝つことという意味）に込められているのは、我を通すより和を重んじる方が望ましいという考え方だ。

集団主義的な世界観がおよぼす影響は、だれが選択を行うべきかという問題にとどまらない。集団主義者は、個人的特性だけが自分自身を形作っているとは考えない。かれらは、自分の属する集団との関係を通して、自分のアイデンティティを理解するのだ。そのためかれらはできるだけ社会の内集団にとけ込み、集団との和を保とうとする。

実を言えば、長い歴史を通じてより一般的な行動規範だったのは、個人主義ではなく、むしろ集団主義の方だった。初期の狩猟採集社会は必要上、集団主義の度合いがきわめて高かった。互いの面倒を見ることが、全員の生存確率を高めたからだ。人類が農耕を生活手段とするようになってからは、集団がさらに重視されるようになった。人口が増えるにつれ、かつて人々をまとめていた家族や部族の力は衰え、宗教を始めとするほかの集団がこのすき間を埋めて、人々に一体感と共通の目的を与えるようになった。

個人主義の重視が、一般に啓蒙主義運動を単一の起源とするのに対し、集団主義は長い年月のうちにさまざまな形をとって表れた。その最初のものが、数千年前にアジアで、基本的に西洋とは無関係に発達し、今なお大きな影響力を誇る、義務と宿命を重視する文化的風土である。

ヒンドゥー教と、そこから派生したさまざまな宗教、たとえば仏教、シーク教、ジャイナ教などは、何らかの形のダルマ〔法〕とカルマ〔業〕をことに重視する。ダルマが、所属するカーストや宗教によって定められた一人ひとりの義務であるのに対し、カルマは死さえも超越する、普遍的な因果律である。

もう一つの重要な影響に、儒教がある。儒教は、中国に源を発し、後に東南アジアや日本にも広まった、古くからの文化的慣習を法典化したものだ。孔子は『論語』にこう書いている。「世の中には二つの大きな定めがある。一つは天命、もう一つは忠だ。息子が親を愛するのは天命である。これをかれの心から消し去ることはできない。奴隷が主君に奉仕するのは忠である。どこに行っても主君から逃れることはできず、天と地の間のどこにも逃げ場はない」

このような逃れられない関係を、できる限り円満なものにするのが、理想とされた。この種の集団主義は、今なお東洋で非常に重視されている。東洋の文化に属する人は、人生を個人の意向というよりは、義務という観点から理解していることが多い。

集団主義の主な類型の二つめは、一九世紀のヨーロッパに、個人主義に対するいろいろな意味での揺り戻しとして現れた動きである。カール・マルクスなどの政治理論学者は、この時代の資本主義的組織を厳しく批判した。このような組織は、個人による自己利益の追求を肯定することで、少数の上層階級が多数の労働者階級の犠牲のもとで利益を得る体制を持続させるというのだ。かれらは民衆に「階級意識」を持って、労働者仲間と団結して立ち上がり、すべての人が名実ともに平等であるような、新しい社会秩序を打ち立てるよう、呼びかけた。この呼びかけは、多くの支持を集めた。大衆主義的な色合いの強いこのイデオロギーは、個人主義とは対照的に、利用できる機会の数を全体として増やすことよりも、一人ひとりが一定量の資源を確実に利用できるようにすることに重点を置いていた。この哲学が世界に与えた最も重大な影響は、一九一七年に十月革命が勃発し、共産主義のボルシェビキ派がロシアで権力の座に就き、最終的にソビエト連邦の成立をもたらしたことだ。ソビエト連邦は、資本主義に置き換わる統治の仕組みとして、世界中の新興国に受け入れられた。

では現代の世界では、個人主義と集団主義の境界は、どこに引かれるのだろう?

この分野の研究における第一人者であるヘールト・ホフステードは、IBMの全世界の支社で働く従業員を対象に調査を行った。この調査をもとにかれが開発した、各国の個人主義の度合いをはかる指標は、この種の尺度としては最も包括的なものと考えられている。

当然のように、アメリカは個人主義指標のスコアが一〇〇点中九一点で、最も個人主義の度合いが高い国に挙げられている。オーストラリア(九〇点)とイギリス(八九点)がこれに続く。西ヨーロッパ諸国の多くは、六〇点から八〇点の範囲に収まる。東ヨーロッパに目を向けると、ロシアが三九点など、集団主義的傾向が強いことがわかる。アジアも、中国を含む数カ国が二〇点台と、全体的に集団主義的傾向が強いが、日本とインドがそれぞれ四六点、四八点と、ややスコアが高い。中南米諸国は一般に一〇点から四〇点の間と、集団主義的傾向が強く、中でもグアテマラは一〇〇点中六点と、世界で最も集団主義的な国に位置づけられている。アフリカについてはまだ十分な調査がなされていないが、東西アフリカ数カ国が二〇点から三〇点の間と推定されている。後続の研究でも、世界中で同じようなパターンが一貫して確認されている。個人主義者は「わたしは〝自分のこと〟を優先させることが多い」とか「人は他人に左右されない、自分自身の人生を歩むべきだ」といった項目に賛成するのに対し、集団主義者は「集団の和を保つことは大切だ」とか「子どもには、遊びよりも、まず義務を果たすことを教えるべきだ」といった項目に賛成する。

気をつけなければいけないのは、このような指標で見た各国のスコアは、その国の国民のスコアの平均値なので、国の支配的文化だけでなく、より広範な文化に影響を受け得ることだ。国や集団の文化に影響を与える要因の多くは、個人にも影響をおよぼすことがある。

たとえば豊かさは、あらゆるレベルで個人主義の度合いと正の相関関係にある。各国を国内総生産（ＧＤＰ）で比較した場合にも、アメリカのブルーカラーと中上流階級を年収で比較した場合にも、この関係が認められる。一方人口密度は、集団主義的傾向と正の相関関係にある。密集して暮らす人たちが円満にやっていくためには、行動に大きな制限を設ける必要があるからだ。その反面、異文化との接触と高学歴は、ともに個人主義と相関があるため、都市部が必ずしも農村部より集団主義的であるとは限らない。それに人は年を重ねるにつれて、ますます多くの人と強い関係を育《はぐく》み、集団主義的傾向を強める。また同じくらい重要なことに、人は年をとるにつれて融通が利かなくなるため、若い世代に比べて広範な文化的変容にそれほど影響されない。性格や人生経験はもちろんのこと、これらすべての要因が組み合わさり相互に作用し合って、各人が個人主義と集団主義を両極とする軸上のどこに位置するかが決まる。

Ⅳ．シンデレラとタージ・マハルの間

ではなぜわたしの両親は、生涯をともに過ごす相手を、他人に決めさせたのだろう？　この疑問も、もしかすると個人主義と集団主義という視点から考えることで、答えが見つかるかもしれない。恋愛結婚と取り決め婚の語りをひもとけば、恋愛結婚が一言で言えば本質的に個人

主義的な企てで、取り決め婚が純粋に集団主義的な営みだということは、明らかなように思われる。こうした物語がどのように展開し、どのようなメッセージを伝えるのかを考えてみよう。

たとえばシンデレラの物語がある。心優しく愛らしい乙女シンデレラは、よこしまな継母と二人のみにくい継姉に、召使いのようにこき使われていた。あるときシンデレラは、行ってはいけないという継母の言いつけを破り、妖精のおばあさんの助けを借りて、宮殿の舞踏会に出かける。美しいドレスと輝くガラスの靴を身にまとって、豪華な馬車で城に到着したシンデレラは、人々の注目をさらい、当の王子の愛を勝ち取ることにも成功する。王子はシンデレラを一目見ただけで、恋に落ちてしまったのだ。しかし真夜中を過ぎると、召使いの少女を愛らしい乙女の姿に変えてくれた魔法が解けてしまう。シンデレラは一二時の鐘を聞いて、ガラスの靴を落としたまま、急いで城を後にした。その後、継母と姉たちのいじわるにも負けず、シンデレラはガラスの靴の持ち主であることを証明し、王子と結婚する。二人は「いつまでも幸せに暮らしましたとさ」という決まり文句で、物語は結ばれている。

次に紹介するのは、まったく対照的な物語、遠い昔の実在の皇妃の物語だ。一七世紀のこと、ある美しい一四歳の娘が、強大なムガル帝国皇帝の三番目の妻に選ばれた。言い伝えによれば、二人は一目で恋に落ちたが、正式に結婚するまで五年もの間、待たなければならなかったという。しかし本当の物語が始まるのは、二人の人生が一つになってからのことだ。ムムターズ・マハル（宮廷の選ばれし者という意）は、夫のムガル帝国各地への旅や軍事遠征につねに同行し、その間に一三人の子をもうけた。

宮廷の記録係が、二人の親密で愛情あふれる結婚生活を、忠実に記録している。ムムターズは妻であり伴侶であっただけでなく、信頼される助言者として、また、権勢を誇る夫に対する慈悲深い影響力をおよぼす人としてふるまうことも多かった。彼女は妻の鑑《かがみ》として広く称《たた》えられ、生前でさえその賢明さ、美しさ、思いやりを、詩人に謳《うた》われたほどだ。だが彼女は一四人目の子の出産時に亡くなってしまう。皇帝は彼女の臨終に際して、二人の愛情あふれる結婚生活を象徴する記念碑を建てることを約束したとされている。シャー・ジャハン〔世界の王の意〕は妻の死後、嘆き悲しみ、喪に服した後で、亡くなった伴侶の美しさと驚くべき人生を十二分に表すような、霊廟と庭園の設計に取りかかった。このようにして生まれたタージ・マハルは、世界の七不思議の一つとして、また伝説的な結婚生活の証しとして、今なおインドのアグラに姿をとどめている。

二つの物語は、いずれも結婚という人間の基本的な慣習を、最も理想化された形で描き出したものだ。しかしそれぞれが賛美する価値観は、選択についてのまったく異なる二つの文化的スクリプトを代表している。シンデレラの物語を端的に説明すれば、主人公とその恋人が、あらゆる困難をものともせずに、階級による制約や家族の反対に公然と立ち向かい、自分たちの選択した道を歩むというものだ。物語に込められたメッセージは、ヒーローやヒロインは心からの望みをかなえるために努力しなくてはいけないというものだ。だからこそ、二人の選択が勝利したとき、つまり婚礼の日に、物語は終わる。だれが選択を行い、その選択がどのようにして行われるかということにこそ、物語の焦点がある。二人がどうやって「いつまでも幸せに暮らした」のかは省略され、ただそうなったという結果だけが伝えられる。何もかもうまく行くにきまっている。シンデレラと王子は、愛ゆえに互いを選んだのだから。

これに対し、ムムターズ・マハルとシャー・ジャハンの物語は、まったく逆の手法を取る。まず最初に、それぞれの側の権力者の手で、二人の結婚が取り決められる。物語はむしろこの決定後のことを中心に描き、取り決め婚後に発展した大いなる愛を賞賛する。ここで前提となっているのが、当事者でない他人にも「ぴったり」の相手を選ぶ能力があるということ、そしてたとえ二人の主人公が自分で相手を選んだとしても、これほどの相手を探すことはできなかった、ということだ。究極の幸せは、選択を行うことではなく、義務を果たすことで得られるのだ。

このようにそれぞれの物語は、理想的な結婚のあり方について、まったく異なるメッセージを伝えている。では、なぜこうも違う物語が伝えられるようになったのだろうか?

わたしの両親の結婚は、華々しくもない、ごく普通の取り決め婚だったが、同じような台本に沿って進んだ。ことの起こりは、わたしの二人の祖母たち(夫がいとこ同士という間柄だった)が、ある日お茶を飲みながら、両家の縁組みについて話し合ったことだった。良縁の条件として挙げられたのは、さまざまな相性だった。当人たちの相性だけでなく、両家の釣り合いも大切とされた。実際的な事柄は、すべて申し分なかった。二人とも同じカーストの出身で、家も近所だった。わたしの父は母を養うだけの財力があると思われていた。父の家族は母を大事にするだろうし、父は母のきょうだいともうまくやっていけそうだった。母はしかるべき教育を受けており、また兄の一人がアメリカに住んでいたことも、大きなボーナス点だった。二人が結婚後アメリカに移住する可能性は、二人の将来の暮らし向きだけでなく、インドに残る一族全体にとっても、幸先《さいさき》がよいと見なされた。このようにして、親族の間で何度も話し合いがもたれた結果、カンワル・ジット・シング・セティがクルディープ・カウル・アナンドと結婚することが取り決められたのだ。この縁組みは周囲の期待に逆らうものではなく、あらゆる点で期待に沿うように思われた。このような共通点の分析が、両親の結婚をもたらしたのだ。

ご存じの通り、二人は婚礼の日に初めて出会い、実際にアメリカにたどり着いた。もちろんシャー・ジャハンとムムターズ・マハルの比ではなかったが、二人は夫として、妻としての務めを果たし、二人の子をもうけ、夫婦仲もまずまずだった。二人のきずなは、きわめて儀式性の高い、結婚式の日に確認されたのではない。むしろ日常生活のちょっとしたことに、本当の意味での結びつきが現れていた。父が母を毎日車で職場に送り届け、キッチンで料理する母の話し相手になってやり、自分の考えやその日あったできごとを母に話して聞かせる、といったことだ。二人の結婚は、魅惑的な宮廷の歴史や壮大な記念碑を生みはしなかったが、ムムターズ・マハルとシャー・ジャハンの物語に集約された理想的な取り決め婚が、より日常的な形で具現化したものと言えた。

現代の読者にとっては、取り決め婚など、とても考えられないかもしれない。だがこのような結婚の取り決め方は、特異な現象でも、インドに特有の慣習でもなく、過去五千年にわたって世界中で見られた行動規範の重要な一部分だった。古代中国から古代ギリシャ、古代イスラエルの十二部族に至るあらゆる世界で、結婚は一般に家族の問題と見なされていた。男女の結婚は、家族間のきずなを生み、強めるための手段だった。近くの見知らぬ部族と姻戚関係を結ぶのも、二国間の政治同盟を強化するのもみなそうだった。結婚の目的は、二人の大人とその子どもで労働を分担する経済的利益のためでもあり、血筋を絶やさず、生活様式の継続性を守るためでもあった。言い換えればこのきずなは、目的を共有することで成り立っていた。結婚した二人を結びつけていたのは、互いに対する義務だけではなく、親族に対する義務でもあった。人々は親族の義務という観念に縛られ、ときには配偶者が亡くなってからもなお拘束された。ヘブライ語聖書〔旧約聖書〕の申命記には、ある人の兄弟が亡くなったら、その人は兄弟の残した未亡人をめとって養わなくてはならないと記されているし、インドでは今なおこれに似たしきたりが続いている。前にも述べたように、結婚生活での義務や、結婚を通じた親族への義務が重視された主な理由は、生きていくために親族全員が協力しなくてはならなかったからだ。

とは言え、人々は生きていくためだけに結婚していたわけではない。情熱的な恋愛は、人間の行為の中でも最も普遍的なものに数えられ、有史以来のすべての文明がその力を認めている。世界最古の文字の一つとされる、シュメール人のくさび形文字で粘土板に刻まれていたのは、愛の詩だった。語り手は愛する者を「わたしの愛しい人、わたしの実り多いブドウの木、蜜のように甘い人」と呼びかけている。ヘブライ語聖書の雅歌は冒頭で「あなたはただの一目でわたしの心を奪った」とうたい、その後に情熱的などころか、官能的でさえある詩句が続く。偉大な古代文明の神話、つまり聖なる語りには、愛を象徴する神や女神がきまって登場する。たとえばギリシャの愛の女神アフロディーテ、エジプト神のオシリスとイシス、ヒンドゥー神のシバとその妻パールバティなどだ。古典の叙事詩には、人々が愛に駆り立てられて戦争を行い、黄泉《よみ》の国を旅し、ありとあらゆる障害を乗り越える姿がうたわれている。

愛という名の下に、どれほど多くの詩が書かれ、多くの血が流されてきたことか！　しかし英雄を最も大きな偉業へと駆り立てた恋愛は、結婚という制度の外に存在することが多かった。一二世紀の作家で、『宮廷風恋愛の技術』と称する論文を著したアンドレアス・カペラヌスは、「結婚は愛さないことの口実にはならない」と書いた。だがかれが提唱したのは、既婚男女間の（夫婦とは限らない）ロマンスだったのだ。かれの提案を言い換えれば、「汝の隣人の夫や妻を、汝の夫や妻を愛さなかったように愛すべし」となる。カペラヌスが触発したならわしに焚きつけられて、ヨーロッパの貴族階級は、政略結婚ではめったに得られない激しい恋愛感情を経験するために、情熱的な、しかし往々にしてプラトニックな恋愛関係を結んだ。その他の地域では、愛情が結婚の成功を邪魔するとさえ考えられていた。たとえば中国では、新婚夫婦が親族に対する義務そっちのけで恋愛感情にうつつを抜かすようなことがあれば、親が力ずくで結婚を解消するのも珍しいことではなかった。

それでは愛情と結婚はいつ、どのようにして、「結ばれた」のだろう？　もちろん、人々はあるとき突然、義務の遂行から恋愛にスイッチを切り替えたわけではない。だが、結婚という文脈の中で初めて愛情という言葉が用いられた例として、今でもしょっちゅう用いられる言い回しがある。「今この時より、幸いなるときも不幸なときも、富めるときも貧しきときも、病めるときも健やかなるときも、死が二人を分かつまで、愛し慈しむことを誓いますか」。キリスト教の結婚式や人前結婚式で、あるいは映画やテレビで聞いたことがあるだろう。この出典は、一五四九年に英国国教会が初版を刊行した、祈祷書だ。これが書かれたのは、シェイクスピアが名作『ロミオとジュリエット』で、「死が二人を分かつまで」という考えがもたらす悲劇的結末を描いた、半世紀も前のことだった。今に至るまで、逆境をものともせずに愛を貫き通す薄幸な恋人たちの物語ほど、心を動かし、涙を誘うものはない。

恋愛結婚という概念は、西洋社会での個人主義の高まりと切り離して考えることはできない。祈祷書それ自体が、イギリス宗教改革の申し子だった。祈祷書には一般的な礼拝のためのさまざまな祈りが集成され、結婚の誓いもその一つだった。祈祷書はこのとき初めて英語で書かれ、そのことはローマ・カトリック教会からの離脱と、個人が自らの運命と神との関係を自ら決定できるという、革命的思想の到来を象徴していた。宗教革命は、「今この時より……」の祈りが初めて人々の口に上ってから今日までの数世紀間に、ヨーロッパに起こった社会の激変の一つでしかなかった。都市化が進み、中流階級が成長するにつれて、人々は親族全体の期待に応える必要にそれほど縛られなくなった。親族の支援に頼らなくても、結婚直後から生計を立てることができるようになった。いまや個人としての幸福は、夫婦のきずなに根を下ろし、愛情と結婚生活の成功とが両立するようになった。そんなわけでフランク・シナトラは、一九五五年に「恋と結婚は／馬と馬車のように切り離せないもの／これだけは言っておくよ、どちらか一方だけってことはあり得ない」と歌ったとき、五千年にわたる人類文明のほんのわずかな期間にしか存在していない、生まれて間もない考え方を広めていたのだ。

こうして現代では、集団の利益を図るための取り決め婚という、昔ながらの規範と、相思相愛で結ばれた二人が生涯添い遂げるという建前の、近代版の結婚が併存している。二つを比較して、どちらか一方がもう一方より優れていると言えるのだろうか？

取り決め婚と恋愛婚とどちらが幸せか

インドのラージャスターン大学の心理学者ウシャ・グプタとプーシパ・シングは、この問題を掘り下げる価値があると考えた。そこでインドのジャイプール市で、五〇組の夫婦を対象とした調査を行った。このうちの半数の夫婦が取り決め婚、残りの半数が恋愛結婚で、結婚期間は一年から二〇年まで開きがあった。取り決め婚と恋愛結婚を比べた場合、どちらかが他方より、結婚の至福を強く味わっているのだろうか？

まず協力者全員に、ルービンの恋愛尺度に回答してもらった。この尺度は、たとえば「夫／

妻には何でも打ち明けられそうな気がする」、「（あの人）なしでいるのはとても辛い」といった項目について、どれだけ自分の気持ちに当てはまるかを数字で答えさせ、恋愛感情の強さを測るものだ。この結果を、恋愛結婚と取り決め婚という側面からと、結婚期間の長さという側面から分析した。ふたを開けてみると、恋愛結婚をした夫婦のスコアは、結婚期間が一年以内の場合、九一点満点中、平均七〇点だったが、結婚期間が長くなるにつれてスコアは徐々に低下し、一〇年を超えるとわずか四〇点でしかなかった。これに対し、取り決め婚の夫婦は、結婚したては平均で五八点と恋愛感情はそれほど高くなかったが、期間が長くなるにつれて感情が高まり、一〇年超の時点で六八点になった。

恋愛結婚は熱く始まるが冷めていき、取り決め婚は冷たく始まるが熱く、いや少なくとも温かくなるということは、あり得るだろうか？　たしかにそれならつじつまが合う。取り決め婚では、ちょうどルームメートや仕事仲間や親しい友人の間にきずなが生まれるように、時間がたつにつれて互いのことが好きになるだろうという前提のもとに、共通の価値観や目標を持った二人が引き合わされる。これに対して、恋愛結婚の基になるのは、何といっても愛情だ。出会った瞬間、不思議な力が働いて強く惹かれ合ったという話をよく聞く。そのビビッとくる直感は、二人が結ばれる運命にあるしるしと見なされるのだ。劇作家のジョージ・バーナード・ショーはこう言っている。愛に導かれた結婚によって、二人の人間は「あらゆる感情の中でも最も暴力的で、最も狂気をはらみ、最も人を惑わせ、最もはかない情熱に翻弄される。二人は死によって分かたれるまで、この興奮した、異常な、消耗する状態でいることを誓わされるのだ」。実際、二〇年連れ添った時点で夫婦の九割が、当初感じていたほとばしるような情熱を失ってしまうことを、脳活動の調査や直接測定が示している。

それならなぜ家族や友人に手綱を渡し、自分にふさわしいパートナーに導いてもらわないのだろうか？　取り決め婚がいまだに主流となっている環境に育った人でなければ、そんな考えはばかげていると思うかもしれない。出会い系サイトのイーハーモニー（eHarmony）に登録して、「長期的なつきあいの成功を予測する科学的指標、二九の性格ディメンションに適合した、えり抜きの相手」とのマッチングをコンピュータに任せる人でも、初デートをよもや法的拘束力のある契約にしようとは思わないだろう。たとえ自分のことをどんなによく理解してくれている家族や友人であっても、人生を変えるような決断を任せるのは無謀に思われる。それでも、世界中の多くの人たちが、まさしくこの方法で結婚しているのだ。かれらは家族公認の取り決め婚の価値を認め、この方法で結婚することが、立派な人格の証しであるとさえ思っている。もしわたしがかれらに向かって、「ルールは変わったの。さあ、だれの指図も受けず、だれの手も借りずに、結婚相手を探していらっしゃい」などと言ったら、扇動者と思われるだろう。伝統に楯突き、疑いと不満の種を蒔くお前は、一体何者なのだ、反逆をそそのかし、親に恥をかかせて悲しませるなんて、と。家族の和や名誉はさておいても、結婚の大先輩の、賢明で経験豊かな年長者の指図に従った方が安心と考える人もいるだろう。

実際、「どちらの方法で結婚した方が、幸せになれるだろうか？」という問いには、トートロジー〔同語反復〕をもって答えるしかないのだろう。「幸せな方」、と。グプタとシングの研究報告は、ラージャスターンの、いや世界中の結婚希望者に、二の足を踏ませるかもしれないが、何ら答えを与えてはくれない。結婚の成果にまつわる文化的スクリプトは、あまりにも強力で、あまりにもわたしたちの奥深くに取り込まれている。そのため、個人的理由であれ、社会的理由であれ、そこからほんのわずかでも逸脱すれば、周囲の激しい反発を招きかねない。

文化的スクリプトに取り決め婚が含まれない人にとって、わたしの両親の結婚式は、よくても珍しいこと、悪くすれば個人の権利と尊厳を侮辱するものに思われるかもしれない。しかしインドでは、九〇%を超える結婚が取り決め婚だが、そのことを悲劇だと考える人はまずいない。そうは言っても、インドのような集団主義的文化も、最近は個人主義的傾向を強めており、取り決め婚にも個人主義的要素がとり入れられるようになっている。そのため今日の取り決め婚は、「見合い求婚」と言った方が近いようだ。最近の若い人は、花婿・花嫁候補と一、二度念入りな「会談」を行ってから、結婚相手を決めることが多い。それでもインドの大学生の七五%以上が、条件はすべて揃っているが愛していない相手と結婚するのにやぶさかではないと答えている。アメリカの大学生では、この割合は一四%に過ぎなかった。

夫婦をそもそも引き寄せたのが恋愛であっても、取り決めであっても、所帯を持ち、子どもを育て、互いにいたわり合うという日々の習慣的行為は、変わらないように思われる。それにもちろんどちらの結婚でも、幸せだと言う人もいれば、そうでない人もいる。どちらの集団も、同じような言葉を使って、自分の感情や経験を表現するかもしれない。だが人が幸せをどのように定義し、どのような基準で結婚の成功を判断するかは、親や文化から受け継いだスクリプトによって決まる。取り決め婚の場合、結婚の成功が主に義務の達成度で測られるのに対し、恋愛結婚では、二人の感情的な結びつきの強さと持続期間が、主な基準になる。このことが意識されていようがいまいが、夫婦がどのように感じ、その結果どのような行動を取るかは、理想的な結婚生活のあり方についてかれらが持っている前提に影響されるのだ。結婚の成功にまつわる一つひとつの語りに、「こうあるべき」という共通認識と、その達成度を測る独自の基準がつきまとう。そしてこうした語りは最終的に、結婚に至る道をしつらえるだけでなく、一月、一年、あるいは五〇年も続くかもしれない結婚生活の完全な台本を用意してくれるのだ。もちろん即興でやる人もいれば、台本を半分破り捨ててしまう人だっている。だが何が起ころうと、ショーは続けなければならないし、続いていくのだ。

V．何が学習の動機付けになるかは属する文化で違う

わたしたちの文化的背景は、結婚の方法だけでなく、わたしたちが生活のあらゆる場面で選択を行う方法にも影響をおよぼしている。個人主義的社会に暮らす人たちは、個人の意思が大切だということを幼い頃からことあるごとにたたき込まれる。特に、店という店がよりどりみどりの商品を取り揃えているアメリカでは、近所の食料品店の店内を一周するだけで、選択に関する教訓を教え込む機会になる。子どもはおしゃべりできるようになると、または指さしできるようになると、「この中のどれが好き？」と聞かれる。親はおそらく選択肢の数を絞って、このシリアルとあのシリアル、このおもちゃとあのおもちゃだけを選び、違いを説明するのだろうが、それでも子どもははっきりと意思表示をするよう教えられる。しばらくすると、子どもは成長してもっと難しい判断を下せるようになり、四歳にもなれば「大きくなったら何になりたいの？」といった手強《てごわ》い質問を理解し、答えを返せるようになる。こうしたことを通じて子どもたちは、自分は何が好きで何が嫌いか、どんな時に嬉しいと感じるか感じないかを、自分自身で判断できるのだということを学ぶ。自分の幸せがかかっているからこそ、自分の意見が一番大切なものになる。また自分の下した判断を評価する方法も、自分で見つけ出さなくてはならない。

他方、集団主義社会に属する人たちは、義務を重視する。子どもたちは「いい子だから、お父さんお母さんの言うことを聞きなさい」としょっちゅう言われ、その理由さえ説明されない。何を食べ、何を身に着けるかに始まって、どのおもちゃで遊び、何を勉強するかに至るまで、一番重視されるのは「何をなすべきか」ということだ。成長するにつれて、自分が何がしたいかではなく、こう聞かれるようになる。「ご両親の求めや願いに、どうやって応えるつもりですか？　どうしたらあなたのことを誇りに思ってもらえるでしょう？」。この考えの前提には、若者が手ひどい過ちを犯さないよう、親やその他の年長者が正しい人生の歩み方を示してくれるという理解がある。選択には「正しい」ものと「まちがった」ものとがあり、若者は年長者に従うことで、賢明な選択を行い、必要な場合には選択を他者の手に委ねることを学ぶのだ。

この二つのかけ離れた考え方が、結婚観に与える影響は、先に見たとおりだ。今度は、日常生活への影響について考えてみよう。そのために、一つやってほしいことがある。紙を一枚用意して、おもて面に、人生の中であなたが自分で決めたいことを書き出してみよう。うら面には、自分で決めたくない、またはだれかに決めてほしい事柄をすべてリストアップする。それから、もう少しだけ時間をとって、書き忘れたことがないかどうか確認してほしい。もういいですか？　では両面を比べてみよう。それぞれの面に挙げた項目に、何かパターンが見られるだろうか？　あなたがほかの人に絶対任せたくないのは、どんなタイプの選択だろう？　是非ともほかの人に任せたいと思うのは、どんな選択だろう？

わたしは京都滞在中に、アメリカ人と日本人の計一〇〇人の大学生を対象に、この調査を行った。アメリカ人の回答用紙のおもて面は、「仕事」、「住む場所」、「だれに投票するか」といった項目で埋め尽くされていることが多かった。実際、リストが長くなりすぎて、余白にまで回答がはみ出しているものが多かった。反対にうら面は、判で押したようにまったくの白紙か、項目が一つ書かれているだけだった。「死ぬ時期」や「愛する者たちを失う時期」が最も多かった。言い換えれば、アメリカ人は人生のあらゆる側面について、自分で決めたいという、限りない欲求をもっていた。日本人学生に見られたパターンは、これとはまったく対照的だった。すべての事柄、またはほとんどの事柄を自分で決めたいと思っている人は、だれもいなかったのだ。実際、日本人が自分で決めたくないとして挙げた項目の数は、平均すると決めたい項目の数の二倍にも上った。たとえば「食べるもの」、「身に着けるもの」、「朝起きる時間」、「職場での仕事内容」といったことを、だれかに決めてほしいと思っている人が多かった。両者の回答を比較した結果、アメリカ人が自分で決めたいとして挙げた項目の数は、日本人の四倍もあったのだ。

これは大学生の場合だったが、人が選択に関するさまざまな考え方を周りの世界から吸収し、それに従って行動する様子は、幼児期からはっきりと表れている。わたしはスタンフォードでの大学院生時代に、指導教官のマーク・レッパーと共同で行った一連の研究を通じて、このような違いを実証した。最初の研究は、サンフランシスコの日本人街（ジャパンタウン）の小学校で行った。小さな教室に、テーブルを一つとイスを二脚設置した。一方のイスには実験者（「ミズ・スミス」とする）が座り、テーブルの上に六色のマーカーと、六組のアナグラム（字なぞ遊び）のカードを置いた。それぞれの組にはジャンルが書かれ（家族、動物、サンフランシスコ、食べ物、パーティ、家）、カードに書かれたバラバラの文字を並べ替えて、そのジャンルに関係のある単語を作るようになっていた。たとえば「動物」のジャンルのカードにR、I、B、Dの文字が書かれていれば、並べ替えて「ＢＩＲＤ」（鳥）にするといった具合だ。被験者の生徒は七歳から九歳までで、半数がアジア系アメリカ人（日系および中国系移民の子どもたちで、家庭では親の母国語で生活していた）、残りの半数はアングロ系アメリカ人だった。生徒は一人ひとり部屋に入り、ミズ・スミスと向かい合わせに座った。

生徒は、事前に三つのグループにランダムに分けられた。第一グループ（「自己選択グループ」）の生徒は、ミズ・スミスにアナグラムとカラー・マーカーを見せられ、こう言われた。「ここに六種類のことばのパズルがあるの。どれがやりたい？　好きなのを選んでね」。アナグラムのジャンルを選び終わると（たとえば動物とする）、今度は答えを書くためのマーカーを選んだ（青色とする）。第二グループ（「非選択グループ」）の生徒も、六種類のアナグラムと六本のマーカーを見せられたが、どれを選ぼうか思案しているとき、ミズ・スミスにこう言われた。「動物のアナグラムにして、答えは青色のマーカーで書いてね」。第三グループの生徒（「母親選択グループ」）も、アナグラムとマーカーを選んでいる最中に口を挟まれたが、この時ミズ・スミスは書類をパラパラめくりながらこう言ったのだった。「さっきあなたのお母さんに、アンケートに答えてもらったの。あなたには動物のアナグラムを解いて、答えを青色のペンで書いてほしいそうよ」。ただし実際には、母親の意向は聞いていなかった。このグループにも、第一グループの生徒が自分で選んだのと同じアナグラムとマーカーを、母親が選んだものとしてやらせたのだ。このように、どのグループの生徒にも同じ課題を与えることで、成績や反応を比べやすくした。生徒はアナグラムの課題を終了すると、部屋に数分間一人で残された。この間、課題を続けてもいいし、部屋にあるほかのクロスワード・パズルや言葉探しなどの言葉遊びをすることもできた。生徒が遊んでいる様子は、別の実験者が密《ひそ》かに観察し、記録した。

結果、課題の与え方のわずかな違いが、生徒のアナグラムの成績に驚くほどの影響をおよぼしたのである。アングロ系アメリカ人の生徒のうち、最も成績が良かったのは自己選択グループで、非選択グループの四倍、母親選択グループの二・五倍もの問題を正しく解いた。またほかの二つのグループの生徒に比べて、自由時間にアナグラムに取り組み続けた時間が三倍も長かった。言い換えればアングロ系アメリカ人の生徒は、自己選択が可能なとき、最も成績が良く、課題に自発的に取り組む時間も長かった。しかしやるべきことを人に指図されたとたん、成績も、自発的に課題に取り組む意欲も、ガクンと低下した。

　これとは対照的に、アジア系アメリカ人の生徒のうちで、最も成績が良く、意欲も高かったのは、母親選択グループだった。かれらが正解したアナグラムの数は、自由選択グループより三〇%多く、非選択グループの二倍にも上った。また課題終了後の自由時間にアナグラムに取り組み続けた時間は、自己選択グループより五〇%長く、非選択グループの三倍も長かったのだ。

　実際、アングロ系アメリカ人の生徒の何人かは、母親に相談したと告げられたとき、目に見えるほどの困惑を示した。特にメアリーという子の示した反応は、印象的だった。母親の指示を読み上げられると、七歳児だけがさらけ出す、露骨な嫌悪感を見せてこう言ったのだ。「お母さんなんかに聞いたの？」。これと対照的だったのが、母親選択グループの日系アメリカ人少女、ナツミの反応だ。ミズ・スミスが部屋を出ようとすると、ナツミがかけ寄り、スカートの裾を引っ張って恥ずかしそうにこう言った。「言われたとおりやったって、ママに言ってくれる？」

　アジア系アメリカ人の子どもたちは、母親が選択したとき、自分自身で選択したときにも増して、がぜんやる気を出した。それはなぜかと言えば、母親との関係が、かれらのアイデンティティの大きな部分を占めていたからだ。母親にアナグラムの選択を任せても、自分で自分のことを決めているという意識が脅かされなかったのは、自分の意思決定において、母親の意向がきわめて重要な要因だったからにほかならない。両者の意向は、完全に一致していたも同然だった。これに対してアングロ系アメリカ人の生徒は、もちろん母親を愛する気持ちが足りないわけではなかったが、自分は自立した存在だという意識が強く、母親とは独立した、自分の意思を表そうとした。そのため、選択が他人の手で行われると、葛藤が生じた。特に、赤の他人であるミズ・スミスによって課題が選ばれたとき、アングロ系、アジア系、どちらの生徒も押しつけられたと感じ、成績も意欲も低下した。

一般に、自分のアイデンティティに他者を組み込むプロセスは、母親や家族に限らず、共通の目的意識や似たもの意識をもつ、どんな集団にも起こり得る。このことは、わたしがマーク・レッパーと行った、別の研究によって実証された。この研究では、小学五年生のアングロ系およびアジア系アメリカ人を対象に、まず算数の学力テストを行った。一週間たってから再び教室を訪ね、今度は一人ひとり別々に「スペース・クエスト」と名づけたコンピュータ・ゲームをやってもらった。このゲームは、コンピュータが制御するエイリアンの宇宙船の攻撃から地球を守る、という使命を果たすうちに、算数の力がつく仕組みになっていた。

ゲームをやる前に、まずクラス全体で、船の名前とイメージの人気投票を行った。それからそれぞれの生徒は自分の船とエイリアンの船の名前とイメージを画面から選んだが、先の研究と同様、この時も選択の方法をグループによって変えた。第一グループ（自己選択グループ）は、画面の選択肢から好きな宇宙船を選ぶことができた。第二グループ（クラス決定グループ）では、選択肢の一部がハイライト表示され、クラス投票の結果、一番人気の高かったものに決定しました、というメッセージが表示された。最後のグループ（他校決定グループ）でも、選択肢はあらかじめ決められていたが、他校の三年生の投票で選ばれましたというメッセージが表示された。先の研究と同様、実は第二、第三グループの生徒が指定された選択肢は、第一グループの生徒が自由に選んだものと同じだった。

生徒たちが「スペース・クエスト」をプレイしてから一週間後に、わたしたちはもう一度教室に戻り、算数の事後テストを実施した。目的は、事前テストを受けてから、どれだけ算数の力がついたかを調べることにあった。自船と敵船の名前とイメージは、純粋に表面的なもので、実際のゲームプレイにはまったく影響がなかった。だがそれでも、成績には大きな違いをもたらしたのである。先の研究と同様、アングロ系アメリカ人では、自己選択グループが、事前テストから事後テストでスコアが一八％も（ほぼ二段階に相当する）上昇したのに対し、他人が選択した二つのグループは、成績の向上がほとんど見られなかった。これに対してアジア系の生徒は、クラス決定グループが最も成績が向上したのに対し（アングロ系生徒と同じ一八％）、自己選択グループは一一％の上昇、そして選択が赤の他人によって行われた他校決定グループにはまったく向上が見られなかった。生徒の算数全般に対する興味にも、同様の影響が認められた。

アングロ系、アジア系の生徒は、選択について、また選択が人生で果たす役割について、それぞれまったく違う考え方を持っていた。アングロ系の生徒は、自分の置かれた状況を見て、こう考えた。「ゲームをするのは自分なんだから、自分の操作する船は、ほかのだれかじゃなく、自分で選んで当然だ」。だがアジア系の生徒は、それよりも、自分の船にクラス全員と同じ名前がついていることから生まれる、一体感や共通の目的意識を好んだ。「同じクラスなんだから、船も同じで当然だ」。こうした考え方は、当初は家族や文化を通して習得されるが、その後も常時一貫して参照され続けることで、第二の天性になる。それはわたしたちの中に非常に深く埋め込まれるため、自分の世界観が他人とどれだけ違うのか、そうした違いが他人とのつきあいにどのような影響をおよぼすのかが、わからなくなってしまう。このような信念は、わたしたちの態度はもちろんのこと、わたしたちが現実世界で取る行動の成果、つまりこの実験で言えば成績を方向づける上でも、強力な役割を果たしているのだ。

それでは、まったく異なる選択の語りを持つ人たちが、一つ屋根の下に集められ、あなたたちの運命は、お互いとどれだけ緊密に協力できるかにかかっていると告げられたら、一体どうなるのだろうか？

多国籍企業の場合

最近では、世界各地の拠点で働く多様な従業員を結びつける、グローバルな組織がますます増えている。こうした組織は、効率を最大限に高めるために、方針やその実施方法の標準化を進めている。しかしその過程で、従業員の持っているさまざまな期待の文化差を、不用意に侵害してしまうことがあるのだ。

一例として、シールドエアコーポレーションのケースを紹介しよう。この会社は、気泡緩衝材「バブルラップ」〔いわゆるプチプチ〕を発明したことで知られる。同社は一九八〇年代に製造工場の配置を見直し、従来型の流れ作業方式をやめて、従業員を少人数のチームに編成した。チームでは一人ひとりの従業員が、管理者に仕事を指図されるのではなく、自主的に製造目標を設定し、達成する責任を与えられた。ある工場で先行的にチームを立ち上げたところ、非常に有望な結果が得られた。従業員の満足度は高まり、製品は品質、数量ともに記録を塗り替えた。

この結果に気をよくしたシールドエアの経営陣は、従業員の満足度と生産性の向上という夢のような成果を再現すべく、新しい体制を別の工場にも導入した。しかしこの工場では、従業員の多くがカンボジアやラオスからの移民で、職場に新しく導入された自主管理方式に、解放感を覚えるどころか、当惑してしまったのだ。「わたしは最低の製造管理者と思われてしまった」と工場長は言った。というのも、かれは従業員に権限を委譲しようとして、指示を求められるたびに逆にこう聞き返したからだ。「きみは、どうやるのが一番いいと思う?」。先行試験を行った最初の工場では、従業員は主にアングロ系アメリカ人で、自分の意見を表明できる機会を歓迎した。これに対し、二つめの工場のアジア系従業員は、なぜ上司が、管理するという自分の仕事を、部下に押しつけるのだろうと、いぶかしく思ったのだ。

シールドエアはこの結果を踏まえて、新しい工場では白紙の状態から始め、非常に緩やかな段階を踏みながらチーム体制を導入することにした。導入を徐々に進めれば、従業員が自分で決定を下すことに少しずつ慣れていくだろうし、またこうした方式が工場全体の和を乱すわけではないことが自ずと明らかになるだろうという算段だった。自分の決定が、悪い結果どころか良い結果を生むのを目の当たりにすれば、従業員はますます多くの決定を自ら下すようになるだろうと、現場の責任者は考えた。また工場長は、仕事仲間の形式張らない打ち合わせを促すことで、従業員を意見交換に慣れさせて、将来のチームワークの土台作りをした。このように、工場ではさらに多大な時間と労力を費やして、従業員が文化的に受け入れられる形で、自主管理方式を導入する方法を見つけた。そうすることで初めて、チーム単位の編成に転換することができたのだ。わたしたちが世界での自分の立ち位置を理解する方法に、文化が大きな影響を与え得ることを、シールドエアの経営陣は身をもって知ったことだろう。そしてこれから示すように、文化は、わたしたちが世界を認識する方法そのものにも、影響をおよぼすことがあるのだ。

Ⅵ・日本人は背景を見る。アメリカ人は個人を見る

上の写真を、五秒間だけ眺めてください。

はい、では今度は写真を見ないで、どんな情景だったか、口で説明してください。さあどうぞ、待っていますから。

あなたは写真をどんなふうに見て、どう答えただろう？　視界に入る生き物の中で一番目立つ、三匹の魚に目が吸い寄せられただろうか？　それとも、どちらかと言えば海草や石、泡、背景の小さな生き物などに注目して、目に見えたものを全体的に説明しただろう

か？　これほど単純で簡単な課題でさえ、見る人が個人主義的、または集団主義的な世界観を持っているかで、答え方が大きく変わるのだ。

心理学者のリチャード・ニスベットと増田貴彦は、この課題をアメリカ人と日本人の被験者双方に与えた。

アメリカ人がこの情景のいわば「主役」である大きな魚に注目したのに対し、日本人はより包括的な視点から情景を説明した。

この説明の仕方の違いから、両者の認識が、そのほかの点でも違うことがわかった。特に、この情景を強力に支配する主体が何か、という認識だ。アメリカ人にとって、この情景における決定的に重要な主体は、三匹の大きな魚で、それが周りのすべてのものに影響をおよぼしていた。だが日本人にとって、情景を支配していたのは環境であり、環境がそのほかのものに働きかけ、影響をおよぼしていた。

この認識の違いは、続いて行われた別の実験によって、さらに裏づけられた。今度の実験では被験者に、最初の情景を少し変えた動画を見せ、以前と変わらない点と、変わった点を尋ねた。その結果、背景要素の違いに関しては、日本人の方が、アメリカ人よりもよく気がついた。他方アメリカ人は、大きな魚以外の部分が変化しても気づかないことが多かったが、大きな魚が登場すると、必ずその変化に気がついた。これに対して日本人は、大きな魚が、初めに見たのとは違う背景に登場したとき、それになかなか気がつかなかったのだ。この結果は何を意味しているのだろうか？　それは、特定の状況を支配する主体がだれなのか、あるいは何なのかという認識を形成する上で、文化が重要な要素になっているということだ。こうしたものごとのとらえ方が、この実験のような抽象的な水槽の情景でなく、現実世界の状況に適用されるとき、客観的には同じか、似たような状況であっても、見る人がどんな文化を持っているかによって、まったく異なる解釈がなされる場合がある。そしてこのことが、ひいては人々の選択の方法にも影響を与えるのだ。

『ちびっこきかんしゃだいじょうぶ』というお話を、子どもの頃読んだか、大人になってから子どもに読み聞かせた人もいるだろう。主人公のちびっこきかんしゃは、「なんだ坂、こんな坂」というおまじないを繰り返しながら、困難を乗り越えて願いをかなえる。いちばん小さな機関車でさえ、意思と決意さえあれば、いちばん高い山のてっぺんにたどり着けることを証明してみせるのだ。個人主義文化は必然的に、個人の行動には世界を変える力があるという、感動的な物語を生み出し、さかんに喧伝《けんでん》する。たとえばベンジャミン・フランクリンの金言「天は自ら助くる者を助く」や、バラク・オバマの代名詞になったスローガン「イエス・ウィ・キャン（そうだ、できる）」、それに憧れとして祭り上げられる成功者たちの立志伝などだ。人は望みさえすれば、自分の人生を自分で決め、どんなこともなし遂げることができる。わたしたちは行く手を阻むさまざまな障害や障壁を、克服するかどうかではなく、どうやって克服するかを考えるよう教えられる。

これに対して集団主義文化では、決定権というものを、もっと包括的に考えるべきだと教えられる。ヒンドゥー教の聖典、バガバッド・ギーターのおそらく最もよく知られた一節の中で、クリシュナ神がこう言って英雄アルジュナを戒める。「汝が思うままにできるのは、自分の行動だけで、行動の結果ではない。報酬目当てで行動したり、怠惰に屈したりすることがあってはいけない」。この世界を動かしているのは、目標を追求する個人の行動だけでなく、社会的文脈や運命の定めでもある。そのため、わたしたちは結果に対する執着を捨て、正しい行動をとることに意識を向けなくてはならない、ということだ。

個人の力だけでは世界を動かせないという認識は、アラブの慣用句、「インシャラー」（神の思し召しがあれば）にも表れている。イスラム教徒は、未来のことを口にするとき、おきまりのようにこの言葉を言い添える。たとえば「また明日、インシャラー」というふうに。また日本で、困難な状況や気の進まない仕事に立ち向かう人たちがよく口にする、「しかたがない」という表現にも、この認識が表れている。個人は決して無力ではないが、人生というドラマの一登場人物に過ぎないのだ。

このような多様な物語がおよぼす影響を明らかにする方法の一つに、成功や失敗にどのような解釈が与えられているかを検証する方法がある。英雄や悪人について、どのような物語が伝えられているだろうか？　北山忍とヘイゼル・マーカスほかの研究者は、二〇〇〇年のシドニー・オリンピックと、二〇〇二年のソルトレークシティ冬季オリンピックでのメダリストの受賞スピーチを分析した。その結果、アメリカ人は成功要因を、個人の能力や努力という観点から説明することが多かった。「ただ集中を維持することだけを考えました。自分の実力を世界に見せつける時が来たと……自分に言い聞かせたんです、『いや、今夜の主役は俺だぞ』って」。他方日本人選手の多くは、自分を支えてくれた人たちのおかげで成功したと考えていた。「世界最高のコーチと、最高のマネージャー、応援してくださった方々――みなさんのおかげで金メダルが取れたんだと思います……自分だけの力じゃありません」

一方、この栄誉の対極にあるものとして、わたしの同僚のマイケル・モリスが協力者とともに、日米の金融不祥事の新聞報道を比較した。たとえば不正取引で一四億ドルの損失を出し、一九九五年にベアリングス銀行を破綻に追い込んだ「ごろつきトレーダー」ニック・リーソンや、大和銀行に一一億ドルの損失を与えた井口俊英などの事件だ。分析の結果、アメリカの新聞が、悪徳トレーダーの個人的行動に、不祥事の原因を求めることが多かったのに対し、日本の新聞は制度的要因、たとえば経営者による監督不行き届きなどに言及することが多かった。賞賛に値する結果であれ、非難に値する結果であれ、個人主義社会に属する人々が、その原因を一個人に求めたのに対し、集団主義者は、結果を体制や文脈と表裏一体と見なしていたのだ。

個人が自分を取り巻く状況をどれだけコントロールできるかという問題に関わる、このような考え方の違いは、日常的な選択に対する考え方の違いを生む。わたしは日本滞在中、当地に住む日本人とアメリカ人を対象に、前日にどのような選択を行ったかを書き出してもらった。朝起きた瞬間から夜寝るまでの間に行った、すべての選択だ。学生たちは同じ講義を受講しており、全員がほぼ同じスケジュールで動いていた。それにアメリカ人は来日からまだ一月しかたっていなかったことから、自分たちに与えられている課外活動などの選択肢を、十分把握していなかったと考えられる。そんなわけで、日本人学生の方が多くの選択をするものと予想された。ところがふたを開けてみると、アメリカ人が自分に開かれていると思っていた選択の数は、日本人の一・五倍もあったのだ。アメリカ人は日本人と違って、歯を磨いたり、目覚ましのアラームを止めるボタンを押すといったことまで、選択としてリストアップしていた。しかもアメリカ人は、このように些細な選択を挙げることが多かったにもかかわらず、日本人に比べて、自分の下した選択をはるかに重大な選択として受けとめていたのだ。

あなたの目に映るものが、あなたの世界の受け止め方を決め、ひいてはあなたの世界観や人生観にまで影響を与える。ほかの研究でも、一般にアジア人は西洋人に比べて、人が他人に与える影響が限定的であり、人生は運命に大きく左右されると考えていることが報告されており、わたしの研究結果と符合する。このような、選択の自由に関する認識の違いは、どのような影響をおよぼすのだろうか？　どんな些細なことにも選択の余地があるという意識を持つことで、何かいいことがあるのだろうか、それとも「少ないことはよいこと」なのだろうか？　こうした疑問を解く手がかりは、思いがけない分野から得られた。国際金融の世界だ。

シティコープでの実験

一九九八年にわたしはシティコープの当時のCEO（現金自動預け払い機〔ATM〕をアメリカに導入した立役者でもある）ジョン・リードの了解を得て、同社で調査を行った。多様な文化的背景を持つ従業員が、仕事環境をどのようにとらえているか、そしてそのことがかれらの仕事ぶりや仕事に対する満足度と、どう関係しているかを調べるのが目的だった。シティコープはもちろん当時から世界有数の国際的金融機関で、南極を除く全大陸の九三カ国で事業展開していた。リードの助力のもとに、わたしと研究助手のチームは、アルゼンチン、オーストラリア、ブラジル、メキシコ、フィリピン、シンガポール、台湾、そしてアメリカのシティコープの営業所で働く、二〇〇〇人を超える窓口係と営業担当者を対象に調査を行った。またアメリカの多様性の高さを調査に反映させるために、アメリカ国内ではニューヨーク、シカゴ、ロサンゼルスの営業所の、アングロ系、ヒスパニック系、アフリカ系、アジア系など、多様な人口学的、民族的背景を持つ従業員を対象とした。

まず最初に協力者に、仕事における選択の自由度に関するいくつかの質問項目に、一（「ほとんどない」）から九（「非常に高い」）までの九段階で答えてもらった。質問項目は、具体的なこと（「仕事上の問題を解決する方法」、「休暇を取る時期」など）から、より一般的なこと（「典型的な一日のうち、完全に自分の裁量で仕事ができる時間の割合」など）におよんだ。また選択の自由度に対する意識を調べるために、「わたしの仕事内容は、ほとんど上司によって決められる」という文章を読ませて、どの程度賛成するか尋ねた。行員はつきつめれば同じような仕事をしているのだから、同じような回答が得られるものと予想された。たとえば窓口係の職務は、組立作業員の仕事ほど規格化されてはいないが、一般に小切手の現金化、預金やローンの支払いの入金、引き出しの処理といった特定の業務に限られる。シティコープは国内外で業務慣行の標準化を進めており、どの営業所の行員も、仕事内容や報奨制度はほとんど変わらなかった。

しかし調査結果を分析したところ、行員の民族性（この事例では、文化的背景と密接な関係があった）が、選択の自由度に対する認識に、著しい影響をおよぼしていることが明らかになった。アングロ系、ヒスパニック系およびアフリカ系アメリカ人が、日常業務を、自分の意思で選択可能なものと見なす傾向が強かったのに対し、アジアの営業所の行員とアジア系アメリカ人は、それほど選択の自由があるとは考えていなかった。ラテンアメリカ人は、この二つの集団の中間に位置した。他方、選択の自由度が少ないと感じている人ほど、自分の行動が監督者によって管理されていると強く感じていた。しかも、同じ営業所の同じ上司の下で働く行員の間でさえ、選択の自由度に対する認識には文化差が見られた。ちなみにこの上司は、どの部下にも同じだけの選択の自由を与えていると回答していた。

続いて全員に、仕事に対する意欲の度合いと、仕事環境に対する公平感、仕事の満足度、また職場に対する全般的な満足度に関する質問項目に回答してもらった。かれらの上司には、部下の勤務実績を評価してもらった。その結果、アジア系を除くすべてのアメリカ人について、選択の自由度が大きいと感じている人ほど、意欲、満足度、実績のいずれもスコアが高い傾向が見られた。逆に、仕事が上司によって決められているという意識が強い人ほど、三つのスコアは低かった。ところがこれに対して、勤務地がアジアであれ、アメリカであれ、アジア系の行員全般について、日常業務が主に上司によって決められているという意識が強い人ほど、スコアが高い傾向が見られた。また個人の選択の自由度はほとんど影響がなく、むしろ一部の項目については逆相関の関係が認められたほどだった。

これらの調査結果には、「選択とは何か」という考え方に文化差があるという以外にも、もう一つ、特に興味深い発見があった。それは、人々が自分に与えられていると感じていた選択の自由度が、かれらが望ましいと考えていた自由度の大きさに一致していたということだ。概して選択の自由度が大きい方が望ましいと考えていた行員は、実際に自分の選択の自由度が大きいと感じ、他者に選択を任せたいと考えていた行員は、自分の選択の自由度はそれほどないと思っていたのだ。選択の存在または不在を際立たせるような方針変更が、文化的背景のちがう社員に、驚くほどかけ離れた影響をおよぼすことは、シールドエアの事例や、「スペース・クエスト」をプレイした生徒たちの例でも明らかだ。しかし人はあるがままの状態でいるとき、自分の選択の自由度が、自分にとって最適な水準にあると考えることが多いのだ。

話はこれで終わらない。文化は、わたしたちの選択の自由度に対する認識や、選択したいという欲求の大きさに影響を与えるだけにとどまらず、わたしたちが実際に選択を行う方法にも（自分自身で選択を行う場合）、ひいては社会全体にも、影響をおよぼすのだ。さしあたってここでは、シティコープか、どこかほかの多国籍企業のオフィス環境について考えてみよう。職場に関するアメリカの語りが伝えるのは、ただ「選択の自由度が大きいことは良いこと」というだけではない。選択の自由度が大きくなると、能力を示す機会が増えるからこそ良いと言っているのだ。成功への道は、差をつけることにある。それに、上司にあれこれ細かく指示されたのでは、仕事の上でも、プライベートでも、息が詰まってしまう。これに対してアジアの語りは、組織全体の利益に目を向ける。そのため、時にはしかるべき人、つまり賢明な人や経験豊かな人、あるいは位が高い人の手に、選択を委ねなければならないこともあると、この語りは伝えている。どちらのアプローチにも利点があるが、欠点もある。前者はともすれば身勝手なふるまいを助長し、後者は停滞をもたらしかねない。だからこそシティコープのような企業は、多大な労力を費やして、最初から両方の世界のいいとこ取りができるような、統一的な企業文化を生み出そうとしているのだが、まだまだ途上の段階にある。

それでは次に、職場以外の世界に目を向けてみよう。選択の自由度に対する認識や、ひいては自己決定権に関する認識の違いは、わたしたちが理想として思い描く世界像に、何か影響をおよぼしているのだろうか？

Ⅶ．東ドイツ住民はなぜ昔を懐かしがるのか

一九八九年一一月九日、東ドイツが数十年ぶりに国境を開放するというニュースが、世界を震撼《しんかん》させた。一夜にして東西ベルリンは再び一つの都市となり、自由に往き来できるようになった。この都市にベルリンの壁という、鉄のカーテンが下ろされていたなど、嘘のように思えた。

当時スペインのマドリードの大学で学んでいたわたしは、ニュースを耳にしたとたん矢も楯もたまらなくなって列車に飛び乗り、壁の崩壊を祝う現地のイベントに加わった。東ベルリン市民は西へ、西ベルリン市民は東へ足を踏み入れようとして、群集が双方向から門になだれ込んでいた。続いてこれを歓迎する盛大なイベントが行われた。まるで世界中の人々が、ここに集まってきたかのようだった。だれもが喝采を送り、見知らぬ人と抱擁を交わし、歓喜の叫びをあげ、土産に壁のかけらを削り取り、鉄のカーテンがとりはらわれた歓喜の瞬間を分かち合った。

ABCテレビの看板キャスター、ピーター・ジェニングスは、こう宣言した。「突如として今日、自由を阻んでいたベルリンの壁が、存在意義を失いました」。東ベルリンから初めて西ベルリンにわたったジェニングスの横で、若い男性が叫んでいた。「牢獄から解放されたような気分だ！」。別の東ベルリン市民は、こう答えた。「こうなったら、もう後戻りはできない。だれもが待ち望んでいた転機が、とうとうやって来たのだ」。この瞬間は、ドイツのみならず、全世界における自由の勝利と見なされた。その後も続いた熱狂的なお祭り騒ぎや言説の中で、ベルリンの壁崩壊が、最終的に政治、経済体制としての共産主義の終焉と、民主主義と資本主義の勝利を告げたことが明らかになった。

その後の二〇年間で、わたしは、何度かベルリンに戻った。主に研究のためだったが、それだけではない。わたしは一つの体制から別の体制への移行を、実際に自分の目で確かめたかったのだ。一九九一年までにはベルリンの壁のほとんどが壊され、新しい秩序の胎動が徐々に感じられるようになり、それとともに選択が拡大していた。かつて壁が立っていた場所の一部は、ショッピングモールになっていた。東ベルリンではかつてないほどたくさんの商品が売られ、食事のできるレストランも増えていた。資本主義が着実に、確実に根を下ろしつつあった。だが人々は、資本主義と民主主義が導入されれば、すべてがバラ色になると思っていたにもかかわらず、意外にも、新たに見つけた自由に一様に満足していたわけではなかった。

再統合から二〇年を経た今も、ベルリンはいろいろな意味で、壁そのものと同じくらい強力な、「考え方」の壁によって隔てられた、二つの都市であるように感じられる。わたしは東ベルリンの人たちと会話を交わすうちに、あることに気がついた。機会や選択の自由が拡大し、市場ではますます多くの選択肢が手に入るようになっていたのに、かれらはありがたく思うどころか、逆にこの新しい生き方に疑いを抱き、不公平感を募らせていたのだ。二〇〇七年の調査によれば、ドイツ人の五人に一人以上が、ベルリンの壁をもとに戻したいと考えていた。また旧東ドイツ人の実に九七パーセントが、ドイツの民主主義に失望を感じ、九〇パーセント以上が、社会主義は理論的には優れた思想で、過去の失敗は、単に実行に移す方法がまずかったせいに過ぎないと考えていた。共産主義時代を懐かしむこのような風潮はとても強く、ドイツ語でそれを表す言葉が作られたほどだ。東を表す「オスト」と、郷愁を表す「ノスタルギー」を組み合わせた、「オスタルギー」である。一九八九年一一月には新体制を熱狂的に歓迎したベルリン市民が、今やかつてあれほど崩壊を望んでいた体制に戻りたいと思うようになったのは、一体どういうわけなのだろう？

まず、ソビエト連邦とその衛星国（東ベルリンを含む）が導入した経済体制について考えてみよう。政府は各家庭が必要とする、自動車から野菜、テーブル、イスに至るすべての物資の量を予測し、それをもとに国家全体の生産目標を設定した。一人ひとりの市民が、学校で証明した才能や適性に応じて、何らかの職業を割り当てられた。職業の選択肢も、国家の需要予測を基に決められた。家賃と医療費は無料だったため、消費財くらいしか賃金を使う当てはなかった。国家が生産を管理していたため、テレビ、家具、居住空間に至るまで、だれもが同じものを同じだけ、確実に手に入れることができた。

この体制が持ちこたえられないことは、歴史が証明した。労働賃金が徐々に引き上げられる一方で、人々の不満を抑えるために、商品価格は人為的に低く保たれた。その結果、人々は使い切れないほどの金を持つようになった。違法品を扱う闇市場がわずかながら出現したが、ほとんどの金は銀行に死蔵された。つまり、政府は人々に賃金を支払っていたのに、政府活動を賄うだけの資金が政府に環流しなかったのだ。国内での汚職の横行や、アメリカとの軍拡競争に湯水のごとく金が注ぎ込まれたことも相まって、最終的にソ連経済は自らの重みに耐えきれず自壊したのだった。

このように共産主義体制は、最終的に致命的欠陥から崩壊したものの、平均的な人が市販商品の多くを買えるだけの金を手にしていたという単純な理由から、人々は金の心配からほとんど解放されていた。贅沢品を購入するなど、顕示的消費〔見せびらかすための消費〕を行う選択肢はなかったが、基本的な生活必需品は、だれにでも無理なく買うことができた。多くの東ヨーロッパ人が、市場経済に移行する中で身をもって知ったように、資本主義体制の下ではそのような保証はまったくない。人々は一夜にして国有企業での職を失い、中でも新しい労働市場での競争に不利な年長の世代が、特に大きな苦難を強いられた。そのうえ一九五〇年代から物価が凍結されていたせいで、今やすさまじいインフレーションが進行していた。消費財、特に外国製のものは手が出ないほど高くなり、また人々が一生かかって貯めたお金は紙くず同然になってしまった。資本主義への移行期に、漁夫の利で莫大な利益を得た人たちもいたが、そのほとんどが暴利によるものだった。わたしが会ったある男性は、この移行をごく簡潔にこう説明してくれた。「ソ連じゃ金があっても、何も買えなかった。今じゃ何でも買えるが、金がない」。

フロムの二つの自由の定義

かれの発言はまた、ある重要な区別をうまく説明している。それは心理学者にして社会理論家のエーリッヒ・フロムが、一九四一年の著書『自由からの逃走』の中で鮮やかに示した区別であり、わたしたちの文化が何よりも大切にしてきた価値観の性質を言い当てたものだ。フロムによれば、自由は互いに補完する二つの部分に分けることができる。一般に「自由」と言えば、「人間をそれまで抑えつけてきた政治的、経済的、精神的束縛からの自由」を指すことが多い。つまり目標の追求を力ずくで妨害する外部の力が存在しない状態だ。この「からの自由」に対立するものとして、フロムは可能性としての自由という、もう一つの意味の自由を挙げる。つまり、何らかの成果を実現し、自分の潜在能力を十全に発揮「する自由」だ。「からの自由」と「する自由」は、必ずしも両立しないが、選択のメリットを十分に活かすには、この二つの意味で自由でなければならない。子どもはクッキーを食べることを許されても、棚の上のクッキーのビンに手を伸ばさなければ、それを手に入れることはできない。

理想化された資本主義体制では、社会での地位を高める機会に外側から課される制約「からの自由」が、何にもまして強調される。人は、少なくとも建前上は、自分の能力を頼りに成功する機会、あるいは失敗する機会を、平等に与えられている。だが制約のない世界とはすなわち、競争の世界であり、そこでは有能な人、勤勉な人、または単に幸運な人が有利になる。多種多様な商品やサービスが提供されるが、だれもが入手可能なすべての選択肢を手に入れられるわけではなく、生きていくのに最低限必要な食料、住居、医療さえ賄えない人がいるかもしれない。これに対して理想化された共産主義、社会主義体制は、十分な生活水準を獲得「する自由」をすべての成員に保証することで、機会の平等ではなく、結果の平等を目指す。だが問題は、困窮者に分け与えられる資源を、どこかが、いやもっとはっきり言えば、だれかが負担しなくてはならないことだ。つまりだれかが「からの自由」を減らされ、国家に財産を徴発され、経済活動を指図されることになる。

本当の意味で選択を行うには、選択する能力があり、かつ外部の力に選択を阻止されずにいられるという、両方の条件が満たされなければならない。つまり、体制がどちらかの極端な状態に近づくと、人々は機会を制限されるということだ。さらに言うなら、極端な体制は、ほかにも実際的な問題をいろいろと生むことがある。たとえば「する自由」がなければ、自活できない人たちが窮乏や苦しみを味わい、はては死に至るだけでなく、金権主義が横行し、莫大な富を持つ者が不当に大きな力を行使して、不法行為に対する処罰を逃れたり、他者を犠牲にして利益をむさぼり続けるために、法律そのものを自分の有利に変えるようなことがあるかもしれない。実際に一九世紀末の「悪徳」産業資本家は、こうしたそしりをしばしば受けていた。他方、「からの自由」がない場合、必要なものが必ず手に入ることがわかっているため、あくせく働く必要はないという意識が働くことがある。余分な労力を費やしても、物質的な利益にほとんど結びつかないような状況では、技術革新や企業家精神は生まれない。しかもこのような体制を導入するためには、政府が国民を全般にわたって統制する必要があるが、これまでの共産主義政府の行状を見てもわかるように、とかく権力というものは腐敗するものだ。

　両方の自由を同時に最大化することはできないが、幸い、これはゼロサム・ゲームではない。ある程度までなら、両方の利点を活かすことはできるのだ。たとえば国民から集めた税金で社会保障を賄えば、「からの自由」をそれほど制約せずに、多くの人の「する自由」を大いに高めることができる（ただし、ある人にとって、困窮者を救済するにはまったく不十分と思われる税率でも、別の人にとっては犯罪的に高く感じられることがある）。ほとんどの人はこの両極の間で、何とかバランスを取りたいと考えている。だがだれしもが、個人的な経験や文化的背景に基づいて、世界について何らかの前提を持っており、その前提が、両者のバランスをどこに求めるべきかという判断に影響をおよぼすのだ。

　旧共産圏の人々は、かつて一方の極にあった社会を、もう一方の極にずっと近い、民主主義的で資本主義的な社会にいきなり転換するという、困難な課題を押しつけられた。わたしはベルリンでいろいろな人たちの話を聞くうちに、この移行におけるハードルの一つが、旧共産圏の人々の「公正とは何か」という前提にあることに気がついた。体制が変わったからと言って、はいそうですかと、長年の前提から別の信念に簡単に切り替えられるものではない。西ベルリン市民は、一般の西洋人と同じように、「からの自由」というレンズを通して世界を理解していることを、わたしはかれらと会話を交わすたびに一貫して感じてきた。これに対して東ベルリン市民、特に年長者は、共産主義はもう思い出でしかないのに、「する自由」にいまだに深くこだわっていた。たとえばクラウスはこう嘆いた。「昔は旅行といえばハンガリーにしか行けなかったが、少なくとも休暇をとった気分にはなれた。今じゃどこにでも行けるが、どこにも行く金がない」。ヘルマンも、同じような懐古の念を口にした。「昔はテレビのチャンネルは二つだったが、みんながそのチャンネルを見られた。今じゃすっかり事情が変わってしまった。百のチャンネルが見られる人もいれば、全然見られない人もいるんだからな」。カーチャが一番不満を感じていたのは、新しい体制のせいで医療が変わったことだった。「前は診てくれるお医者は一人しかいなかった。今なら何人ものお医者から選べるけど、ちっとも親身になってくれないのよ。良い医者に診てもらうにはお金がかかるし。病気になっても、だれも心配してくれる人がいないような感じ」。若い東ベルリン市民も同じような心情を吐露したが、古い世代ほど声高ではなかった。この移行で経済的に最もダメージを受けたのが、高齢世代だったせいなのかもしれない。

十種類ものチューイングガムはいらない

その後、インタビューの対象を、ウクライナ、ロシア、ポーランドなどの国に広げるにつれて、わたしは「選択肢の最も公正な分配」について、実に多くの人たちが同じような考え方を持っていることに気がついた。国の最高峰の大学に学び、将来の成功を約束された学生たちの間にさえ、このような考え方が見られた。わたしは学生たちとの話し合いで、次の二つの架空の世界があったら、どちらを選ぶか尋ねてみた。選択肢は少ないが、だれもが同じようにそれを持てる世界と、選択肢は多いが、持てる人と持たざる人がいる世界だ。ポーランド人女性のウルズラはこう答えた。「最初の世界に住みたいと思うんじゃないかしら。たぶんね。わたしは派手なことが好きじゃないから。みんなが高い地位を求めて頑張っているわけだから、妬《ねた》ましいとは思わない。でも、それを自慢する人は嫌いだわ。うんざりするし、そんな世界は好きじゃない」。ポーランド人のジョゼフも、似たような考えを口にした。「理論的には、最初の世界がベターだね」。ウクライナではイリヤがこう言った。「一部の人だけが多くの選択肢を手に入れられて、ほかの人が手に入れられないなら、社会でも人づき合いでも、いろんな対立が起きるでしょう。だから選択肢はみんな同じがいいのよ」。ヘンリクという名の、経営学を専攻するポーランド人学生は、こう答えた。「自分は二つめの体制にいた方が成功すると思うけど、最初のやり方の方がフェアだと思うな」。わたしがインタビューした若者たちは、「からの自由」は「する自由」に比べて、個人のレベルではより多くの機会を提供すると信じていたにもかかわらず、それが社会全体にとって最善のモデルだとは考えていなかった。

インタビュー対象者は、少数の人が多数の選択肢を手に入れるのは不公平だと考えていたが、それだけではなく、多くの東ヨーロッパ人が、選択肢が増えたことを快く思っていなかったのだ。選択という言葉からどんな言葉やイメージを連想するか尋ねたとき、ワルシャワのグジェゴシはこう答えた。「うーん、ぼくにとっては恐れかな。ぼくはジレンマに悩まされてる。選択の自由がないことに慣れっこになっているんだ。昔は自分の代わりにだれかが全部きめてくれた。自分の人生について、自分で選択しなくちゃいけないのは怖い」。キエフ在住のボフダンは、市販されている多種多様な消費財についてこう語った。「多すぎだ。あそこにあるものが全部必要なわけじゃない」。ワルシャワ調査局の社会学者の説明によれば、東欧圏の旧世代は、アメリカ文化ではあたりまえの消費者主義を経験してこなかった。「まったくゼロの状態から、選択肢があふれる世界に飛び込んだため、対処する方法を学ぶ機会がなかった」のだという。その結果、かれらは新しく手に入れた機会に、いくばくかのためらいや疑念を感じているのだ。

このインタビューでは、とりわけ興味深い事実が明らかになった。ただし、インタビューでのやり取りではなく、協力者へのもてなしを通してである。会場に足を運んでくれた協力者をもてなすために、コーラ、ダイエット・コーラ、ペプシ、スプライトなどの七種類の一般的な炭酸飲料の中から、好きな飲み物を選んでもらった。ところが、何人目かにこの取り揃えを見せて、どれを選ぶか待っていたとき、こんなことを言われたのだ。「いや、別にどれでも構わないですよ。全部ソーダじゃないですか。どっちにしろ一種類なんだから」。かれの発言にひどく驚いたわたしは、それ以降の協力者に同じ取り揃えを見せて、「選択肢はいくつあると思いますか?」と尋ねることにした。かれらの答えは、同様のパターンを示していた。来る人来る人が、七種類のソーダを別々の選択肢とは見なさず、一つの選択肢としてとらえていた。つまり、ソーダを飲むか、飲まないかだ。ソーダの取り揃えに水とジュースを加えたところ、選択肢は三つになった。ソーダ、水、ジュースだ。協力者は、種類が違うソーダを、違う選択肢とは見ていなかったのだ。

アメリカでは新製品が市場に投入された瞬間、あたりまえのように新しい選択肢と見なされる。新しい味のソーダが出れば、選択の幅が広がる。だが品揃えが増えても選択肢は増えたことにはならないと考える旧共産圏の住民が、「選択肢」の増殖に疑念を感じたのも無理はない。ポーランドの男性トマシュはこう言っていた。「一〇種類ものチューイングガムなどいらない。選択肢が不要というわけではないが、選択肢にはわざとらしいものもある。よく考えると、ほとんど違わないものの中から選ばされていることが多い」。かれらにとって本当の選択とは、「する自由」を持つことだった。たとえばキエフの教授アナスタシアは、資本主義への移行が、ある変化をもたらしたと指摘した。「わたしたちは機会均等という特権をなくしてしまったようね。ソビエト連邦では、だれもが平等な機会を与えられていたから、今よりむしろ選択肢が多かったような気がする」

「からの自由」と「する自由」について、このような違った見方を持っているのは、資本主義と共産主義という二つの相容れないイデオロギーに直《じか》にさらされた人たちだけではない。一般に、集団主義的傾向が強い人や文化ほど、個人的な成功を後押しする体制よりも、基本的必需品を全員に保証する体制を望ましいと見なす傾向にある。単独で見ればきわめて個人主義的だが、アメリカ人に比べればそうでもない西ヨーロッパ人でさえ、「からの自由」より「する自由」に合った政策を支持する傾向にあるのだ。たとえばアメリカの二〇〇九年度の所得税の最高税率は三五パーセントで、欧州連合（ＥＵ）の平均より一二ポイントも低かった。一九九八年にアメリカ政府は社会保障制度やメディケイド（低所得者向け医療費補助制度）、生活保護などの補助金や移転支出に、国内総生産（ＧＤＰ）の一一パーセントを費やしたが、ＥＵ諸国の平均は同二七パーセントだった。

　人が自分の人生にどれだけの自己決定感を持っているかは、環境に依存する。つまり、その人がどれだけ個人主義的または集団主義的な環境に身を置いてきたかによって、認識が変わる。だがこの認識は、選択の分配がどうあるべきかという考えにも、大きな影響をおよぼしているのだ。自分を含め、人には大きな自己決定権があると考える人たちは、「からの自由」を好む傾向にある。「からの自由」は、個人がそれぞれの目標を実現する機会を拡大するだけでなく、公平という観点からも望ましいと考えるからだ。最も努力する者が報われ、他力本願は許されない。これに対し、この世の成功は運次第（生まれを含む）、という信念の持ち主は、「する自由」が優先される体制こそが公平だと考える。どんなに頑張っても成功する保証がないなら、このような体制でもない限り、自力で生活必需品を得られない、「良き貧困者」を救済することはできない。

アメリカとヨーロッパの自由の違い

こうした世界観の違いは、どのような影響をおよぼすのだろうか？　その答えは、自己決定権に対する考え方が、政治的イデオロギーと強くかかわっているという事実にも現れている。一般に、保守的な政党が自由放任主義的な経済政策を志向するのに対し、リベラルな政党は大きな政府と社会計画を志向する。また世界価値観調査のデータによれば、アメリカやＥＵ諸国では、リベラル派を標榜する人たちは、保守派に比べて「貧乏人は怠惰だ」といった考え方に賛成する度合いが低く、「収入は運次第である」などの考え方に賛成する度合いが高いという。ヨーロッパには、アメリカのどの主流政党よりも左寄りの、社会民主主義政党が幅をきかせる国が多いが、ヨーロッパ人の五四％が収入は運次第だと考えている（アメリカ人は三〇％）。そして人々は当然ながら、各自の考え方に沿った投票行動を取る。つまり突き詰めれば、こうした世界観が全体として、「からの自由」または「する自由」のどちらかの概念に向かって、社会を動かしていると言える。

こうくれば、自然な疑問が湧いてくる。「総合すると、どちらのアプローチの方が優れているのだろうか？」。だがこの疑問に答えを出すのは、事実上不可能だ。なぜなら、どちらの自由を信奉するかによって、支持する政策だけではなく、その政策の影響を受ける人々が幸福度を計る尺度までが変わってしまうからだ。「からの自由」の信奉者は、一人あたりＧＤＰといった尺度を使うことが多い。この尺度から、一人ひとりに潜在的な機会がどれくらい開かれているかが、大まかにわかる。たとえば二〇〇八年時点でのアメリカの一人あたりＧＤＰは四万七〇〇〇ドル、これに対してＥＵの平均は三万三四〇〇ドルだった。また保有資産が一〇億ドルを超える億万長者の数は、アメリカが圧倒的に多く、第二位の六倍以上で、しかも世界長者番付の上位五名のうち三人がアメリカ人だ。他方「する自由」の信奉者は、ジニ係数といった尺度を使うだろう。ジニ係数とは、国の所得分配の（不）平等さを測る指標である。ジニ係数が計測されている一三四カ国のうち、富と資源の分配において最も平等な国はスウェーデンだ。また旧ソ連の構成諸国や衛星国の多くが、一人あたりＧＤＰは低いが、最も平等な三〇カ国に含まれる。アメリカは九三位で、カメルーンやコートジボワールなどと大差ない。アメリカ民主主義の壮大な実験は、未曾有の国富とともに、不平等のはびこる社会をも生み出したのだ。

アメリカ人は全体として、どの国の国民よりも、「からの自由」の優位性を強く信じていると言っても過言ではないだろう。この理想は、「アメリカンドリーム」として表されることが多い。アメリカンドリームという言葉は、歴史学者のジェームス・トラスロー・アダムズが一九三一年に編み出した造語だ。「アメリカンドリームとは、すべての人がそれぞれの人生を、より良く、より豊かで、より充実したものにする機会を、能力や業績に応じて享受できる、そんな国を作る夢である。……一人ひとりの男女が、生まれや境遇のめぐり合わせにかかわらず、授かった能力を存分に発揮でき、あるがままの姿で評価されるような、そんな社会秩序を打ち立てる夢である」。ここでの大前提は、夢とそれを実行に移す能力さえあれば、だれにも邪魔されずに、大いなる志を実現できる、ということだ。夢とやる気のある人が大きな成功を収めるには、アメリカがうってつけの国だということは、世界の常識となっている。

たしかにこれまで多くの人がアメリカンドリームに鼓舞されて、偉業を成し遂げている。しかし、アメリカンドリームが夢のままで終わってしまった人も数知れない。アメリカは昔から「チャンスの国」と呼ばれている。そんな時代も、たしかにあったのだろう。だが今日のアメリカは、国民の大多数にとって、ほとんどの先進工業国と代わり映えがしなくなっている。その上アメリカでは、スウェーデンやドイツなどの西ヨーロッパ諸国に比べて、親子の所得に強い相関が見られることが、最近の研究で報告されている。つまり、アメリカで成功できるかどうかは、努力よりは、生育環境に負うところが大きいということになる。このような研究報告を、アメリカ人が自国の独自性を過信していること、またはそれ以外の国の人が自国での機会を悲観視しすぎていることの証拠と受け取るかどうかは、意見が分かれるところだ。しかしそれは、人々の価値観や信念が、重大かつ永続的な影響をおよぼしていることを、たしかに実証している。

結局のところ、アメリカンドリームが実現可能な夢なのかどうかは、それほど重要ではない。どんな世界観もそうだが、アメリカンドリームは、全国民の理想を形作ったという点で、これ以上ないほど現実的な力なのだ。アメリカでは、アメリカンドリームの語りが、国民一人ひとりの人生の物語の礎《いしずえ》になっている。アメリカンドリームの力を本当の意味で理解して初めて、なぜほかの夢を掲げる国や文化が、選択、機会、自由についてまったく異なる考え方を持っているのか、その理由を理解することができるのだ。

Ⅷ・選択を行う方法は様々だ

ここまで、選択に対するさまざまな考え方について疑問を投げかけ、それに答えを出そうとしてきた。わたしの答えを、思いがけないもの、示唆に富んだものとして受けとめていただけたなら嬉しい。そして、わたしがこれまで示してきたことが、単なる寛容を超えて前進する、その一助になれば、これほど嬉しいことはない。近頃では「異文化について学ぶのは、とても楽しいことだ、文化が違えば人も違うのは、あたりまえのことだ」と教えられる。「箸を使ってもいいし、手を使って食べるのも素敵なことだ！」。この種の高揚ぶりは、別に悪いことではない。それどころか、かつてのように異文化を持つ人に不信感を抱かなくなったのは、たしかに良いことだ。でもただ寿司を食べ、サリーを身にまとい、「イッツ・ア・スモール・ワールド」を歌うだけでは何にもならない。たしかに今の社会は、以前に比べれば「つながって」いるが、だからこそ以前よりも謎に満ち、混沌としている。かつては文化や国の境界の中に閉じこめられていたものが、いまや境界を揺るがす強力な力のせいで、あふれ出しているのだ。その力とは、物理的移動（国勢調査局の予測によれば、二〇四二年にはヨーロッパ系の祖先を持つアメリカ人の人口比率が、五〇％を切るという）や、国際メディアの洪水（ＢＢＣ、ＣＮＮ、アルジャジーラ、その他の外国のテレビや映画などが氾濫している）、そしてインターネットという、世界に開かれた広場だ。このような流れの中で、個人や文化の語りは増える一方だ。そしてますます多くの人が、千差万別の語りをもとに、人生の物語を組み立てている。すべての矛盾を受け入れようとすると、頭がくらくらするほどだ。何もかもが互いに触れあい、重なり合っている。その結果、文化の混淆《こんこう》が進むが、衝突も避けられない。

これまでは、異文化の邂逅には衝突がつきものだった。言葉によってであれ、経済的、軍事的にであれ、双方が自己の優位を見せつけ、相手側に同化を受け入れさせせよう、あるいは強制しようとした。このことは驚くにはあたらない。どの文化的スクリプトも、最高の価値観を持った最高の文化を自負し、多くの文化が亡びるなか、自らは生き残っていることを、その証としているのだから。わたしたちは今、政治学者サミュエル・P・ハンチントンの有名な予言どおり、「文明の衝突」のさなかにいるのかもしれない。だがたとえそうだとしても、今やどんな衝突も、これまでと同じ方法では終わらなくなっている。一つの文明が別の文明を破壊することはあり得なくなったし、巨大な障壁を打ち立てて他の文明を締め出すこともできなくなった。特に、わたしたちの奥深くに根ざした信念や生命が懸かっているときは、寛容や尊重ではらちがあかない。このようにわたしたちは、分かち合うものがほとんどなく、前進するためのはっきりした方法もないという、閉塞感にとらわれているのだ。

しかし、空白地帯に立っているような気がすることがあっても、共通の土台はたしかに存在する。最も一般的には、人生の基本的価値観や自由、幸福の追求が、万人共通だということは、疑いようがない。実際前講で見たように、わたしたちは選択権と自己決定権を、生物学的に必要としているのだ。つまり、こうした普遍的必要を考えると、一九九三年にウィーンで開催された世界人権会議に参加した世界一七一カ国が確認したように、人には法律による平等の保護、政治プロセスへの参加、教育などの権利を与えられて当然だということになる。だからと言って、世界各地の人々が自由な選択を与えられたときに生み出す社会構造が、西洋型に酷似したものになる、またはそうなるべきとは限らない。自由な選択といっても、選択を行う方法はさまざまだからだ。主体的に決定する場合もあれば、他国のやり方を採り入れ、それによりよく適応するために、自らの環境やあり方を変えたり、すべてを国民の自主性に任せたり、あるいは落伍者を出さないような措置を国が講じるなど、方法はいろいろだ。

それではどうすれば基本的人権のレベルを超えて、文化的相違を分析、評価して、そこから学ぶことができるのだろう？　たしかに寛容は、固定観念をもとに異文化を批判することに比べればましだが、それでも重大な欠点がある。寛容は、対話を促し、批判的な内省を求めるというよりは、むしろ逃避を促すことが多いのだ。「勝手にしてくれ、俺も勝手にするから、互いに干渉し合うのはやめよう」。たとえ文化の棲み分けが可能だとしても、やむを得ず交流が必要になった場合に、価値観に基づく対立はエスカレートしがちだ。現実世界でも仮想世界でも、わたしたちの空間がかつてないほど交差している今、ドアを閉めて互いに目をつぶるわけにはいかない。こうした交差点を戦場にするか、出会いの場にするか、それはわたしたち次第なのだ。

わたしには、寛容の先にある世界に到達するための三段階プランを、いや三〇段階プランさえ、示すことはできない。でもわたしたちは、もう自分の物語だけに頼って生きられないこと、ほかの物語が存在しないふりができないことを知っている。ほかの物語は、ほかの言語で語られることが多い。そのため、文字通りではないにせよ、比喩的な意味での、多言語使用に努めなければならない。

これをわかりやすく説明するために、わたしの人生のささやかな経験を語らせてほしい。わたしは目が見えないが、目が見える人の言葉を多用して、この視覚主導の世界でコミュニケーションを図ろうとしている。「見なす」「見守る」「視線を向ける」等々。家族や友人、同僚が、わたしのためにいろいろなものを描写してくれるおかげで、目の見える人たちの世界を歩むことができる。この本を書くこともできるし、それによって、自分が一度もこの目で見たことがない世界を、鮮やかに描き出すことができればと願っている。わたしはこの世界の少数派だから、やむを得ず大勢に合わせるしかないのではと思われるかもしれないが、それは違う。わたしは「視覚言語」に通じているおかげで、穏やかで豊かな生活を送ることができるのだ。この世界の支配的言語を使うことで、目の見える人たちの経験に触れられるからこそ、自分の経験もうまく伝えることができる。この方法を今すぐに拡大適用して、多文化に精通する方法を編み出すことはできないが、まずは選択の語りの違いを知ることが大切だ。さしあたってはまず、見知らぬ土地と見知らぬ言語に、足を踏み入れてみようではないか。

第3講

「強制」された選択

あなたは自分らしさを発揮して選んだつもりでも、実は、他者の選択に大きく影響されている。その他大勢からは離れ、かといって突飛ではない選択を、人は追う

I．みんなと同じように、わたしも人と変わってる

一般に、何かの感覚に障害があると、それ以外の感覚が鋭くなると言われる。わたしの場合、びっくりするような第六感が働くようになった。会ったこともないあなたのことを「透視」して、性格判断することができるのだ。ちょっとやってみよう。

あなたは努力家ですね。でもそのことは、人にはなかなかわかってもらえない。だって、全員の期待に応えるわけにはいかないから。でもここ一番というとき、あなたは全力で頑張るタイプ。

今までの人生には、いくつか辛い試練があったけれど、あなたはそれを切り抜けてきたし、くじけないで元気を出そうと思っている。目標を見失わず、自信を持ち続ければ、きっと努力が実ると信じている。

一つ教えてあげましょう。公私どちらかで、もうすぐ特別なチャンスが訪れます。楽しみにしていて。このチャンスをうまく活かせば、必ず夢を実現できるはずよ！

どうでしょう。あなたのことをよく言い当てていたのでは？

この占いはちょっと見え透いていたかもしれないが、「霊能者」や予言者たちは、この同じトリックをもう少し複雑にしたものを使って、大変な成功を収めているのだ。それほど疑り深くない占い客が相手で、予言者にちょっとした演技の才能があれば、読み取りが成功する可能性はかなり高い。ちなみにわたしの「第六感」とは何だったのか、具体的に挙げるとこんなふうになる。

一、人は自分が思うほど他人と違わない
二、人がもっている自己像や理想像は、大体同じ
三、だれもが自分は個性的だと思い込んでいる

予言者はこの三点を頼りに賭けに出て、たいていは期待通りの効果を上げる。ほぼだれにでも当てはまる一般論だから、それにだれも自分に「ふつう」な点があるなんて思ってもいないから、魔法の力などなくても、具体的で、的を射《い》ていて、当たっていると思わせるような占いができるのだ。

心理学者のジェフリー・レオナルデッリとマリリン・ブリューワーが行った研究を紹介しよう。かれらはまず実験の協力者に、無意識の知覚について調べるという名目で、小さな点をた

くさんちりばめた数種類の画像を数秒ずつコンピュータ上で見せ、点の個数を推測させた。そして協力者に次の情報を与えた。「この実験をすると、大多数の人（七五から八〇パーセント）が画面上の点の数を実際より多く答え、実際よりも少なめに答える人は少数派（残りの二〇から二五パーセント）である」。それから協力者を、回答の内容にかかわらず、ランダムに半数ずつに分け、一方のグループには回答した数が実際の数より少なめだった、他方のグループには実際の数より多めだったと伝えた。ちなみに、協力者には過小評価と過大評価が一般に何を意味するかということは、まったく教えなかった。かれらが知らされたのは、自分の持って生まれた性質が、大多数の人と同じなのか、少数派に属するのかということだけだ。

それなのに、多数派と言われた人たちは、自尊心をひどく傷つけられた。大勢と十把《じっぱ》一絡《ひとから》げにされることは、その大勢がどんな集合であれ、痛手になるのだ。そう考えると、わたしたちが、ビロードのドレスや絹のターバンを身にまとう占い師に、自分の心や魂や未来を見通す、超自然的な能力があると信じたい気持ちになるのも、納得がいく。占いがだれにでも当てはまるなら、自分がその他大勢の客と代わり映えがしないことになってしまう。

このように、わたしたちは日頃から、個性的でいたい、個性的な自分をわかってもらいたいと、痛切に願っている。無理もない。あなただって、比類のない（少なくとも比類の少ない）人、イコール優れた人、というメッセージを、幾度となく受け取っているだろう。そうでなければ、高校の卒業生総代の答辞や、大学の入学審査のエッセイに、ロバート・フロストの詩『選ばれざる道』があれほど引用されるはずがない。「わたしは人があまり踏み入っていない方の道を選んだ／それがどんなに大きな違いをもたらしたことか」

まわりの人に同調し、人と同じような選択をすることは、控えめに言っても人格上の欠陥であり、怠惰であり、向上心に欠けていると見なされる。いやそれどころか、もともと個性がない人と見なされ、軽蔑をこめて、ゾンビ、なまけもの、レミング、ヒツジなど、人間として何か根本的なものが欠けていることを暗に示す言葉で呼ばれる。そういう人はやがて、ジョージ・オーウェルの背筋の凍る小説『一九八四』や、ピクサーの魅力あふれるヒット映画『ウォーリー』に出てくる、洗脳された順応者のようになってしまうかもしれないというのだ。この映画では、未来の従順な人々が、言われたとおりのことをやって暮らしている。ついさっきまで全員がまったく同じ赤い服を着ていたのが、「いま一番輝いている色は、青です！」と言われたとたん、同じように見分けのつかない青色の服に一斉に着替えるのだ。実際この映画では、人はよいが頭は鈍い人間たちを、茫然自失の状態から立ち直らせ、人生を自分の手に取り戻す方法を教えるのは、ロボットなのだ。横並びの行動が、やがて自分の奥深くに眠っている本物の自己を破壊してしまうかもしれないという恐れを、この二つの暗黒世界は表している。

わたしたちは、自分はほかとはまったく違う、個性的な存在なのだと、ことあるごとに自分に言い聞かせ、周りの人にもそれをわからせようとする。この現象を指す、その名もぴったりの「平均以上効果」という用語がある。自分が人より勤勉な社員、利口な投資家、床上手、話術の達人、親切な友人、有能な親だという自負を持っている人が多いことを、この効果は説明する。どんな能力であれ、自分を「平均以下」と評する人は、全体のほんのわずかな割合でしかないという結果が、さまざまな研究で一貫して報告されている。九割方の人が、自分は全体的な知性と能力で見て上位一〇％に入ると考えているという。その真偽はともかくとして、わたしたちには統計操作の才があるようだ。この現象は、ラジオ番組の司会者ガリソン・ケイラーの小説に出てくる、「すべての男性がハンサムで、すべての子どもたちが平均以上」という架空の町にちなんで、「レイク・ウォビゴン効果」と呼ばれることもある。だれもが自分だけはレイク・ウォビゴンの誇り高き住民だと思っているようだ。

わたしたちは大勢に従うときでさえ、自分だけは例外だと思っている。自分は大勢に同調しているわけではなく、自分だけの独立した考えで決定を下していると思っているのだ。言い換えれば、自分の行動が、一般的な影響要因や日々のできごとに、それほど左右されないと考えているということになる。つまり、意識が高いのだ。

人はその他大勢と見られることに我慢できない

この現象の日常的な例を二つ紹介しよう。これは研究者のヨナ・バーガーとエミリー・プロニン、サラ・ムルキが明らかにしたもので、「羊の群れの中でひとりぼっち」と呼ばれる現象だ。一つめの調査では、学生にいくつかの法案を読ませて、それぞれへの賛否を尋ねた。このとき考慮材料として、共和党と民主党がこれらの法案について、それぞれどのような立場を取っているかという情報を与えた。はたしてほとんどの学生が、支持政党の考え方を反映した判断を下したのだが、それだけで話は終わらなかった。どの学生も、自分は法案のメリットを考慮して判断し、ほかの学生はただ支持政党の方針に同調しただけと考えていたのだ。次の調査では、今やどこでも見かけるｉＰｏｄの持ち主に、購入の決め手について尋ねた。はたしてかれらは、自分は他の人のように流行に流されず、むしろ小型、記憶容量の大きさ、洒落たデザインといった、実際的理由を基に決定を下したと主張したのである。

ほかの研究でも、一貫して同じパターンが認められている。アメリカ人に「あなたには、周

おいおい、見てみろよ。みんな、ただ何となく毎日をすごし、周りばかり見回して、考えるということをしないどんよりした目のロボットのようじゃないか！　この世でユニークなのは自分だけだよ。

りの人とどれくらい似たところがありますか？」と尋ねてみれば、「それほどない」という答えが返ってくることは、まずまちがいない。だがこの同じ質問を逆さにして、「周りの人たちは、あなたとどれくらい似たところがありますか？」と聞けば、かれらの判断する類似度は大幅にアップするだろう。どちらの質問も、要は同じことを聞いているのだから、本来なら答えも同じはずだ。それなのにわたしたちは、自分は並み以上で、周りに流されていないと信じるように、質問のしかた次第で惑わされてしまう。

だれもがことあるごとに、自分だけはほかの人とは違うと、自分に言い聞かせている。では、自分がだれよりユニークなのだとわたしたち全員が信じるその根拠は、一体どこにあるのだろう？

一つの根拠は、自分自身に対する親密感だ。自分のことは、隅から隅まで知っている。自分が何を考え、何を感じ、何をしているかを、目が覚めている間はつねに把握している。自分のことを熟知しているからこそ、自分とまったく同じように考え、感じ、行動することができるような人は、だれ一人としていないと断言できるのだ。でも、ほかの人に目を向けると、どうだろう？　みんな、それほど違わないように見えるのではないだろうか？　だれもが同じような店で買い物をし、同じようなテレビ番組を見、同じような音楽を聴いている。みんなが同じ選択肢を選んでいるのを見ると、人の真似をしているように見えるのに、いざ自分でその同じ選択肢を選ぶ段になると、自分がたまたまほかの人と同じことをしている理由について、もっともらしいご託を並べ立てるのだ。かれらが何も考えずに同調しているのに対し、自分だけは、じっくり考えた末に、判断を下したのだと言う。もちろん、わたしたちがみな、現実から目をそらす順応者というわけではない。わたしたちはただ、他人の思考や行動もまた、自分の思考や行動とまったく同じように、複雑で変化に富んでいることに、必ずと言っていいほど気がつかないだけなのだ。わたしたちはみな、羊の群れの中のひとりぼっちではなく、羊の皮を着た個人なのである。

実際、わたしたちが求めているのは、「真の独自性」と言えるほど極端ではないものだ。あまりにもユニークなものには、興ざめする。先ほど紹介した、点の個数を当てさせる実験を行った研究者たちは、同じ実験を方法を少し変えて行った。このときも、前と同じように、一部の協力者には、点の数を実際より多めに推測する多数派に属していると言い、一部には少なめに推測する少数派に属していると伝えたが、残りの協力者には、あまりにも特異な結果が出たため、「過大評価なのか、過小評価なのか、分類不能」だったと告げた。この実験でも、先と同じように過大評価者は自尊心が低下し、過小評価者は自尊心が高まったが、あまりに特異なため分類不能と言われた人たちも、自尊心が急低下したのである。わたしたちが一番心地よく感じるのは、「ちょうどよい」位置につけているとき、つまりその他大勢と区別されるほどには特殊でいて、定義可能な集団に属しているときだ。

ネクタイ柄の実験でも同じ結果が

わたしは同僚のダニエル・エイムズと、人々がもう少し具体的で、日常的な選択を行うとき、どの程度の独自性を最適と見なしているかを調べるために、ある実験を行った。協力者を四つのグループに分け、それぞれのグループに四〇種類の子どもの名前、三〇種類のネクタイ、三〇種類の靴、三〇種類のサングラスを見せた。これらのアイテムは、判定の専門家によって事前に選定されたもので、だれにとっても「普通」、「ややユニーク」、「非常にユニーク」に感じられるものが含まれていた。たとえば、名前なら、マイケルやケイトが普通、エイデンやアディソンがややユニーク、そしてマダックスやネヘミアが非常にユニークな選択群だった。ネクタイなら、標準的な赤や紺の無地に始まり、ストライプやペイズリーなどの少しユニークなもの、そして蛍光オレンジ色のヒョウ柄プリントやディスコのミラーボールを思わせるピカピカのパネルがついたものなど、非常に奇抜なものが含められた。

協力者にこうした名前の一覧表や品の目録を見せ、それぞれのアイテムをどれだけユニークだと思うか、どれだけ気に入ったか、ほかの人はどれだけ気に入ると思うかを回答してもらった。先に紹介した研究報告と一致して、この調査でも全員が、自分はほかの人よりユニークで、ユニークなものに対する許容度が高いと評した。だが実際にかれらが見せた反応は、驚くほど似通っていた。どのグループの協力者も、ややユニークな選択肢に高めの評価を与える一方で、極端に変わったものには否定的な反応を見せたのである。これらからわかったのは、西洋の消費者文化が「独自性」に良いイメージを持たせようとしているにもかかわらず、人々はどの程度の独自性までなら魅力的と思えるかに関して、自分なりにはっきりした限度を定めていたということだ。「子どもに変わった響きの名前をつけるのは、呼びやすく、あだ名を考えやすい名前なら問題ないと思うけど……奇抜としか思えない名前もあった」とある協力者は言っていた。ファッション通のある協力者は、ネクタイの目録を見て熱弁をふるった。「スーツを着ているとき、自分の趣味や個性を主張するものは、ネクタイしかない。だけどこの中のいくつかは、個性がありすぎて、味わいに欠けてる。あまりに前衛的だと、ネクタイらしくない」

わたしたちは、ある程度までなら独自性を高く評価し、強く求める。しかし、自分の選択を人に理解してもらうことも、それと同じくらい大切なことなのだ。何といっても、ネクタイに独自の感性を持つことと、ファッションでひんしゅくを買うこととは、紙一重だ。ほとんどの人が、ネクタイはこうあるべきという常識に異議を唱えるより、安全策を選ぶ。大多数の人よりは目立ちたいが、奇抜で孤独な少数派になるのはごめんだ。ときには他人の目を気にして、本当に着けたいネクタイを着けないことだってあるかもしれない。

だれもがみな、正規分布曲線上で、一番居心地の良い場所を探そうとする。そこに到達するために真実を曲げなければならないのなら、それも仕方のないことだ。イギリスの詩人ジョン・ダンは四〇〇年前に、いみじくもこう述べている。「いかなる人も孤立した島ではない。いかなる人も大陸の一片であり、全体の一部である」。わたしたちは人間社会という風景の中に、居心地の良い場所を見つけなければならない。言い換えれば、身近な人たちの中のどの位置に立ちたいのか、どこに帰属したいのかをよく考えなくてはならない。自分はどんな集団に属したいのか、どれくらいの規模の集団が望ましいのか？　自分にぴったりの場所に到達するまでに、少し旅をしなくてはいけないかもしれない。だがよく言われるように、「旅は自分を知るよい方法」なのだ。

Ⅱ．保守がリベラルに変わる過程

ダイアンは一九一六年に、裕福で保守的な家庭に生まれ、当時の歴史的な混乱とは無縁の、比較的安穏な環境に育った。父は顧問弁護士、母は著名な銀行家の娘だった。大恐慌のさなかに成人したのだが、十分な貯えのおかげで、立派な教育を受けることができた。両親は彼女のために、バーモント州の田舎に新しくできた評判の良い女子大学、ベニントン・カレッジを選んだ。二人は娘が大学教育を通じて、しつけに磨きをかけ、古典に通じ、それについて優雅によどみなく語ることができ、身分にふさわしいふるまいと行動を取ることのできる、立派な育ちの良い若い女性に成長することを願った。二人は大学教育を、ダイアンがそのような女性として、運命を全うするのを助ける手段として考えていた。

しかしダイアンは、一九三四年に新入生として入学すると、社交面でも、学業面でも、それまで教えられてきたものと、これ以上はないというほどかけ離れた教育環境に身を置いていることに気づいたのだった。

ベニントン・カレッジは、エマーソンの自己信頼の思想に重きを置いた、実験的な教育哲学に基づいて創立された大学である。大学のコミュニティは自給自足をめざし、結束が固かった。教授陣は若く（一九三二年の創立当時、五〇歳を超える教員はいなかった）、一様にリベラルで、学生とは上下関係ではなく、温かい、気のおけない関係で結ばれていた。オープンな対話が奨励され、学生と教授陣はつねに話し合いを通して意見を交換していた。学生と教員で作る運営委員会を通じて、学生たちは「カレッジ・コミュニティ」と称する共同体の運営にかかわった。このコミュニティでは、教員の方が数の上では少なかったにもかかわらず、多数決で決定が行われた。名門女子大学のヴァッサーのような、伝統的なヒエラルキーを持つ大学とはまったく違う、斬新な教育様式だった。そこでは、リベラルな政治哲学を身をもって実践する者たちが、学生のリーダーとして、一目置かれていた。

ダイアンは当初この環境に戸惑いを覚えたが、次第に生い立ちによる束縛から解き放たれたような、高揚感をおぼえるようになった。彼女は世の中のあり方に対する一般通念に異議を唱え、志を同じくする多くの新しい友人を得た。彼女が三年生になった一九三六年は、大統領選挙の年だった。キャンパスでは、ニューディール政策をはじめとする、当時の政治上の大問題について、白熱した議論が繰り広げられた。学生たちは徐々に民主党のルーズベルト候補支持に傾き、ダイアンもリベラルな社会政策を支持する、熱っぽい議論に感化されていった。

家族の集う夕食の席で、彼女がこうした考えを話題に持ち出したとき、両親が肝を潰したのは言うまでもない。共和党候補のアルフ・ランドンに投票することを固く心に決めていた父は、リベラルな考え方を持つ者など「まったく正気の沙汰《さた》ではない」と決めつけ、考えが甘いといって彼女を非難した。しかしだれもが、いやダイアン自身さえもが驚いたことに、「はなはだしく狭い」のは、お父様の人生経験だと、即座にやり返したのだった。

彼女が家庭に緊張をもたらしたのは、この時が初めてだった。ダイアンは両親に心配の目、もしかしたら疑いの目で見られているのだろうかと感じるようになった。ヴァッサーやサラ・ローレンス大学から、期待通りの立ち居振る舞いを身につけて帰省していた、高校からの親しい友人たちにも、不審に思われてしまった。どうして何もかもが、昔とは様変わりしてしまったの？　彼女にとって、納得できる説明は一つしかなかった。わたしはようやく、本来の自分を取り戻したのだ。それは両親が思い描いたような姿ではなく、自分で切りひらいた道を通じて手に入れたものなのだ。ほろ苦さは残ったが、彼女は自分の得たものに誇りを感じていた。

大学時代にこれほど顕著で永続的な思想転換を経験した学生は、実はダイアンだけではなかった。心理学者のセオドア・ニューカムは、一九三六年から一九四二年までの間にベニントン・カレッジに在籍していた四〇〇人弱の女性を対象に、広範な聞き取り調査を行った。対象者はダイアンと同様、一般に裕福で保守的な、「きちんとした」家庭の出身だったが、その多くがベニントン在学中に、政治思想の転換を経験していた。たとえば一九三六年の大統領選挙は、ふたを開けてみればアメリカ史上最も一方的な選挙の一つになり、ルーズベルトが一般投票で六〇%という得票率をあげ、八票を除くすべての選挙人票を獲得して、地滑り的勝利を挙げた。だがその年ニューカムがベニントンの学生たちに行った聞き取り調査によれば、学生の親たちの実に六五%が、共和党候補のランドンを支持していたという。この年の一年生も、政治的志向という点で、親たちに似ており、六二%がランドンを支持していた。しかしベニントンでの在学期間が長くなればなるほど、共和党に傾く傾向は低くなった。ランドンに票を投じると言ったのは、二年生の四三%。三年生と四年生にいたっては一五%でしかなかった。

それだけではない。学生たちが大学生活で身につけた新しい政治的アイデンティティは、その後の生涯にわたって揺るがなかったことが、二五年後と五〇年後に行われた追跡調査で明らかになったのだ。ベニントンの卒業生はその後の大統領選でもリベラルな候補者に投票する傾向が強く、女性の権利や公民権運動といったリベラルな信条を同世代よりも強く支持し、ベトナム戦争遂行など保守的な政策にはあまり肩入れしなかった。また政治思想を同じくする夫や友人たちを持ち、そうした思想を自分の子どもにも伝えた。

ベニントンの女性たちは、なぜ政治的信条の転換を経験し、なぜその後もリベラルな姿勢を貫き通したのだろうか？　これには二つの見方が可能だ。一つは、それが彼女らの本来の行動だったという考え方だ。女性たちは、家族や地域社会から与えられた価値観を超越して、世界に自分の本来の居場所を見つけたのだと考えられる。今でも大学は、本当の自分を探す、または本当の自分になるための、格好の場となっている。親の影響から逃れ、新しい学友とともに、新しいスタートを切ることができるからだ。もう一つの説明として、彼女らがまったく違う種類の力に感化されて、新しい自己像を作り上げたせいで、政治姿勢が変わったのだと考えることもできる。その力とは、ベニントン・コミュニティがおよぼした力だ。彼女らの新しい思想が、カレッジを支配していた規範に似ていたのは、偶然ではない。

どちらの説明にも、一抹の真実がある。それはベニントン卒業生自身の言葉にも表れている。ある人はこう言っていた。「急進的になるということは、つまり自分の頭で考えること、言うなれば家族に向かって鼻に親指を当てる、あざけりの仕草をすることだった。そして、自分の憧れてやまない教授や学生たちと、知的な一体感を持つことでもあった」。別の人はこう述べている。「リベラルな思想を持つことが、自分の威信を高める手段だってことに、すぐ気づいたわ。最初はそのためにリベラルになったの……今もリベラルなのは、その核にある問題が自分にとって大事だから」。だが最も注目に値するのは、新しい信念の力が衰えなかったことだ。彼女らが当初その信念に至った経緯はさておき、この信念を持続させ、時とともに強めさえしたものは、一体何だったのだろう?

認知的不協和の克服

わたしたちは幼いときから、自分の周囲の世界を、自分の好みに応じて分類する作業を始める。「アイスクリームが好き。芽キャベツはきらい。サッカーは好き。宿題はきらい。海賊が好きだから、大きくなったら海賊になりたいな」。このプロセスは、年を取るにつれてますます複雑になるが、わたしたちが自分自身に対して持っている基本的前提は変わらない。「わたしはどちらかと言えば内向的だ」、「わたしはリスクテイカーだ」、「旅行は好きだけど、短気で空港セキュリティの煩わしさには耐えられない」。わたしたちが目指すのは、自分自身と世界に向かって「わたしはこういう人間だ」と宣言し、それを正当な評価として認めてもらうことだ。究極の目標は、自分自身を理解し、自分の本当の姿を、つじつまの合った形で描き出すことなのだ。

しかし人間は、一生の間に大いに発達し変貌を遂げる、複雑な存在だから、いつもそう簡単に、自分の積み重なった過去を理解できるわけではない。記憶や活動、行動が積み重なった厚い層の中から、自分の中核を象徴するものを何とかして選び出さなくてはならない。だがそうするうちに、さまざまな矛盾がいやでも目につく。たしかにわたしたちは自分の意思で行動することが多いが、諸事情からやむを得ず行動することもある。たとえばわたしたちの職場でのふるまいのうち、服装の選び方や上司に対する話し方などは、家庭や友人に見せるふるまいに比べて、ずっと堅苦しく、保守的なことが多い。わたしたちはこうした食い違いや曖昧さが入り混じったものをふるまいにかけて、なぜ自分がそのような選択を行ったかを自覚し、その上で将来どのような行動をとるべきかを決めなくてはならないのだ。

エマーソンの弟子ウォルト・ホイットマンが、詩『ぼく自身の歌』によって、このジレンマを的確にとらえ、きわめて詩的な反論を展開している。「ぼくが矛盾しているって？　結構、では矛盾しているということにしておこう（ぼくは大きい。ぼくは多くのものを内に抱えている）」。だが内に抱える多くのもののつじつまを合わせるのは、そう簡単なことではない。特に問題が生じるのは、自分のいろいろな側面の間の矛盾や、信念と行動の矛盾に気づいたときだ。たとえば保守派を自負していたベニントンの女子学生は、リベラルな同級生たちと政治問題について語り合ううちに、相手の意見にますます共鳴していく自分に気がついた。自分のこの状態は、一体どういうことなのだろう？　自分はつじつまの合わない、わけのわからない行動を取っているのだろうか、それとも周りの圧力に屈して、信じてもいない意見に同調しているのだろうか？　どちらを認めても、自分が「理性的で裏表のない人間」だという自己像の、最も中核的な要素が脅かされることになる。相矛盾する二つの力の板挟みになるという、この不快な状態は、「認知的不協和」と呼ばれ、不安、罪悪感、困惑を引き起こすことがある。

正常な心の働きを取り戻すには、不協和を解消しなくてはならない。イソップ物語の「すっぱいブドウ」の話を思い出してほしい。キツネはどうにかしてブドウを取ろうとして、しばらくの間がんばってみるが、どうしても届かない。そこでキツネはあきらめ、こんな負け惜しみを言って立ち去るのだ。「あのブドウは、どうせすっぱいに決まってるさ」。キツネの心変わりは、わたしたちが不協和を軽減するために本能的に取る方法の典型例だ。わたしたちは自分の信念と行動の矛盾に気づくとき、時間を巻き戻して行動を取り消すことはできないため、信念の方を、行動と一致するように変えるのだ。もし物語の筋が変わって、キツネがブドウをとうとう手に入れ、食べてみたらすっぱかったなら、キツネは努力が無駄になったと感じないために、自分はすっぱいブドウが好きなんだと、自分に言い聞かせることだろう。

人は認知的不協和を回避して、自分自身についてつじつまの合う物語を生み出す必要から、もともとは意に反して取り入れた価値観や考え方を肯定し、自分の価値体系の中に組み入れることがある。一例として、自分の個人的信念に反する意見、たとえば自分が反対する増税を支持する作文を書かされると、次第に自分が主張したその意見に賛成するようになることが、数々の研究により報告されている。ベニントンの学生にとって、不協和を軽減する方法は、大学に浸透していたリベラルな思想が、たしかに価値のある問題を争点としているのだと思い込むこと、あるいは自分はかねがねそのような考え方をしていたが、今になってようやくそれを表現する機会を得たのだと思い込むことだったのだろう。自己認識をこのように変えたからこそ、外的要因がその後も長きにわたって影響をおよぼし続けたのだ。

同様に、わたしたちはいったん一貫した自己像を作り上げると、それを裏づけるような選択を行うことで、不協和を事前に回避しようとする。ベニントンの女性たちの例で言えば、リベラル派の夫と結婚したり、リベラル派の友人と交際するといったことだが、同様のパターンは保守派にも、あるいは宗教団体、環境団体など、どんな集団にも見られる。もちろんこのような行動は、純粋に不協和を回避するためだけに行われるわけではない。自分と似た人を探し、つき合うことで、わたしたちは帰属欲求を満たす。このように自分の意思で選んだ相手とのつきあいを通して、わたしたちの自己像は時間とともに定着し、周りの人たちにわかりやすいものになっていく。

首尾一貫した自分でありたいという欲求は、自分の人生をどう生きるべきかを考えるとき、ジレンマを生むことがある。一方でわたしたちは、一貫性のない行動は取りたくないし、一貫性のない人だと思われたくもない。「あなたのことがわからなくなった」と言われるとき、その言葉には、はっきりと否定的な意味合いが込められている。他人が認め、好感を寄せるようになった自我像にそぐわない行動を取れば、よくわからない人、信用できない人と思われてしまう。だがその一方で、現実世界は絶えまなく変化しているため、整合性にこだわりすぎると融通がきかなくなり、世間からずれていってしまう。

このようなジレンマの有名な例に、二〇〇四年の大統領選でのできごとがある。民主党候補のジョン・ケリーが、主義主張に一貫性のない日和見主義者と批判され、打撃を受けたのに対し、ジョージ・W・ブッシュは、反対にあっても信念を曲げない人物として賞賛された。ところがブッシュはいったん就任すると、「現地の実情」を軽視して、持論をオウムのようにただ繰り返すだけの人物と批判されたのだ。コメディアンのスティーブン・コルベアが、二〇〇六年にホワイトハウス記者クラブ晩餐会で、ブッシュに手厳しい「賛美」を捧げた。「このお方が何といっても素晴らしいのは、変わらないところです。水曜になっても、月曜と同じことを信じていらっしゃる。たとえ火曜に何が起こったとしてもです」。要するに、わたしたちは変わっても変わらなくても非難されるのだ。一貫性と柔軟性のバランスを保つことがこれほど難しいのは、そのせいなのだ。

自己認識を錯覚で変えていく

わたしが博士課程の学生レイチェル・ウェルズと行った共同研究に、このジレンマへの、理想的とは言い難いが、よくある対処法を見ることができる。わたしたちは卒業を控えた数百人の大学四年生の就職活動を追跡調査した。学生たちにとって、これは初めての本格的な仕事であり、その後の経験や自己認識に多大な影響をおよぼす、重大な選択になるはずだった。研究の一環として、かれらが初期調査をしてから就職を勝ち取るまでの六ヶ月から九ヶ月の間に、三回に分けて調査を行い、理想的な仕事の条件を挙げてもらった。具体的には、仕事の一三の属性を提示して、最も重要なものから最も重要でないものまで、順位をつけてもらった。たとえば「高収入」、「昇進の機会」、「雇用の保証」、「創造性を発揮する機会」、「意思決定を行う自由」などの属性である。この研究では対象を新卒者に絞ったが、キャリアのどの段階にいる人も、このような属性を考慮したうえで取捨選択を迫られる。やりがいが感じられる仕事と、安心して家族を養える仕事の、どちらを取るべきだろうか？　雇用の保証をふいにしてでも、一攫千金のチャンスに飛びつくべきだろうか？　わたしたちがこうした問いにどのような答えを出すかは、わたしたちの人となりに強い影響を受け、他方でわたしたちの下す選択は、わたしたちの人となりに影響をおよぼすのである。

就職活動の初期段階には、「創造性を発揮する機会」や「意思決定を行う自由」などの属性を高く評価する傾向が見られた。言ってみれば、経済的な考慮より、個人的な充足と関係の深い、理想主義的な属性だ。それから数ヶ月を経て、新卒者たちは雇用市場で企業の品定めをし、履歴書を送る段階を過ぎ、すでに面接の予定を決め、自分に実際に開かれている就職機会を確かめる段階に移っていた。選択の幅が狭まり、現実の仕事の長短を比較する必要に迫られるうちに、優先順位も変わっていった。「昇進の機会」などの実際的な側面が、高く評価されるようになっていたのだ。「大変な労力と金を費やして、やっと立派な学位を取ったんだから、自分をさらに高みに引き上げてくれるような仕事に就けるはずだ」とある協力者は言った。「この投資を、最大限に活かしたいんだ」。そして、就職先が最終決定した後で行われた三度目の調査で最優先されたのは、収入だったのである。

さてこのとき新卒者たちに、以前の二度の調査でそれぞれの属性にどのような順位をつけたか思い出してもらった。するとかれらは、自分の優先傾向が時とともに変化したことを認めず、仕事を選ぶ基準は変わっていないと誤解していた。言い換えれば、かれらは当初の優先順位を思い出せなかっただけではなく、自分の過去を積極的に作り替えていたのだ。「いいえ」と就職したばかりのある協力者が言った。「雇用の保証はいつも頭にあったわ。学生ローンの返済があるから、給料が高い仕事のオファーを受けるのは当然でしょ」。

求職者たちは、自ら進んで優先順位を変更したため、現実的な就職口に合わせて自分の期待を修正することができた。だがその結果、当初の優先順位と後の優先順位の間に不一致が生じてしまった。この優先順位は、「キャリア」という、人生を変えるほど重大な問題にかかわる価値観だった。そのため、その価値観に関して、事実ではないがつじつまの合う物語を作って、不一致をうまく解消できた人ほど幸せだった。具体的には、過去の優先順位を正確に思い出せなかった人ほど、自分の選んだ仕事に対する満足度が高かったのだ。このような幻想で自分を守ったおかげで、自己矛盾を認識せずにすみ、初期の調査時に自分がつけた優先順位に義理立てする必要を感じずに、今この瞬間の優先順位に沿った選択ができたのだ。

不一致を解消するもう一つの方法、長い目で見てより現実的で、持続可能な方法は、たとえば真実、道徳律、何かの理想の追求といった、より高次のレベルでの一貫性を図ることだ。もしわたしたちの行動が矛盾しているというなら、結構、では矛盾しているということにしておこう。スティーブン・コルベアが言うように、月曜に発言し、水曜に違う発言をしたとしても、火曜に新しい知識を得た場合や、状況そのものが変化した場合は、矛盾にはならないのだ。実際、同じことに固執するのは、エマーソンの言う「狭い心が化けたもの」である、「愚かな首尾一貫性」を保とうとすることにほかならない。高みから俯瞰することで、内に抱える多くのものの折り合いをつけることができるのだ。ただし、自分の大まかな指針を世間にはっきり伝えるよう心がけなければいけない。ありのままの自分自身でいながら、順応性を失わずにいるには、変化を自己像と調和するものとして正当化するか、そうでなければ自己像そのものを柔軟に変えても自分の信頼性が損なわれるわけではないことを認識する必要がある。大切なのは、昔からずっと同じ自分でなくても、自分であることには変わりないという認識を持つことだ。

Ⅲ．他人の選んだものは選びたくない

二〇〇八年七月二八日、わたしは夜明け前（正確には午前四時）に起き出し、タクシーを呼んで、マンハッタンの五番街にあるアップル・ストアに繰り出した。夫が焦がれていた新発売のｉＰｈｏｎｅ３Ｇを、誕生日プレゼントにするために、行列に加わったのだ。夫は来る日も来る日も実店舗やインターネットでｉＰｈｏｎｅを研究し、自分の希望にぴったり合うものを選び、万が一自分が到着する前にわたしの番が来てしまったときのために、わたしに仕様まで教え込んでいた。何時間もの待ち時間の間、わたしは心の中で詳細を反芻《はんすう》していた。八ギガバイト、夜間・週末かけ放題、黒、八ギガバイト、夜間・週末かけ放題、黒。夫が到着したのは、そろそろわたしの番になろうかという時だった。そしてカウンターに来ると、驚いたことに、夫はこう言い放ったのだ。

「気が変わったんだ。白にするよ」

「だって、白は汚れやすいし、黒の方がしゃれてるって、あんなに言ってたじゃない？」とわたしは返した。

「でも、みんな黒を買ってるんだぜ。みんなが持ってるものを持ち歩くわけにはいかないじゃないか」。かれは自分の希望にぴったりのものが何であり、なぜ自分がそれを欲しいのかを承知しており、自分一人でその結論を出したこともわかっていた。それなのに土壇場になって、

一言で言えば「まねっこしたくない」という理由で、優先順位をころっと変えたのだ。

実際、「まねっこしたくない」衝動については多くの研究がなされ、十分な裏付けが得られている。中でもわたしのお気に入りは、行動経済学者のダン・アリエリーとジョナサン・レバブが、田舎町の流行っている居酒屋で行った調査だ。二人以上の客が集うテーブルをウェイターが訪れ、店がビールの無料試飲をやっていると伝えて、メニューを見せた。そこには地元の地ビールメーカーが出している、四種類のビールの簡単な説明が書かれており、一人ひとりが好きなものを選んで、三〇ミリリットルほどのサンプルを試飲することができた。このとき半数のテーブルでは、普通のレストランでやるように、ウェイターが一人ひとりに注文を聞いて回った。残りの半数のテーブルでは、ウェイターが客にカードを配り、ほかの客と相談せずに、どのビールがいいか印をつけてもらった。その結果、客が一人ずつカードを記入したテーブルでは、同じテーブルで複数の客が同じビールを注文することが多かったのに対し、客が互いの注文を聞いていたテーブルでは、重複がずっと少なかった。つまり、客が順繰りに注文する形の方が、注文されたビールの種類が多かったのだ。メニューに載っていた全種類のビールが注文されることも珍しくなく、どれか一つの銘柄が過半数を占めることもなかった。これこそ、究極のカスタマイゼーションではないだろうか？　同じものを頼まなければいけないという圧力も受けずに、だれもが自分の希望どおりのものを手に入れられたのだから。

しかしその後、無料サンプルを評価してもらったところ、順繰りに注文した客は、選んだビールの種類にかかわらず、自分の選んだビールにそれほど満足せず、違うビールにすればよかったと答えた。これに対してカードで注文し、他の人の注文銘柄を知らなかった客は、同じテーブルのほかの客と同じビールを飲んだ人はずっと多かったのに、サンプルに対する満足度は高かったのだ。そして最も驚くべきことに、順繰りに注文したテーブルにも、カードで注文した客たちと同じくらい満足度の高い客が、一人だけいたのだ。それは、最初に注文した客だった。

最初に注文した客は、自分が本当に飲みたいものを選ぶことだけを考え、何にも束縛されずに自由に選択した。これ対し、順番が後の客で、注文しようとしていたビールが前の客に選ばれてしまった人は、ジレンマに陥った。もちろん、「おや、わたしの注文しようとしていたものと同じじゃないか!」と口に出したり、同じビールを注文したことを意識の隅に追いやることもできた。だがかれらは主体性を誇示したいという欲求に負けて、自分の飲みたくもないビールを飲むはめになった。ほかのだれかに自分の第一志望を注文されたとたん、自分が一番飲みたいビールを注文するよりも、「おあいにくさま、自分のビールは自分で選びますよ」という態度を見せつける方が大事になったのだ。

人は自己像を形成し、表明するにあたって、他人にも同じ自己像を持ってもらいたいという欲求を持っていることを、この研究は示している。他人との共通項は見つけたいが、まねっこはしたくない。この欲求はあまりにも強いため、ときにわたしたちは「誤った」印象を与えないように、本心では望んでいない行動を取ることさえある。だれかと一緒にいるときのわたしたちは、愉快だが目立ちたがり屋ではなく、知的だがこれ見よがしではなく、人当たりはいいが自分の意見もしっかり持った人物と見られたいと思っている。わたしたちはみな、自分は最良の特質だけを備えていると思っているが、どうすればそれを世間にわかってもらえるだろう?

わたしたちの行うあらゆる選択が、必然的にわたしたちの人となりを表すものとして受けとめられる。だが同じ選択でも、人となりを雄弁に物語るものと、そうでないものとがある。たとえばわたしたちがステレオで鳴らす音楽は、それを鳴らすステレオのブランドよりも、わたしたちについて多くを語る。音楽は純粋に個人的な好みで選ばれるものと考えられているからだ。実用的な機能を果たさない選択ほど、人となりをよく表す。だからこそわたしたちは音楽やファッションといった、なんら実用性のないものの選択に、特別の注意を払うのだ。最新流行の音楽ブログや音楽通の友人のプレイリストをそのままコピーしたり、映画や雑誌のファッションをそっくりそのまま真似たりするのは、自分の考えが何もないということを、全世界に向かって宣言するようなものだ。その一方で、好きな俳優が使っているのと同じ歯磨き粉なら、優れた歯石除去効果を言いわけにしやすい。

わたしたちは意識的にであれ、無意識にであれ、自分の人となりをできるだけ正確に見せるように、生活を組み立てる傾向にある。ライフスタイルに関する選択は、わたしたちの価値観か、少なくとも他人に自分の価値観として認識させたいものを明らかにすることが多い。貧困者のための無料食堂や衣料品寄付のボランティアに時間を惜しまない人は利他的な人物、居間の壁にペンキを塗ったりアンティーク家具の布を張り替える人は器用で創造的な人物、といった具合だ。わたしたちは日々の選択を行いながら、自分の人となりや夢にはどのような選択が一番合っているかということだけでなく、そうした選択が他人にどう解釈されるかを、いつでも計算している。そして他人からどう思われているかを知る手がかりを、周囲の環境に求める。これを知るためには、特定の選択が持つ意味についての、最も地域に密着した、最新の詳細な情報に、アンテナを張りめぐらせなくてはならない。

他人にどう見られているか

これが実際に起こる様子を観察するために、経営学者のヨナ・バーガーとチップ・ヒースがスタンフォード大学の学部生を対象に、ある実験を行った。かれらはスタンフォードの学生寮に住む学生を戸別訪問して、ランス・アームストロング基金のガン撲滅運動への小口寄付と、活動支援を示す黄色いリストバンドの装着を求めた。一週間後、今度はキャンパスで特に学業を重視する寮生が多いことで知られる、「オタク系」の寮に出向いて、イエローバンドを訪問販売した。それからさらに一週間たって、二人はまだイエローバンドを装着している人がどれくらいいるかを調べた。その結果、オタク系の寮に隣接し、食堂を共有していた寮では、寮生の三二%が、オタクたちがイエローバンドを身に着け始めた後で、装着をやめていた。これに対し遠くの寮では、装着をやめていた学生は、わずか六%だった。イエローバンドの装着は、「ガン反対、ランス・アームストロング支持」から、突如として「社会的交流反対、娯楽目的でのクリンゴン語習得支持」を示すものに変わってしまったのだ。このイエローバンドは、ランス・アームストロング基金の世界中の幅広い支持者たちが身に着《つ》けているものと同じで、何気なく傍観している人にとっては、オタク系というイメージはまったくない。しかしオタクたちの隣に住む学生にとって、バンドを装着することは、一夜にしてキモイ選択になってしまったのだ。

体裁のためだけに、いつもと違った行動を取るのは、信頼の置ける一貫した人物になりたいという欲求と矛盾するように思われるかもしれないが、実はそれはいろいろな意味で、こうした欲求がもたらす結果なのだ。結局のところ、他者に抜きん出ながら孤立せずにいるには、世界の中に自分の居場所（ニッチ）を探さなくてはならない。だがもし自分が属すると思っていた場所に受け入れてもらえなかったら、どうすればいいのだろう？　人に「目立ちたがり屋」とか「妄想家」と思われるのはつらい。なお悪いことに、それが図星だったらどうする？　自分が思い描く自分と、他者が思い描く自分とが違うことを知ったときの自信喪失が人間関係におよぼす悪影響と自己不信は、自己像と行動の矛盾と同じように、わたしたちのアイデンティティを揺るがしかねない。

わたしたちは自分の思い描く自己像と他者が思い描く自己像とを一致させることを、とても重視するため、自分が他人に本当はどう思われているかを知るための手がかりを、たえず他人の行動から読み取ろうとしている。だがX、Y、Zさんが自分のことをどう思っているかを知るために、これほどの時間と労力をかけているにもかかわらず、たぶんあなたにはX、Y、Zさんが互いのことをどう思っているかの方がよくわかるはずだ。これは驚くにはあたらない。というのも、Xさんはあなたに対して、あなたのことをどう思っているかよりも、Y、Zさんのことをどう思っているかの方が、話しやすいだろうから。それにボディランゲージや顔の表情は、自分に向けられたものより、第三者に向けられたものの方が、読み取りやすいのだ。

わたしたちは、自分が全体としてどう思われているかは、わりあいよくわかる。たとえば内気、外交的、ぶしつけ、思慮深いなど。でも、ある特定の人にどう思われているかについてはどうだろう？　そう、サイコロを振るようなものだろうか。女性は男性が自分に気があるかどうかはたいていわかるものだし（逆はない）、自分のジョークがウケたかどうかはだれにでもわかる。だがそれ以外では、自分の思う自己像と他人の目に映る自己像との間に大きな食い違いのあることが、多くの研究によって報告されている。自分が人にどう思われていたかを知って、ひどく幻滅することもあるだろう。アイデンティティを確立する上での最後の難題は、体裁だけのために不本意な選択をしたりせずに、このような食い違いに対処することだ。

360度評価法

わたしたちは実際に、どのようにして世間に合わせようとするのだろう? そこで、「三六〇度評価法」や「多面評価のフィードバック」と呼ばれる人事考課制度について考えてみよう。これは自分が人からどう見られているかを知るための、最も広く用いられ、包括的で、明快な手段の一つだ。一般に上司や管理職、同僚、顧客などを含む四名から八名が匿名で評価するため、こんな名前がついている。現在、フォーチュン五〇〇企業の九〇%が、何らかの形でこの評価方法を採り入れていると言われる。この手法では、自分の統率力や問題解決能力をはじめとするスキルや、より一般的な性格特性について、他人に評価を求める。またこうした評価をもとに、自他の認識ギャップがどれだけあるかを見極める、自己評定が含まれることも多い。この種の評価ツールは、一般にボーナスの査定や昇進昇格の選考に用いられるが、自分が世間にどう思われているかを知る手がかりとしてもうってつけである。

この評価法の利用が実業界でますます進んでいることを背景に、わたしは二〇〇〇年に自分の教えるコロンビア・ビジネススクールで、MBAプログラムに、ある恒久的なプログラム変更を提案、採用された。新入生全員に、元の職場の同僚や顧客、現在の同級生による、三六〇度評価を受けることを義務づけたのだ。毎年、同じような結果が出る。九割以上の学生が、自他の著しい認識ギャップを知るのだ。一般に学生は、これを知って驚くことが多い。自分を人望がある、チームの重要な一員と考えていた学生の多くが、実際には凡庸か、一緒に働きにくい相手と見られていた。リーダー的存在を自負していた学生は、頭が切れると思われていたが、管理職向きの人材とは見なされていなかった。激情型の学生は（自分では受け入れられていると思っていたのに）、感情的に不安定だと思われていることを知って、かなり動揺した。それだけではない。学生たちは、他者による認識が、長所についても短所についても、人によって大きく違うことを知って、驚くことが多かった。たとえばだれかが「一緒に働きにくい相手」の極みだということで、評価者全員が一致していたとしても、この属性をどの程度認識し、どのように評価するかは、人によって多少違った。

なぜこのような認識ギャップが生じるのだろうか？　わたしは意外な評価を受けて心をかき乱される学生たちに、こう言って聞かせる。あなた方は自分の行動の背後にある意図がわかっているから、自分の行動を正当と考える。でも人は、自分の見るものだけに反応するものだ。ちょうど、歌のリズムでテーブルを叩いて、曲名をあててもらうゲームのようなものだ。自分は頭の中で歌が聞こえるから、「ハッピーバースデートゥーユー」のリズムだということはだれにでもわかるはずだと決め込む。でもほかの人の耳には、ただ「タン・タ・タン・タン・タン・タン」としか聞こえないため、米国国歌の出だしと勘違いする人がいるのだ。その上、他人はあなたの行動をからっぽの状態で判断するわけではなく、自分の経験のレンズを通して解釈するか、またはあなたの外見からこういう人物だろうと判断を下し、その人物像についての一般的な固定観念を通して解釈するのだ。

三六〇度評価法がわたしたちに教えてくれるのは、他人の評価はまちまちだから真剣に受けとめなくていい、ということではない。わたしたちの日々の行動は他人によって解釈され、ひいては誤解される。人間社会に愛想を尽かして山にこもるのでもない限り、わたしたちは自分の自己認識と、友人や同僚、その他日々交流する数百人の他人による認識とを、できる限り一致させなくてはならないのだ。

他人による評価は、現実を把握する手段として役に立つ。先に述べたように、わたしたちは「レイク・ウォビゴン効果」の影響に陥りやすく、本当の自分というものをなかなか知ることができないからだ。正式な三六〇度評価でなくても、自己覚知と呼ばれる、自分を知る作業を通して、同様の効果を得ることができる。人が自分の行動に示す反応をよく観察し、できれば自分のことをどう思っているか、周りの人に直接尋ねてみるのだ（三六〇度評価の効果が高い理由は、相手から直接、多様なフィードバックを得られるからだ）。人にどう思われているかがわかれば、対策の立てようがある。

自分がそれほど立派に思われていないことがわかったなら、他人から見られたい自分像に合わせて、自分の行動を変えればよい。たとえば部下に傲慢で思いやりがないと思われていることを知った上司は、会議になにかと口を挟むのをやめれば、評価を上げることができる。あるいは行動を変える代わりに、自分は会議を有意義なものにするために口を挟むのだと、行動の背後にある考え方を説明するのもいい。自他の認識ギャップを完全になくすことは無理かもしれないが、ギャップを埋めるために打てる手はたくさんあるのだ。

気をつけなくてはいけないのは、自分を実際より良く見せたいという誘惑に屈しないことだ。ダニエル・エイムズと同僚たちが行った研究が興味深い。職場で自分の地位や評価を高めようという魂胆が見え見えの人たちは、集団を混乱させる存在と見なされ、結局は評価が低下したという。イギリスのテレビシリーズ『ジ・オフィス』のアメリカ・リメイク版を知っている人は、アンディ・バーナードが、このような行動の不幸な典型だと、ピンと来たことだろう。「神経言語プログラミング」〔コミュニケーション技法の一種〕を通して、またはコーネル大出身だということをことある毎にアピールして、人に感銘を与えようとする。だが長い目で見れば、ありのままの自分を見せる方が、おそらく効果は高いのだろう。

個人的なレベルでは、オスカー・ワイルドの再臨を自負している人が、冴えないと思われていることを知ったり、天使のように優しい自分が、意地悪だと思われていることを知るのは、もちろん気分のよいものではない。だが人によく思われすぎるのも考えものだ。人は、たとえ欠点があっても、自分とほぼ同等と思われる相手とつき合いたがることが、研究で明らかになっている。また自分を気むずかしい人間と思っている人は、愛想の良い人だと誤解されないように、実際よりもさらに気むずかしくふるまうという。それに夫婦は、片方がもう一方のことを自分より優れた存在だと評価しているとき、互いに対する満足度が低く、親密感が薄いことを、さまざまな研究が明らかにしている。

だれもが長所も短所もひっくるめた自分を、理解し、尊敬してもらいたいと思っている。「他人が思い描く自分」が、「自分が思い描く自分」と同じであってほしいという欲求は、いつしか尊敬されたいという欲求より強くなることがある。わたしたちは他者の描く自分をのぞき込み、そこに自分の描く自己像を見つけることを何より望んでいるのだ。

Ⅳ．自己は動的なプロセスである

本当の自分を探し、その自分に合った選択を行うのは、至難の業だ。わたしたちは、いわば自己像と選択との間のフィードバック・ループによって、恒常状態《ホメオスタシス》に到達することを目指しているのかもしれない。「自分はこういう人物だから、これを選択するべきだ」、「これを選択する自分は、こんな人物なのかもしれない」。年を取るにつれて、自分の思う自己像と、他人の目に映る自己像、そして実際に行う選択が、それほど調整しなくてもうまく折り合うようになるのが理想だ。だが現実には、選択の「強制」が本当にやわらぐのか、それとも理不尽なまでの圧力をわたしたちに与えるようになるのかはわからない。本当の自分を発掘するには、ある程度孤立して、自分に向き合うことが必要なのかもしれない。でもそれに心そそられる人などいないだろう。エマーソンの理念を実践するために、森の中の丸太小屋に引きこもろうという人がどれだけいるというのか？　それでもわたしたちは、自分自身が彫刻、つまり調和し、完成した最高傑作だという幻想にとらわれている。選択がアイデンティティに与える影響を理解する、もっと有意義な方法はないのだろうか？

前講で見たように、過去においてアメリカ社会のあり方は、選択の拡大とともに変容を遂げた。これからも、選択の幅がますます拡大するにつれて、このような変化が続くものと考えられる。だからと言ってわたしたちは、連帯感をまったく持たない、反社会的な存在になりつつあるわけではない。アイデンティティと選択について、わたしたちが難しい問題を迫られるのは、選択が単に個人的行動というだけではなく、社会的行動、つまり多くの「可動部分」との駆け引きでもあるからだ。選択を行うには、自分と他人の両方から見た自分自身について、もっと深く考えなくてはならない。

「完璧な自己」という影像を引きずり下ろせば、アイデンティティが静物ではなく、動的なプロセスだということがはっきりするだろう。さまざまな決定を通して影像を彫り、削ることが、自分自身を作る。わたしたちは選択の結果だけでなく、選択の進化を通して自分探しをする、彫刻家なのだ。発想を変えて、選択が流動的なプロセスであることを受け入れれば、選択は、なりたくない自分をたたき壊す破壊の力ではなくなり、わたしたちを解き放つ、継続的な創造活動になるのだ。わたしたちはいま意味をなす選択、いま置かれている社会的状況の中で自分の必要を満たすような選択を行わなくてはならない。わたしたちの選択は、他者の選択といつも結びついている。そして他者の目に映る自分は、内なる想像上の完璧な自分ではなく、これまでとこれからの選択の積み重ねとしての自分なのだ。

作家のフラナリー・オコナーは、こう言ったそうだ。「わたしは自分が知っていることを発見するために、書くのだ」。彼女にならって、わたしたちもこう言ってみてはどうだろう？「わたしは自分が何者であるかを知るために、選択するのだ」と。

第4講

選択を左右するもの

人間は、衝動のために長期的な利益を犠牲にしてしまう。そうしないために、選択を左右する内的要因を知る必要がある。確認バイアス、フレーミング、関連性

I. マシュマロテスト

少年は言いつけどおり、順番を待っている。子どもたちは一人ずつ、まじめだが優しそうな白衣の男性に、別室に連れて行かれる。何だかお医者さんに行くみたいだけど、お父さんとお母さんは、注射とか痛いことはしないって言ってた。それでもかれは少しドキドキしている。やっと順番がきて、男性についておいでと言われた。秘密の部屋に入ると、おいしそうなお菓子が、山のようにテーブルに並べられていた。プレッツェル、オレオ・クッキー、マシュマロ。わあ！　一番食べたいお菓子はどれ、と聞かれて、少年はマシュマロを指さした。

「いいのを選んだね！」。男性は言う。「実はね、おじさんはこれから別の部屋で、大事なお仕事があるんだ」。かれは少年に小さなベルを渡した。「じゃあ、こうしよう。いまマシュマロを一つあげる。このマシュマロはきみのものだけど、まだ食べちゃダメだよ。もしおじさんが戻ってくるまで待てたら、ご褒美にもう一つあげる。おじさんがいないときに、どうしてもマシユマロを食べたくなったら、ベルを鳴らしなさい。すぐに戻ってくるからね。でもそうしたら、マシュマロは一つしか食べられないよ。わかったかな、約束だよ？」

少年は少し考えてから、うなずく。かれがイスに座ると、男性はトレーからマシュマロを一つ取って、少年の目の前の皿に置いた。それからドアを閉めて行ってしまった。マシュマロは少年の大好物だ。マシュマロ一つでもいいけれど、二つの方が断然いいや。よし待とう、この部屋に来るまで待っていたんだもの。かれは足をぶらぶらさせ、周りをきょろきょろ見回し、イスでもじもじする。時間は過ぎていく。行っちゃってからずいぶんたったような気がする。どれくらいかかるって言ってたっけ？　約束なんか忘れて、もう戻ってこないんじゃないかなぁ。

マシュマロはとてもおいしそうだ。最初に見たときより、ますます白くフワフワに見える。少年はテーブルに顎をついて、天国の甘いかけらを見つめている。お腹が鳴り始め、いっそベルを鳴らしてしまおうかと思う。マシュマロはすっごくおいしいから、一個で十分かもしれない。二つもいらないんじゃないかな？　でも、ほんとにおいしかったら、どうしてもうちょっと待たなかったんだろうって、くやしくなるかもしれない。こんなふうに心が揺れ動くが、とうとうマシュマロを食べたくてたまらなくなる。どうしておじさんはこんなに長い間ぼくを一人ぼっちにしておくんだろう。ひどいよ、ぼくが悪いんじゃない。こんなにいい子にしていたんだから、マシュマロを食べたっていいはずだ。疲れ果てた少年は泣きそうになって、ベルに手を伸ばし、思いっきり振った。

一九六〇年代に著名な心理学者ウォルター・ミッシェルが行った「マシュマロテスト」は、

わたしたちがどのようにして誘惑と戦い、屈するかを明らかにした研究として、広く知られている。四歳児の試練と苦難は、それほど長く続かなかった。子どもたちは平均すると三分しか待たずにベルを鳴らした。だがこの数分の間、少年少女たちは自分が今すぐ欲しいものと、全体としてみれば自分のためになるとわかっていることとの間で、激しい心の葛藤と戦わなくてはならなかった。四歳児の葛藤は、大人の目には苦しみというより、ほほえましいものに映るかもしれないが、誘惑と戦うことがどれほどストレスの溜まることか、だれでも知っている。

マシュマロをもう一つもらうために辛抱強く待っているときも、あのイカした新製品に散財するのはやめようと心に言い聞かせているときも、頭の中の相反する声は、時とともにますます大きく、激しくなっていく。オスカー・ワイルドをまねて言えば、誘惑から逃れる一番てっとり早い方法は、それに屈してしまうことだ。もっとも、十中八九、何であんなことをしたのかと後悔することになるのだが。わたしたちが相反する二つの選択の間で引き裂かれるとき、心の中では何が起きているのだろう？　一方の選択肢が良い結果をもたらすことはわかっているのに、なぜもう一方に焦がれるのだろう？　そんなとき、二つの別々の脳で考えているような気がしたとしても、あながち的はずれとは言えない。人は実際に、互いに結びついてはいるが別々の脳回路を使って、情報を処理し、答えや判断に到達するのだ。

第一のものは「自動システム」と呼ばれるもので、すばやく、たやすく、無意識のうちに作用する。このシステムは感覚情報を分析し、これに迅速に反応して感情や行動を始動させることから、いわば常時作動している「隠れた」プログラムと言ってもいい。あなたもときどき、わけもわからず行動していることがあるだろう。何秒かたってやっと、自分が行動していることに気がつく。これが、わたしたちの体に「今マシュマロを食べろ！」と命じるシステムなのだ。なぜならこのシステムに理解できるのは、今この瞬間だけだからだ。意図的な選択でも、自動システムの活動に頼るものがある。たとえば自分ではうまく説明できない虫の知らせや魅力などだ。

これに対し、「熟慮システム」を動かしているのは、未加工の感覚情報ではなく、論理や理性である。わたしたちが向き合い、耳を傾けなくてはいけないのが、このシステムだ。熟慮システムが扱う対象が、直接的な経験にとどまらないからこそ、わたしたちは選択を行う際、漠然とした考えを考慮に入れ、将来について熟慮することができる。わたしたちはこのシステムを使うとき、どのようにして特定の結論に到達したかを、とてもはっきりと自覚している。たとえば「Xが真なのは、Yだからだ」とか、「第三段階に行くためには、まず第一、第二段階を完了する必要がある」というように。熟慮的な思考のおかげで、わたしたちはきわめて複雑な選択に対処することができるが、この処理は、自動システムよりも遅く、骨が折れるため、それなりの意欲と努力が必要とされる。

この二つのシステムが導く答えが一致するとき、葛藤は起こらない。たとえば突進してくるサイに対する自動反応と熟慮反応はただ一つ、「よけろ!!」だ。だがほとんどの場合、答えは異なる。そんなとき、どちらか一方を他方より優先する必要が生じる。一刻を争うとき、わたしたちは自動反応に従う可能性が高いが、急がないときは、熟慮能力を活用することが多い。たとえばわたしたちが誘惑にさらされたとき、自分の欲望は自動システムに煽られたものだから、熟慮システムに従った方が自分のためになることを知っている。だが「正しい」答えを知っているからといって、それを選択する気になるとは限らないのだ。

ミッシェルの研究では、すぐにマシュマロを一つ食べたくなった子どもたちは、二つのシステムのせめぎ合いに苦しんだ。子どもの熟慮システムが十分に発達していないことを考えれば、この結果は驚くにあたらない。だが高度な熟慮能力を持つ大人でさえ、人生で出会うさまざまな「マシュマロ」を我慢しないことが多いのだ。

一説によると、交際中の男女の三〇から四〇パーセント、夫婦の四〇から六〇％が、相手に対して不貞をはたらいたことがあるという。大学生を対象としたある調査では、いわゆる先延ばし傾向の問題を克服するために、助けを「やや必要」から「ひどく必要」としていると答えた学生の割合は、五二％にも上った。それに労働者の三〇％が、老後に備えて貯蓄をしたことがないという。自分がやるべきことや、長い目で見ればきっと自分はこう思うだろうということがわかっていても、自動システムを作動させた選択肢に気をとられ、目をくらまされることがある。自動反応が特に強いとき、自分でもわからない何かの力に突き動かされているような気がする。「わたしはどうかしていた」、「自分に何が起こったのかわからない」、「魔が差した」など。きみは選択を誤ったようだと責められると、どうしようもなかったのだと弁解する。

「ねえ、わたしを信じてほしいの。仕方がなかったのよ。ああするしかなかった」

たとえこの論法で相手を説得できたとしても、それだけでは説明にならない。現に、我慢する方法を見つけている人たちがいるのだから。それにこの自制力があれば、その他の方面でも成功できるかもしれないのだ。ミッシェルの実験では、三〇％の子どもたちが自制力を発揮して、一五分いっぱいまで辛抱し、戻ってきた白衣の男性に、自分の選んだお菓子を二つもらった。実験から一〇年以上たってから行われた追跡調査によれば、我慢できた子どもたちは、我慢できなかった子どもたちに比べて、強い友情で結ばれ、困難な状況に適切に対処する力があり、行動上の問題も少なかった。また大学進学適性試験（ＳＡＴ）のスコアも、平均で二一〇点も高かったという。成人後の追跡調査でも、このような高い能力のパターンが、引き続き認められた。この自制心おう盛な人たちは、喫煙率や違法薬物の経験率が低く、社会経済的地位が高く、修学年数も長かった。言い換えれば、かれらは健康的で、豊かで、賢明であるように思われた。もちろん自制心は、よい成果をもたらした唯一の要因ではないかもしれない。しかし、両者の相関関係は、自制心がわたしたちの人生におよぼす影響を、軽視してはならないと教えている。

そうは言っても、いつも将来の利益のために、いまこの瞬間の満足をあきらめていたのでは、意気が上がらない。ひらめきや耽溺《たんでき》、無謀も、悪い面ばかりではない。罪深い愉しみを避けることばかり考えていると、堅苦しく、おもしろみのない人生になってしまう。ほとんどの人は、守銭奴スクルージにならない程度に貯金をし、机にかじりつかない程度に働き、スポーツジムを第二のわが家にしない程度に健康を保ちたいと考えている。でも適正なバランスを見つけるのはとても難しい。特に「いま」欲しいものや大事なものが、「あとで」欲しくなるかもしれないものと、あまりにもかけ離れていて、あまりにも魅力的な場合はなおさらだ。

今の100ドルか将来の120ドルか

ではあなたが今現在の考慮事項と、将来の考慮事項を、どうやって比較検討しているかを見るために、ちょっと考えてみてほしい。

今から一ヶ月後に一〇〇ドルもらうのと、二ヶ月後に一二〇ドルもらうのとでは、どちらを選びますか？

それでは、今一〇〇ドルもらうのと、一ヶ月後に一二〇ドルもらうのとでは、どちらを選びますか？

このテストを実際にやってみたところ、最初の問いでは、ほとんどの人が二〇ドル余分にもらうために待つ方を選んだ。だが二番目の問いでは、一ヶ月間待つよりも、少ない金額を今もらう方を選んだ人がほとんどだったのだ。論理的に考えれば、どちらの問いも同じだ。どちらの場合も、一月余分に待つことで、取り分が二〇ドル増える。だが実際には同じに思えない。なぜなら金が今手に入るとなると、すかさず自動システムが作動するからだ。最初の問いでは、一月余分に待つことは熟慮システム的に意味があった。だが次の問いでは、今この瞬間にお金があったら何ができるだろうと、考えずにはいられなくなるのだ！ すごいじゃないか？ 一月も待って一二〇ドルもらうより、ずっといいんじゃないか？ これは自動システム的に意味のあることなのだ。

何かがどうしようもなく欲しくなって、「一〇〇ドル」の選択肢を選ぶようなことがあっても、それがたまのことなら、二〇ドルをちょこちょこ失う程度ですむ。だがしょっちゅう一〇〇ドルを選んでいる人は、長い人生の間に損失が積み重なって、数十年たってから、どれだけを無駄にしてしまったのだろうと深く後悔するかもしれない。自動システムに身をゆだねる快楽には、依存性がある。「今度だけ」という言葉は、自分への空約束になり、損失を記録する方法でしかなくなる。こんな人生はだれも望まないが、一体どうすれば自分を抑えられるのだろう？

たった四歳にして、実験者が戻ってくるまでお菓子を食べる誘惑に耐えた子どもたちから、何か学べないだろうか？　かれらの驚くべき自制のカギは、自動反応に対抗するための戦略にあった。たとえば、おいしいもので一杯の目の前の皿が見えないように、手で顔を覆ったり、お菓子のことを考えないように、おもちゃで遊んでいるところを想像した子もいた。マシュマロが口の中でとろけるおやつではなく、雲だと思い込んだ子もいた。このような工夫をして、子どもたちは物理的に、または心の中でお菓子を隠すことで、それを食べるという選択肢を取り除いたのだ。存在しないものに誘惑を感じることはないのだから。

誘惑の対象から気をそらす方法を意識的に用いれば、驚くべき効果が得られることが、その後のミッシェルの研究で明らかになった。このとき、当初の実験の設定を少し変えて、待ち時間の間、子どもたちにおもちゃを与えたり、楽しい遊びのことを考えなさいと指示したり、中が見えないようにふたをかぶせてお菓子を隠したりした。その結果、子どもたちが待機できる時間は、最大で六〇パーセントも長くなり、大半の子がベルを鳴らすのを我慢できた。この種のテクニックを意識的に使うことで、心をそそる選択肢を隠してしまえるのだ。たとえ消してあってもテレビのある部屋で仕事をしないとか、クッキーをカウンターに置きっぱなしにせず、棚にしまうなどは、常識だろう。でもわたしたちは、自制心ある行動を取りやすくするための、こうしたごく単純な工夫をするとは限らないのだ。

誘惑を取り除く以外にも、自分がどんな状況で、どれくらい厳しく、自制を働かせたいのかを考える必要がある。自分の目標からいって、絶対に我慢しなくてはいけないものは何で、大目に見てもいいものは何だろう？　「自制心の敵」というレッテルを貼りすぎると、とても毎日を切り抜けられなくなる。まずは戦う相手を決めよう。スポーツ選手のように、勝負を支える心身を損なわずに、自分を鍛えたい。だが最終目標は、自動システムを熟慮システムと調和させて、自制心ある行動を、はじめから取りやすくすることだ。わたしたちは自動システムの活動を意識していないため、それを自分の行動を妨げる外部の力のように扱ってしまう。しかしこのシステムも、自分の必要不可欠な一部なのだ。自分をごまかそうとせず、誘惑を避けることを自分に教え込まなくてはならない。誘惑を回避する行為そのものを習慣化、自動化するのだ。

Ⅱ．経験則について考える

くだけすぎた服装よりは、かっちりしすぎた服装の方がいい。駆け引きや交渉では、自分が期待するより多くを要求しよう。夜遅くにおやつを食べてはいけない。自分のよく知っていることをやろう。議論を別の視点から考えてみよう。住宅にかけるお金は年収の三五パーセントまで。それに何があっても、一杯引っかけてから昔の恋人に電話しないこと。

こういった経験的な常識は、結構役に立つことが多い。身近な問題の手っ取り早い解決法になるから、どれを選ぼう、こうしたらどうなるだろうと、あれこれ考える時間と労力を節約できる。絶対確実とは言わないが、たいがい頼りになるし、複雑で不確実なこの世界が、ちょっとだけわかりやすくなる。誘惑との戦いに疲れ、賢明に選択せよという要求に圧倒されたとき、頼れる法則があるとほっとする。このような法則は、心理学用語ではヒューリスティック（経験則）と呼ばれる。

だが実のところ、わたしたちは毎日何度も決断を下しているが、ただ繰り返すだけでは選ぶ能力は向上しない。豊富な経験と知識がある人でも、がっかりするような選択をすることが多いのだ。ヒューリスティックは、リスクを減らし、満足のいく選択をする確率を高める方法を授けてくれるように思われる。だが残念ながら、ヒューリスティックがどんなときに役立ち、どんなときに外れるかは、思ったよりも見分けにくいのだ。そのためどう頑張っても、最適な行動方針を選べないかもしれない。

ヒューリスティックは意識的に用いられることもあれば、潜在意識のレベルで働いて、とっさの判断や直感をもたらすこともある。ヒューリスティックに従っていることを意識していないときもあるし、意識して用いるときでも、ヒューリスティックが逆効果なのに有益と思い込んでいるのかもしれない。このようなヒューリスティックの誤用は、「意思決定バイアス」と呼ばれる。心理学者のダニエル・カーネマンとエイモス・トベルスキーのノーベル賞受賞研究にお目見えして以来、こうしたバイアスを扱う新しい研究分野が生まれた。より良い選択にさらに一歩近づくために、これから最も一般的な四つのヒューリスティックを例にとって、ヒューリスティックがどのようにして働くのか、どのようにしてバイアスになるのかを考えてみよう。

経験則その1　想起しやすさ

人は記憶の中の取り出しやすい情報に注目し、重視することが多く、ひいてはそのような情報を基にして判断を下す傾向がある。この現象は「想起しやすさ」（利用可能性）のヒューリスティックと呼ばれる。

たとえばクリスマスのプレゼント交換の相手が、顔見知り程度の同僚に決まったとしよう。プレゼントはネクタイに決めたが、どんな色が好みなのかわからない。そこで、かれは何色のネクタイを身に着けることが多かったっけと、思い出そうとする。これはしごく理にかなった方法のようだが、実はあなたが一番想起しやすい色が、同僚が実際に身に着けることが一番多かった色とは限らないのだ。

　わたしたちは感覚を刺激したり感情に訴えるものを、単なる事実や無味乾燥なデータよりも、よく覚えていることが多い。つまり、赤色の方が灰色より明るい色だというだけの理由で、同僚が赤いネクタイを締めていた回数を多めに、灰色の回数を少なめに記憶しているかもしれないのだ。同様に、親しい友人が例の新しいレストランで、人生最悪の食事をしたと言うのを聞いて、インターネット上の熱狂的な推薦コメントを一切無視するかもしれない。友人の意見は大多数の意見に反するが、あなたがそのレストランの前を通るたびに思い出すのは、友人が直々に話してくれた内容と、その時に見せた表情なのだ。

　意思決定は、一つひとつの選択がもたらす結果の印象の強さや、手に触れる感覚に左右されることもある。あなたは現金よりクレジットカードを使うときの方が、金離れがいいということはないだろうか？　人は現金よりクレジットカードを使うときの方が、ずっと大きな金額を使うことが、研究で明らかになっている。一説では、金額は二倍以上とも言われる。札入れから金を取り出して手渡せば、お金が減ったことが、感覚を通して心に刻まれる。だがレジ係がプラスチック片を機械に通して戻しただけでは、何も支払っていないような気がするのだ。

　選択肢が目に触れる順序でさえ、想起しやすさに影響をおよぼすことがある。選択肢のうち、最初と最後に出てきたものが一番思い出しやすい。そのため、それぞれの選択肢の良い面に着目するよりも、それが現れた順番に強く影響されることがある。商品棚の両端に陳列された商品の方が真ん中の商品よりもよく売れ、就職面接では最初と最後の候補者に無意識のうちに注目が集まりがちなのは、このせいだ。

経験則その2　フレーミング

毎年わたしは、自分が受け持つMBAの学生に、コカ・コーラのCEOを務めたロベルト・ゴイズエタの、ほとんど伝説化した物語を聞かせることにしている。就任まもない頃、上級副社長たちとの会合に出たゴイズエタは、全世界のソフトドリンク市場で同社が四五%のシェアを獲得したといって、経営陣が浮かれ騒いでいることを知った。経営陣は現状に安住し、株主価値を今後二、三年で五%から一〇%程度高めれば十分だと考えていた。だがゴイズエタにとってそれは、あまりにも無難な戦略だった。そこでかれは、「何をもって成長とするか」という概念に、異議を唱えることにした。かれはこう尋ねた。

「人間の一日の水分摂取量はどれだけだね?」。それからこう言った。

「世界の人口は?」。最後に、最も重要な質問をした。

「ソフトドリンク市場ではなく、飲料市場全体で見た場合、わが社のシェアは、何パーセントかね?」


答えはわずか二%と出た。

ゴイズエタは問題を違う枠組(フレーム)でとらえ直すことによって、視野を広げ、独創的な考え方をするよう、経営陣にハッパをかけたのだ。かれらはつつましい市場観を持ち、そこでコカ・コーラ社が占めていた地位に甘んじていた。ゴイズエタは同社の地位が、かれらが思っているほど安泰ではないことを示した。しかし、良いニュースもあった。シェアを獲得する余地が、大幅に拡大したのだ。これを機にコカ・コーラ社は戦略を劇的に転換し、驚異的な成果を挙げた。一九八一年に四三億ドルだった同社の時価総額は、ゴイズエタが亡くなった一九九七年には、一五二〇億ドルに膨れ上がっていたのである。

どうやら、わたしたちが情報をどのようにとらえるか、またはどのように情報を提示するかによって、選択に対する見方や判断が大きく変わるようだ。わたしたちは新しい情報に出会ったり、古い情報を見直すたびに、それが提示される方法（フレーミング）に影響される。提示方法を自分に有利に操作することもできるが、ときには提示方法のせいで、判断が曇ることがあるのだ。たとえば便益よりコストを強調するような方法で選択肢が提示されるとき、判断結果にバイアスがかかりやすい。人が利益より損失に対してずっと強く反応することは、研究が一貫して証明している。わたしたちは、大切なものを失わないためならどんなことでもするが、同じようなリスクを取ってまで利益を得ようとはしない。そうすることで、損失を被ることを恐れるからだ。そんなのあたりまえと思われるかもしれないが、このことはわたしたちが提示方法による操作にとても惑わされやすいことを物語っている。

このバイアスが実際にどのように作用するかを見るために、エイモス・トベルスキーと同僚たちが行った、有名な研究について考えてみよう。この研究では、ガン治療での手術と放射線治療の有効性に関する統計的データを、患者、医学生、医師に提示し、どちらの治療法を望ましいと思うかを尋ねた。協力者の半数には、データを生存率というフレームで提示した（「生のフレーム」）。手術を受ける患者の術中と術後五年の生存率は、それぞれ九〇％と三四％である。放射線治療だと、治療中の生存率は一〇〇％だが、五年生存率はわずか二二％になる。他方、残りの協力者には、死亡率で比較したデータを提示した（「死のフレーム」）。手術中および術後五年の死亡率がそれぞれ一〇％と六六％であるのに対し、放射線治療では、同〇％と七八％である。

結果、どうなったか。どの協力者も、実質的には同じ統計的データを与えられた。それなのに、提示方法の違いが、協力者の判断に劇的な影響をおよぼしたのだった。生のフレームでデータを提示されたグループでは、手術より放射線治療を選ぶと回答した協力者は、わずか二五％だった。これに対し、死のフレームで提示されたグループでは、放射線治療を選んだ協力者は四二％に増えたのである。手術中の死亡率が強調された結果、長期的な生存率を犠牲にしても、放射線治療を選ぶ人が増えたのだ。さらに重大な発見があった。それは、医師もほかの協力者と同じくらい、提示方法バイアスの影響を受けやすかったということだ。幅広い経験と訓練を積んでいる医師でさえ、数字だけでは正しい判断を下すことができなかったのだ。

経験則その３　関連づけ

キリンに見える雲、夜空に輝くサソリ、グリルド・チーズ・サンドイッチに現れる聖処女マリア。わたしたちはどこにでもパターンを見つけたがる。わたしたちの精神は、無意識のうちに秩序を探そうとする。わたしたちはさまざまな情報間の関係を明らかにしようとするが、このような性向が、意思決定においても重要な役割を果たしている。こうした関連づけは、推論を行う上でとても大切な能力だが、わたしたちが実在しないパターンを見るとき、または実際のパターンがわたしたちが思う以上に複雑なとき、判断が曇ることがある。

　たとえば世界を金融危機に陥れ、過去七五年間で最悪の景気後退を引き起こした、不動産価格暴落に至るまでの経緯を考えてみよう。それまで住宅は、平均的なアメリカ人にとって安全な投資対象と見なされていた。大きな利益は期待できなくても、長い目で見れば価値が下がらないことは、保証されたも同然だった。第二次世界大戦後から一九九七年までの間、インフレ調整後の平均住宅価格は（今日の価格に直すと）一一万ドルでほぼ安定していた。だがその後新しいパターンが生じ、一九九七年から二〇〇六年までのわずか一〇年間で、住宅価格はほぼ二倍の二〇万ドルに急騰したのである。この劇的で着実な上昇を目の当たりにした人たちは、今後も価格が右肩上がりで上昇し続けると思い込んだ。ロバート・シラーとカール・ケースの研究によれば、二〇〇五年にサンフランシスコで住宅を購入した人たちは、住宅価格がその後の一〇年間にわたって年率一四％のペースで上昇し続けると予想していた。またかなり楽観的な人たちは、最大で年率五〇％の上昇を予想していた。このパターンらしきものを見た人たちは、とても有利とは言えない条件で住宅ローンを借りるリスクを冒してでも、住宅を購入する価値が十分あると思い込んだ。

　たしかにこの価格急騰にはパターンがあったが、それは住宅購入者たちが見たものとは違っていた。本当のパターンは、にわか景気と不景気のパターン、つまり「バブル」だったのだ。バブルとは、ある資産に対する大衆の熱狂がさらなる熱狂を呼び、価格が実態価値をはるかに超えて上昇するときに起こる現象をいう。やがて資産価値の過大評価が明らかになると、だれもが資産を売り急ぎ、その結果バブルがはじける。経済史はバブルに満ち満ちている。一七世紀のオランダのチューリップ狂時代には、たった一個のチューリップの球根が、平均的な人の年収を超える価格で取引された。狂騒の一九二〇年代の株式投機は、大恐慌の一因になった。ドットコム・バブルがアメリカを不況に陥れたのは、住宅市場が崩壊する一〇年足らず前のことだ。木を見て森を見ることができなかった人たち、または住宅を取り巻くバブルを見ることができなかった人たちが注目したトレンドは、結局は持続できなかった。このような近視眼、あるいは幻視眼は、非常に好ましくない影響を与えることが多い。

経験則その４　確認バイアス

ヒューリスティックが予想どおりの結果をもたらさなければ、何かが間違っていることに、いつか気づきそうなものだ。バイアスを突き止めるまではいかなくても、自分の求めていたものと、得たものとの違いには気がつくだろう？　いや、そうとは限らない。何しろわたしたちは、自分の偏見を裏づけるような偏見を持っているのだ！　わたしたちは、印象的だから、損失が少なく思われるような方法で提示されているから、有望なパターンと一致しているように思われるから等々の理由で、どれかの選択肢を特に好むとき、その選択肢を選んだことを正当化するような情報を探そうとする。もちろん、データや一連の理由に裏付けられた選択をするのは、分別のあることだ。だがその一方で、うっかりすると分析が偏ってしまい、まとめて「確認バイアス」と呼ばれる誤りを犯してしまうリスクが高いのだ。

たとえば最近ではほとんどの企業が、採用プロセスの一環として、「あなたについて聞かせて下さい」式の古典的な就職面接を行っており、この面接だけで応募者を評価する企業も多い。だが実はこういった従来型の面接は、応募者の将来性を予測する上で、最も役に立たない手段の一つだ。なぜかと言えば、面接官は最初のわずかなやりとりをもとに、無意識のうちに候補者の評価を決めてしまうことが多いからだ。たとえば自分と性格や興味が似た応募者に好意的な反応を示し、面接の残り時間をかけて、その初印象を裏づけるために、ひたすら証拠を集めたり、質問を構成したりするのに終始する。「以前の仕事では高い地位に就いておられたのに、やめられたんですね。かなり野心的とお見受けしましたが？」と、「あまり仕事に打ち込んでいなかったんですね」を比べて欲しい。つまり面接官は、候補者が社員としてふさわしい人材かどうかを明確に示す重要情報を、見過ごしがちなのだ。それよりも、候補者の仕事のサンプルを入手するとか、困難な状況設定にどう対処するかを質問するなどの、より構造化された手法の方が、応募者の将来性を測る判断材料としてははるかに優れている。一説には、伝統的な面接の三倍近く信頼性が高いという。

わたしたちはすでに持っている思いこみを裏づけようとするだけでなく、その誤りを証明しかねない情報を、すばやく退けてしまうのだ。『専門家の政治判断』（Expert Political Judgment）の著者である、心理学者のフィリップ・テトロックは、この傾向が専門家にさえ認められることを実証した。テトロックは一九八〇年代と九〇年代を通じて、左から右まで数百人の政治専門家（政治学者、政府顧問、評論家、その他の政治通）を幅広く選び、特定の政治情勢の先行きについて質問した。たとえばアメリカとソ連の関係が今後安定するか、改善するか、崩壊するか、といったことだ。実際に事態が進展するなか、予測で生計を立てている専門家のほとんどが、ランダムな予測（当てずっぽう）と比べても予測精度がやや劣っていたことを、テトロックと同僚たちは発見した。また自分の予測に自信を持っていた専門家ほど、平均すると精度は低かった。

専門家は、その世界観や持論の内容のいかんを問わず、自分の考えを裏づける情報を、そうでない情報よりも、積極的に受け入れる傾向があった。一例として、ソ連がいわゆる「悪の帝国」だというスタンスを取っていた専門家は、スターリンが共産党穏健派によって地位を追われそうになっていたことを示唆する史料をソ連の文書館が新たに開示したとき、それを分析してあら探しをした。一方、より多元的な視点を持つ専門家は、この史料を額面通りに受け取った。こんなふうにして、専門家とされる人たちは、ありとあらゆる方法をひねり出して、誤っていた予測を「もう少しで当たりそうだった」予測にねじ曲げたのだ。そんなわけで、かれらは当初の予測を、事実に合わせて修正することなく、それに固執し続けたのだった。

わたしたちも日常生活で同じことをやっている。自分の意見を裏づけたり、以前行った選択を正当化するような情報を進んで受け入れるのだ。何といっても、自分の考えを疑うより、その正しさを証明する方が気分がいい。だから賛成意見だけをじっくり考慮し、反対意見は頭の片隅に追いやる。だが自分の行った選択を最大限に活かすには、都合の悪いことも進んで受け入れなくてはならない。

問題は、このようなバイアスからどうやって身を守るかだ。

Ⅲ．専門家の目

カル・ライトマンは、少女の恐れを見抜いている。かれは例の政治家に、何か後ろ暗いところがあると踏んでいる。電話で話しているあの男は、浮気を妻に打ち明けた方がいい。罪悪感で押しつぶされそうになっているのだから。ライトマンは、赤の他人であっても、言葉さえ交わさずに、数分間、ときには数秒間観察しただけで、その人のことをズバリ断定することができる。そしてほとんどの場合、図星なのだ。FOX系ドラマ『ライ・トゥー・ミー　嘘は真実を語る』で俳優ティム・ロスが演じるライトマンは、自信家で、しゃくなやつで、ちょっとネジが飛んでいるかもしれない。かれはボディランゲージと「微表情（マイクロエクスプレッション）」を読み取って、犯罪を解決し、命を助け、たいていの場合、善行を行う。心理学者がテレビヒーローとして活躍したのは、かれで史上……一人目だ。

ライトマンの驚くべき才能は、テレビが作り上げた幻想のように思われるが、実はこの役柄は、九五％の的中率を誇り、「人間ウソ発見器」の異名を取る、ポール・エクマン教授という、実在の人物をモデルとしている。ウソを見破るのは難しいと言われるのに、この的中率は驚異的だ。人がウソをついているかどうかを判断するとき、わたしたちは主に直感に頼る。しっぽをつかまない限り、ウソを見抜く手がかりは、声の調子や、ボディランゲージ、表情くらいしかない。こうした兆候は非常にとらえにくく、意識的に認識するのは難しいが、それでも強力な第六感を刺激することがある。

だが一つ問題がある。ウソを見破る技術は、人とつき合う中で磨くことはできても、自分の判断の正否について明確なフィードバックが得られなければ、自分がだまされやすいのか、猜疑心が強すぎるのか判断できないため、技術を磨くことができないのだ。自分はウソを見破るのがうまいと思っている人は多いが、一般人で偶然より高い確率で見破れる人はほとんどいない。それに警察官、弁護士、裁判官、精神科医など、一般人より重大なウソに直面する頻度が高い職業に就いている人たちでさえ、平均的には一般人とそれほど変わらないのだ。エクマンのどこがどんなふうに特別なのだろう？

エクマンの第六感の秘訣は、数十年におよぶ訓練とフィードバックにある。かれは顔を生涯の研究テーマとしている。それも、人間の顔だけではない。エクマンはまずサルの瞬間瞬間の表情を観察して、サルが続いて見せた行動と関連づけた。たとえばサルがこの表情をしたときは、盗む、攻撃する、親愛の情を示すといった行動の前触れだということを確定した。かれがこの考え方をウソ発見に適用したところ、ウソをつく人が、わずか数ミリ秒〔一ミリ秒は一秒の一〇〇〇分の一〕しか持続しない、「微表情」でボロを出すことがわかった。ウソをつく本人も、それを見ている人も、こうした微表情にはふつう気がつかない。だがエクマンは、真実を言っている人とウソを言っている人の映像を、スローモーションでつぶさに観察することで、微表情を見抜く訓練をした。たとえば学生に、身の毛もよだつ医療処置のビデオを見ながら、のどかな自然の風景を見ているふりをしてもらい、その様子をビデオに撮るなどした。そして自分の判断を絶えず厳しく分析することで、関係のないボディランゲージや話の内容にとらわれずに、反射的に微表情を見抜き、それだけに意識を集中する能力を身に着けたのだ。スーパーヒーローのような能力に思えるが、ごくあたりまえの手段を通じて獲得されたものだ。

エクマンはこのようにユニークな独習方法と努力を通じて、自動システムと熟慮システムを結びつけ、瞬時に、しかもきわめて正確にウソを見抜く方法を発見した。「情報に基づく直感」とも言うべきかれの手法は、反射の素早さと、注意深い熟考と分析が生み出す客観的な視点とを組み合わせた、二つのシステムのいいとこ取りと言える。実際、さまざまな分野の第一人者たち、マルコム・グラッドウェルの『第1感――「最初の2秒」の「なんとなく」が正しい』(二〇〇六年、光文社)をはじめとするベストセラーにいつも取り上げられるような人たちの多くが、情報に基づく直感を大いに活用している。最高のポーカー・プレーヤーは、ゲームの戦略や、場にある札に関する知識や、ボディランゲージの変化をとらえる鋭い感性を駆使して、ブラフを見抜く。訓練と経験を積んだ空港治安担当官は、ごくわずかな時間で、麻薬をはじめとする禁制品の密輸犯を、目ざとく突き止める。アルバート・アインシュタインによれば、宇宙を支配する物理法則の発見においてすら、直感が大切だという。「こうした基本法則を発見するための、論理的方法などない。ただあるのは直感的な方法と、うわべの下に存在する秩序への感受性のみである」。

べつにアインシュタインでなくても、専門知識が身について、生まれつきの本能のようになる境地にはたどり着けるが、並大抵の努力では実現できない。前世紀の最も影響力のある研究者に数えられる、ノーベル賞受賞学者ハーバート・サイモンもこう言っている。「直感とは、認識以上のものでも、以下のものでもない」。自動システムは、予測を行ったり、理論的知識を適用することはできない。どんなものであれ、人が今この瞬間に直面している状況に反応するだけだ。自動システムが、新しい状況でも正確な判断を下せるのは、その状況が以前に経験した状況と似ている場合に限られる。したがって、幅広い、実地の専門知識を持っていることが、情報に基づく直感の必要条件と言える。一つの分野で、世界の専門家並みの理解度に到達するには、平均してのべ一万時間、つまり毎日三時間ずつ、約一〇年間にわたって、訓練を積む必要があると言われる。それだけではない。前述の通り、医師や政治専門家は、職務経験が豊富だからと言って、フレーミング・バイアスや確認バイアスを免れるとは限らないのだ。ただやみくもに何かを毎日三時間ずつ、一〇年間続けたからといって、その分野の世界チャンピオンになれるはずもない。向上するためには、たえず自分の行動を観察し、批判的に分析し続けなくてはならない。何がまずかったのか？　どうすれば良くなるのだろう？

どんな分野であれ、この実践と自己批判のプロセスの最終目標は、スピードにおいても精度においても、熟慮システムを確実にしのぐ、情報に基づく直感を獲得することにある。これに成功すれば、偏った選択の原因になりうる邪念を払い、どんな状況にあっても、一番有益な情報を素早く収集、処理し、かくして最善の行動方針を決定することができるのだ。でも忘れないでほしい。情報に基づく直感は、どんなに鋭いものでも、それなりの時間と労力をつぎ込んだ、その分野にしか通用しない。それに、明確で測定可能な目標、つまり何を以て成功とするかというはっきりした基準のない分野で、情報に基づく直感を養うのは、不可能とは言わないまでも、非常に難しいことだ。こと選択に関する限り、継続が力になるとは限らないが、しかるべき方法で訓練を続ければ、確かな専門知識を培う役には立つ。

言うまでもないことだが、万事に精通することはできない。では選択の能力を、全体的に高めるにはどうすればいいのだろうか？　そのカギは、熟慮システムを通して、ヒューリスティックを利用した、または誤用した経験を一つひとつ検証し、分類することにある。自分がなぜ特定の選択に到達したかを、自問自答するのだ。鮮明なイメージや人から聞いた話に影響されすぎたのだろうか？　損失として提示されたがために、あの選択肢を尚早にも切り捨ててしまったのだろうか？　実在しない傾向やパターンが存在すると思い込んだのだろうか？　そのほか、自分がいま魅力を感じている選択肢を、選択すべきでない理由を考えてみる。自分の見解への反証を集める、等々。選択を行う前に、広範な視点からじっくり考えることがかなわなくても、後で自分の選択を振り返ることには意義がある。たとえ後の祭りでも、自分が誤りを冒したことに気がつけば、そのまちがいを繰り返さずにすむはずだ。わたしたちはだれしも、意思決定バイアスにとらわれやすいが、用心とねばり強さ、それに健全な懐疑心があれば、自衛は可能なのだ。

Ⅳ．幸せの問題点

コロンビア大学のわたしの同僚たちの間で、まことしやかに囁かれている逸話がある。むかしむかし、決定分析の草分け的存在で、わが大学の教員を務めていたハワード・ライファが、ハーバード大学に招聘された。このポジションを引き受ければ、かれの名声がさらに高まることはまちがいなかった。しかしライファを手放したくなかったコロンビア大学は、対抗して給料を三倍にすると言ってきた。二つの申し出に板挟みになったライファは、コロンビアの学部長を務める友人に相談した。学部長はこんな質問をされたことをひどく面白がって、ライファに尋ねた。そもそもきみがハーバードから招聘されるきっかけを作った技術を、どうして適用しないんだい。意思決定をいくつかの構成要素にわけ、それらの関係を図式化し、そろばんをはじいて最善の選択肢を導き出せばいいじゃないか。「わかってないな」。ライファは答えた。「これは重大な決定なんだぜ」

この話は眉唾かもしれないが、本質的な真理を言い当てている。自分の幸せは、いつでも重大きわまりない問題なのだ。他人には、意思決定の方法や戦略を助言するくせに、いざ自分の長い目で見た幸せがかかるとなると、それを頼りにしていいものかどうかわからなくなる。型にはまった方法では、一人ひとりの幸福の特異性を、本当の意味で考慮に入れることはできないような気がする。でも自分にとってなにが幸せなのかもわからない。そんなとき、一体どうすればいいのだろう？

ベンジャミン・フランクリンは、プロコン・リスト〔メリット、デメリットの一覧表〕の利点を喧伝することで、ライファの初期の研究の基盤を築いたと言っても過言ではない。フランクリンは友人からの手紙で、難しい決定について助言を求められたとき、「どれ」を選択すべきかについては十分な情報がないため助言できないが、「どうやって」選択すべきかについては、忠告できると答えた。

そもそもこのような難しい問題が起こるのは、選択肢に賛成すべき理由と反対すべき理由が、すべて頭の中に入っていないからなのですよ。……これを克服するためにわたしはこんな方法を取っているのです。まず紙の真ん中に一本の線を引いて、上下二つに分け、上半分には「賛成の理由」、下半分には「反対の理由」を書き出します。それから三、四日かけてよく考え、それぞれの理由の下に、なぜそう考えるのかを簡単にまとめて書くのです。なぜ賛成なのか、反対なのか、その時々に頭に浮かんだことを書いていきます。こうやってすべてを一覧できるように書き出したら、今度はそれぞれの重要度を考えるのです。一つの賛成理由と二つの反対理由の重要度が同じになったら、三つに横線を引いて消してしまいます。二つの賛成理由と三つの反対理由が同等なら、五つとも消してしまう。この作業を続けながら、どちらにバランスが傾いているのかを調べるのです。……こうすれば慌てて判断を下すことも減って、より良い判断をすることができますよ。この〝心の慎重な代数〟とも呼ぶべき方法に、わたしはずいぶん助けられてきました。

フランクリンの「代数」は単純明快なように思われるが、本当にうまく行くのだろうか？

ここで前講で取り上げた、就職活動に関する研究を思い出してほしい。新卒者は、自分の優先順位が時とともに変化したことに気づかなかった。この研究の一環としてレイチェル・ウェルズとわたしは、バリー・シュワルツと組んで、別の調査を行った。協力者が最終的に選んだ仕事について、もう少し詳しい質問をしてみたのだ。わたしたちが特に関心を持ったのは、就職活動で客観的に正しいと思われることをすべてきちんとやった新卒者が、もっと大ざっぱなやり方をした同級生に比べて、満足のいく結果を得られたかどうかだった。たとえばキャリア・カウンセラーや親、友人たちと頻繁に話し合う、専門家による企業ランキングを活用する、できるだけ多くの仕事に応募するといったことだ。六ヶ月後の調査では、自分の意思決定をより徹底的に分析した方が、うまくやっているという数字が出た。呼ばれた面接の数も、受け取った採用通知の数も多く、最終的に平均で年収四万四五〇〇ドルの仕事に就いた。それほど徹底した分析を行わなかった同級生の平均年収は、三万七一〇〇ドルだった。ところが、かれらは年収が二割方多かったのに、本当に正しい選択をしたかどうか確信が持てず、仕事に対する全体的な満足度も低かったのだ。かれらは積極的に動き、たくさんの選択肢のメリット・デメリットを徹底的に比較検討したのに、最終的に到達した決定に、それほど満足していなかった。

もしかしたら意欲的な新卒者は、その分期待も大きかったのかもしれない。かれらがあまり満足していなかったのは、完璧主義のせいだったのかもしれないが、それだけではない。プロコン・リスト法の致命的欠陥は、具体的で測定可能な基準にとらわれ、感情面の考慮事項がないがしろにされがちなことだ。給与や企業ランキングは比較しやすいが、職場の雰囲気や、将来の同僚たちとの相性は、どうやって評価、比較すればよいのだろう？　感情は数値化できないため、プロコン・リストでは検討できないかもしれない。だがもしかしたら、わたしたちの幸せの大部分は、こうした考慮事項によって決まるのかもしれないのだ。これこそが、徹底的に就職活動を行った新卒者の身に起こったことだったのかもしれない。

複数の仕事のオファーの中から選ぶとき、ほとんどの人は給与にかなりの比重を置く。お金と幸せは、正比例の関係にあるわけではないにもかかわらずである。実際にお金で幸せを買うことはできても、それには限度があることを、さまざまな研究が一貫して示している。基本的必要さえ満たされれば、所得の限界効用は急速に逓減する。二〇〇四年度の全国的な総合社会調査（GSS）によれば、年収二万ドル以下のアメリカ人は、高所得層の人たちに比べれば幸福度が著しく低かったが、それでも八〇％以上の人が「かなり幸せ」または「非常に幸せ」と回答した。だがこれより上位の層では、下位層に比べれば全体的な幸福度は高かったものの、年収の増加は幸福度にほとんど影響をおよぼさなかった。年収一〇万ドル超の人たちは、その半分の年収しかない人たちと、総じて幸福度は変わらなかったのだ。所得の上昇が幸福度の向上を伴わない傾向は、年収が五〇〇万ドル（約四億二五〇〇万円）を超えるアメリカ人にも認められることが、さまざまな研究で明らかにされている。

わたしたちが高収入の仕事に強く惹かれるのは、お金がたくさんあれば充足と安全が買えると、熟慮システムに思いこまされているせいかもしれない。充足と安全は、客観的に見て良い結果なのだ。だがこのシステムは、高収入に伴うことの多い、通勤の精神的費用や余暇時間の喪失を計算に入れていないのかもしれない。ダニエル・カーネマンと同僚たちの研究では、通勤は、平均的な人の一日のうちで群を抜いて最も不快な時間であり、通勤時間が一日あたり二〇分長くなることが幸福度に与えるダメージは、失職が与えるダメージの五分の一にも上るという。素敵な住宅街の、良い学校の近くにある広い家に住むためなら、通勤時間が多少長くなっても構わないと思う人がいるかもしれないが、このようなメリットが、通勤時間が長くなることのデメリットを相殺することは、まずないのだ。

自動システムは、わたしたちを誘惑に陥れることで、不当な非難を受ける。だが幸せの問題が持ち上がるときには、自動システムにもっと注意を払うべきなのかもしれない。バージニア大学のティム・ウィルソンと同僚たちは、次のよくある言い分を検証するための実験を行った。「芸術のことなんかこれっぽっちもわからないが、自分の好きなものはわかっている」。協力者に、自宅に飾るポスターを一枚選んでもらった。ポスターは五種類あった。モネ、ゴッホの作品、そして他愛ない動物の絵が三種類。ほとんどの人が直感的に芸術作品のポスターを選んだ。次に選択の理由を説明してもらったところ、協力者は動物の絵を好む理由の方が説明しやすいことに気がついた（何らかの芸術教育を受けた人でなければ、印象派の作品を好む理由を少しでも詳しく説明するのは難しい。だが微笑む牛の絵をなぜいいと思うかを説明するのは、簡単だ）。その結果、かれらは次第におかしな動物の絵を好むようになり、印象派の作品をやめて動物の絵を選ぶ人が増えた。だが数ヶ月たつと、もともとの好みが頭をもたげた。自宅の壁に動物の絵を飾った人の四人に三人が、毎日その絵を見なくてはならないのを悔やんだのに対し、最初の直感に忠実にモネかゴッホを選んだ人たちは、だれも選択を悔やまなかった。

もし個人的な趣味を説明するのが難しいのなら、恋愛感情を説明するのはほとんど不可能ということになる。「考える葦」でおなじみのブレーズ・パスカルが言うように、「心には理性でわからない理由がある」のだから。ウィルソンと同僚たちは、恋愛関係にあるカップルに、相手への満足度に関するアンケートに回答してもらった。このとき一部の協力者には、二人の現在の関係を作ったと思われる要因をじっくり考えて、できるだけたくさん書き出してもらった。

残りの協力者には、心に浮かんだ要因をそのまま記入してもらった。七ヶ月から九ヶ月後、カップルがまだつき合っているかどうかを追跡調査したところ、直感的な評価が二人の関係が長続きするかどうかを正確に予測していたのに対し、理性的な分析に基づく評価はほとんど無関係だった。つまり、二人の関係を徹底的に分析して、非常にうまく行っていると結論づけた人たちは、重大な問題があると判断した人たちと同じくらいの確率で、破局していたのだ。

吊り橋の実験

ウィルソンの研究を読めば、心の問題については「直感」という自動システムに従おうという気になるが、ドナルド・ダットンとアーサー・アロンの研究を知ると、二の足を踏んでしまう。この研究の舞台となったのは、カナダのブリティッシュ・コロンビア州にある二つの橋だ。一本めの橋は幅広く頑丈で、飛び降りられないように高い柵がついていた。実際に飛び降りたとしても、わずか三メートル下の、緩やかに流れる川に落ちるだけだった。これに対して二本めの橋は、映画『インディ・ジョーンズ』を思わせる細長い吊り橋で、同じ川のずっと流れの激しい渓谷にあり、岩をぬう急流の七〇メートル上にかかっていた。橋には低い手すりがついているだけで、風が吹いたりだれかが渡ったりするだけで大きく揺れた。

どちらの橋でも、男性観光客が渡り始めると、橋の中央で魅力的な女性実験者が呼び止めて、この地域の自然風景が創造性に与える影響を研究している者ですが、協力してもらえないでしょうかと声をかけた。同意が得られると、片方の手で顔を覆い、もう一方の手を一杯に伸ばした女性の写真を見せて、それに合う短いストーリーを考えて書いてもらった。協力者が話を書いた紙を手渡すと、実験者は自分の名前と電話番号を紙切れに走り書きして、「研究の詳しい目的を知りたければ」遠慮なく電話して下さいね、と意味深に言って渡した。

以来「吊り橋効果」として知られるようになったこの研究の本当の目的は、ご存じの通り、作文とは何の関係もなかった。本当の目的は、高揚感（この場合は恐怖）とそれ以外の強い感情（この場合は実験者に惹かれる気持ち）を、脳が混同するかどうかを調べることにあった。ふたを開けてみると、揺れる吊り橋を渡った協力者の半数が、「研究について話し合うために」実験者に後日電話をかけてきたのに対し、揺れない低い橋を渡った男性のうち、電話をかけてきたのは八人に一人でしかなかった。また実験の状況設定を知らない評者によれば、揺れる橋で書かれたストーリーの方に、性的な含みが多く込められていた。

なぜかれらは、橋の下のごつごつした岩場に転落死する恐れと、キューピッドの矢に射抜かれた気持ちを混同してしまったのだろう？　前述の通り、自動システムは生理学的反応を記録するが、それを引き起こした要因を認識できるとは限らない。恐怖と恋は、まったく異質な感情に思われるが、二つの感情が身体におよぼす効果は、非常によく似ている場合がある。心拍が速くなり、手のひらに発汗し、動悸が激しくなる。一目惚れと転落の恐怖は、実は共通点がとても多いのかもしれない。

吊り橋研究の結果を、異例なものとして片づけることはできない。実際わたしたちは、周りの状況を手がかりにして、自分がどんな感情でいるのかを判断することが多いのだ。コロンビア大学の心理学者スタンリー・シャクターとジェローム・シンガーが、一九六〇年代に行った有名な研究がある。この研究では、アドレナリンを知らされずに注射された学生が、「サクラ」の行動につられて、陽気になったり怒ったりした。つまり、薬物によって引き起こされた身体的興奮を、「サクラ」の扇動の仕方に応じて、「自分はいま楽しんでいるのだ！」、または「自分は怒っているのだ！」と解釈し、それに応じた行動を取ったのだ。

わたしの以前教えていた学生が、状況と感情の奇妙な関係を、身をもって体験した。かれは女友達とインドを旅行中、吊り橋研究にヒントを得て、自分でも実験をすることにした。かれは女友達に気があったのだが、残念ながら彼女の方はかれの好意に応える気がないようだった。そこでかれは、自分の手で何とかしようと思ったわけだ。速くて危険なオートリキシャ〔原動機付軽三輪車〕で、デリーの町中をスリルいっぱい疾走することが、血を疼《うず》かせるにはうってつけだとかれは考えた。彼女はスリルのドキドキを、隣に座る人物、つまり自分に結びつけて考えるに違いない。成功することまちがいなしだ！　かれは勢いよく手を振って、ターバンを巻いた声の大きい大男が運転する、猛スピードのオートリキシャを止め、狭く騒がしい曲がりくねった道を行くよう指示した。女友達は車にしがみつき、目を大きく開き、髪は風に吹かれてぼさぼさになった。リキシャがようやく停車すると、彼女は這々《ほうほう》の体で降り、衣服の乱れを直した。「それで」、とかれはいい気になって尋ねた、「どうだった？」。彼女はぐっと身を寄せ、かれの目をのぞき込んで、こう囁いたそうだ。

「リキシャの運転手、ステキじゃなかった？」

特定の状況に対して、他人がどんな反応を見せるかを予測するのは、容易なことではない。自分の感情でさえ、予測できないことがあるのだから。人は今下した決定を、自分が将来どう思うようになるだろうと考えるとき、今の気持ちをもとにして予測する。そうすることで、この講で見てきたようなバイアスにとらわれることが多いのだ。たとえば人は、自分の将来の感情を過大評価するきらいがある。印象強いシナリオだけに目を向け、それがどのような状況で起きるかということは考えもしないからだ。スポーツファンは、自分の贔屓《ひいき》のチームが負ければがっかりし、勝てば嬉しいだろうと予測するかもしれない。だがその予測には、たとえばその日の天気や通勤、仕事の締め切り、家族との夕食といった、全体的な感情状態に影響をおよぼす、その時々の要素が計算に入っていない。

また感情は実際より長く持続すると考えられがちだ。今日昇進して有頂天になっている人は、二ヶ月後も有頂天な気持ちでいられると思うかもしれない。だが実際には十中八九、新しい職務にすぐに慣れてしまうだろう。たとえ宝くじに当たったとしても、長期的な幸福度が高まることはない。だがその反面心強いのは、衝撃的なできごとが呼び起こす後ろ向きの感情も、思ったほど長く続かないということだ。家族のだれかが亡くなったり、自分がガンと診断されたり、体が不自由になるといったできごとが起こっても、最初は深い悲しみや嘆きを感じるが、時間がたてば立ち直るものだ。

こうしたバイアスを相殺するには、ポール・エクマンのような専門家の範に倣《なら》うべきなのかもしれない。自分が何を予期していたかを思い出し、現実と照らして誤りを認識し、必要な修正を行う。そうやって自分の行動を分析し、改善するのだ。

だがこれを感情について行うことはできるだろうか？　ティム・ウィルソンと同僚たちの研究が、ここでも事をややこしくする。ウィルソンらは二〇〇〇年アメリカ大統領選挙の前に、政治に熱心な有権者を集め、ジョージ・W・ブッシュが当選した場合と、アル・ゴアが当選した場合とでは、自分がそれぞれどれくらい嬉しい気持ちになるかを予想してもらった。ゴアの敗北宣言の翌日、かれらは再び有権者に連絡を取って、いまどんな気持ちがするか尋ねた。それからさらに四ヶ月後、有権者に次の二つの質問をした。（A）選挙前はどんな気持ちだったたか、（B）ゴアが敗北した時どんな気持ちだったか。ブッシュ、ゴアどちらの支持者も、以前の二度の調査時に感じていた気持ちを正確に思い出すことができなかった。どちらの支持者も、選挙前に自分が持っていた感情の強さを過大評価していた。敗北宣言後の気持ちに関しては、ブッシュの支持者は実際よりずっと嬉しく、ゴアの支持者はずっと悲しかったように記憶していた。

どうやらわたしたちは、過去の感情を思い出すのも、将来の自分の感情を言い当てるのと同じくらい、下手なようだ。しかし前講で見たように、わたしたちは自分自身が一貫性のある、分かりやすい人間だと思いたいという欲求を持っているため、自分の感情や意見について、意味のある物語を組み立てるのだ。たとえばこの研究の協力者なら、自分にこう言い聞かせたのかもしれない。「忠実な民主党員である自分は、ゴアの敗北に、がっかりしたに違いない」。わたしたちは自分の将来の感情を予測するのも（「もちろん、ゴアが負けたらがっかりするに決まってるさ！」）、他人の感情を予測するのも（「ボブは熱心なリベラル派だから、ゴアが負けたら動転するだろう」）、基本的に同じ方法でやる。こうした予測は一見、正しいように思われても、実は都合の良い作り話に過ぎない。このようにしてわたしたちは、一貫性に欠けることの多い、本当の気持ちや好みのギザギザの端を滑らかにしていく。

第5講

選択は創られる

ファッション業界は、色予測の専門家と契約をしている。が、専門家は予測ではなく、流行を創っているのでは？　人間の選択を左右する外的要因を考える

I．色の選択

実はわたしは自分の選択を、ほかの人にすっかり任せてしまうことがある。選択でこんなにたくさん「まちがう」方法があることを考えると、自分がしなければならない選択を、アドバイスを求めるふりをしてほかの人に肩代わりしてもらいたくもなる。そうすれば選択の責任を取る必要もないし、頼まれた人だって、喜んで相談に乗ってくれることが多い。あなたが眉をひそめているのは知っているけれど、口で言うほどずるいことではないのだ。

たとえばネイリストを訪問するとき、わたしは百を超える色の中から、好きな色を選ばなくてはならない。色は大まかに四つのカテゴリーに分類されている。赤系、ピンク系、無色透明、そしてもっと奇抜な色、たとえば〝イエローキャブ〟や〝スカイブルー〟など。わたしは目の見える人たちのようには、色にうるさくないのだが、個人的には無色が気に入っている。無色というからには、それほど色は入っていないはずだが、ピンク、パール、シャンパンなど、二

○を超える色がある。
「無色の中では、どれがわたしに似合うかしら？」。わたしはネイリストに尋ねる。

「断然〝バレエ・スリッパーズ〟ですよ」。彼女は答える。

「断然〝アドーラブル〟よ」。わたしの隣に座っているお客が言葉を挟む。

「なるほど。その二色はどう違うの？」

「そうね、バレエ・スリッパーズは上品な感じ」

「アドーラブルは華やかよ」

「それで、どんな色なの？」

「バレエ・スリッパーズはうすーいピンクよ」

「アドーラブルは透き通ったピンクね」

「どう違うのかしら？」

「どちらもお似合いだけど、バレエ・スリッパーズの方が上品で、アドーラブルは華やかな感じよ」

もしわたしの目が見えたとしたら、頭の中で選んでいるときの独り言は、こんな風になるのかもしれない。でも現実には目が見えないのだから、そのうちにあきらめて、実はどうも違いがよくわからないの、と告白する。口に出しては言わないが、彼女らが「上品」とか「華やか」といった、曖昧な形容詞に飛びつくくらいなのだから、二つの色合いはそう変わらないのでは、と勘ぐってしまう。でも二人の意見が一致することが、一つだけある。「任せてちょうだい。目が見えたら、きっとあなたにも違いがわかるはずよ」

そうだろうか？　たしかにそうかもしれない。なにしろインドのことわざでも「サルはショウガの味を知らず」〔猫に小判の意〕というではないか。言い換えれば、単にわたしが色のグラデーションの繊細な美しさがわからないのがいけないということになる。でも自分がこのことわざのサルだと認める前に、彼女らの言い分を検証しなくてはなるまい。そこでわたしは研究者の肩書きを身にまとって、コロンビア大学の二〇人の女子学生を対象に、試験的研究を行った。学生たちは、アドーラブルかバレエ・スリッパーズのマニキュアのどちらかを、無料で試すことができた。女子学生の半数には「アドーラブル」と「バレエ・スリッパーズ」のラベルのついたビンを見せ、残りの半数にはただ「A」と「B」というラベルのついたビンに、同じ二色を入れて見せた。

色に名前がついていたグループでは、協力者一〇人のうちの七人がバレエ・スリッパーズを選び、残りがアドーラブルを選んだ。また協力者はバレエ・スリッパーズを、二色のうちの濃く鮮やかな方と表現した。もう一方のグループでは、六人がA〔実はアドーラブル〕を選び、こちらの色の方が濃く鮮やかだと説明した。残りの四人はB〔バレエ・スリッパーズ〕を好む人と、どちらでも構わない人の半々に分かれた。何人かは、どう頑張っても二つの色を識別できなかった。もしラベルがなかったら、二つをまったく同じ色と見なしていたかもしれない。実際、「A」と「B」というラベルを貼ったビンを見せられたグループの三人が、だまされていると思い込み、まったく同じ色のビンを区別させられていると言って、わたしたちを非難したほどだった。

わたしが興味を覚えるのは次のことだ。二つの色は実際ほとんど見分けがつかなかったのに、特に何らかの名前を与えられたとき、二色の間にたしかな違いが生まれたのだ。色の名前を見た学生の大半が、バレエ・スリッパーズを選んだ。それだけではない。名前だけを見せられたとき、全員が一様に「アドーラブル」より「バレエ・スリッパーズ」という名を好んだのだ。これは単なる偶然とは考えにくい。むしろ、どういうわけか名前のおかげで、色がよく見えたか、少なくとも違いがあるという感覚が生まれたようなのだ。

わたし自身は、名前に影響されて色がよく見えたり悪く見えたりすることはない。だから、それぞれの色のできるだけ客観的な描写がほしかった。皮肉にも、目の見えないわたしが、目に見える特性にこだわっていた一方で、目が見える人たちは、色の「パッケージ」全体を吟味していた。わたしが名前などどうでもいいと思い、名前がつくと色が不純になるような気がしたのは、色が見えなかったからにほかならない。しかし目の見える人は、色の「パッケージ」を全体として評価しなくてはならなかった。彼女らは、純粋に色だけを見て選んでいたわけではない。商品をできるだけ魅力的に見せるようにパッケージし、市場に位置づける、視覚文化という文脈に照らして選んでいたのだ。

色の名前は、一見ごく表面的な特性でしかないように思われるが、実はわたしたちの知覚を左右する目的でつけられているのだろうか？　もしそうなら、わたしたちは自分の感覚や、それをもとにして行う選択を、本当に信用しても大丈夫なのだろうか？　これらの問題について考えるために、これからめくるめく色の世界に足を踏み入れてみよう。

Ⅱ．流行は創られる

デイビッド・ウルフは、聞くところによれば、六〇代後半の、中肉中背の男性だそうだ。きちんとしているが洒落た眼鏡に、白髪交じりの髪、細かく整えたあごひげが、高級リゾート焼けに映えている。わたしがかれに初めて会った二〇〇八年六月、アシスタントのスノーデンは、かれのことをこんな風に説明してくれた。黒いボタンシャツ、白と褐色の縞模様の麻のパンツに、褐色の三つボタンのスポーツジャケットを合わせている。ヘビ革をあしらったローファーと、ジャケットの胸ポケットにたくし込まれた深紅のポケットチーフが、装いを引き立たせている。人目を引くが、けばけばしくはないそのいでたちは、会場を埋め尽くした、ファッション・デザイン、アパレル製造、卸、小売業界の名だたる大物たちを前にして、演壇に立つにふさわしかった。

この日ウルフは、ファッション・トレンドにおける「着心地の良さ」へのこだわりや、業界に現在見られる「スタイル統合失調症」について語った。贅沢なリゾートウェアを賞賛し、救命具ほどの大きさのネックレスを紹介し、イヴ・サンローランの死を悼んだ。だがかれの話の眼目であり、聴衆の多くがわざわざ聴きに訪れたのは、ほかでもない、今後ファッションがどうなるのかという予言だった。たとえばこれからは「リトル・ホワイト・ドレス」が、ご婦人のワードローブの定番として、今までの「リトル・ブラック・ドレス」に加わるだろう、といった断言だ。それからの数日にわたって、かれはきっかり一時間ごとに、毎回百人を超える聴衆を相手にプレゼンテーションを繰り返した。地味な茶系やベージュの服から、シマウマ柄のピンヒールや目が覚めるような青色のストッキングまで、百人百様のファッションに身を包んだ業界関係者は、一、二ヶ月後、一、二シーズン後ではなく、一、二年後に流行るファッションをズバリ予測するかれのご託宣に、熱心に聞き入った。

ウルフのプレゼンテーションの会場となっていた、ドネガー・グループの本社から一歩出ると、そこはもうマンハッタンのガーメント地区だ。ミッドタウンの西にあるこの地区は、二〇世紀初頭から、ファッションのデザインと製造の中枢を担ってきた。だが講義室でのレクチャーが生み出した成果を見るには、さらにダウンタウン寄りの地区、ソーホーのブロードウェイを散策した方がいい。ここの歩道は、流行に敏感な「ファッショニスタ」たちであふれている。鮮やかな蛍光グリーンの薄手のブレザーを着た、二〇代の男性がいる。数歩後ろには、裾をふくらはぎの真ん中まで折り上げたロールアップ・ジーンズをはいた五〇代の女性が、特大の赤いサングラスと、おそろいの真っ赤なソックスで注目を集めている。ティーンエイジャーについては、説明するまでもないだろう。ほら、向こうのベンチにも一人、だらりと腰掛けて、色とりどりのアイパッチをつけ直している若者がいる。

しかしこれほど多彩な色やスタイルの中にも、いくつかのパターンがあることがわかる。鮮やかな原色はとても人気があるようだし、寒色系の色も目につき始める。草色のシャツ、緑がかった青色のブラウス、濃青色や空色のドレスにスカート。これらの色の補色、たとえばマスタード・イエローやバーント・シエナ（赤茶色）も、ときおり登場する。花柄は明らかに流行っているし、ゆったりとしたドレスもそうだ。過去の流行の影響は、一九八〇年代風の派手な色のレギンスに表れているが、一九七〇年代のベルボトム・ジーンズや一九九〇年代のチビTシャツは見られない。だが「次に流行するもの」を次々と的中させてきたウルフにとっては、こうしたすべてが想定内なのだ。

ウルフは傾向予測業界で三〇年近くにわたるキャリアを重ね、一九九〇年にクリエイティブ・ディレクターとしてドネガー・グループに参画した。ドネガー・グループは、ファッション業界に君臨する、ほんの一握りの予測会社の、最大にして最有力な存在である。千社を超える顧客を抱え、事業運営に最も有益な情報を提供すべく、ファッション業界をデザイン、商品化計画、小売を含む、開発の全段階にわたって研究している。そしてその成果を、流行色のカラーパレット、化粧品のトレンド予測を満載した「ビューティ・ブック」、そして先に紹介したような講演など、さまざまな形態で顧客に提供しているのだ。

「色」という、ファッションと重複する分野では、アメリカ色彩協会が同様のサービスを行っている。一九一五年に創立された協会は、年に二度会合を開いて、婦人、紳士、子供服や、家具、調度品、食器、電子機器を含むインテリア・デザインの分野で、二年後に流行する二四色を予測する。このような色予測を購入する顧客は、実にさまざまだ。ファッションメーカーは当然、この情報を参考にコレクションをデザインし、販売計画を立てる。でもそれだけではない。オフィスの改装を計画している証券会社、ウェブサイトに流行色をあしらおうとする科学機関、パワーポイントを使ったプレゼンに今風な感じを持たせたい一般企業など、予測には実にさまざまな使い出がある。

ウルフと会った夏、わたしとアシスタントのスノーデンは、色彩協会の婦人・紳士服委員会の会合にも同席させてもらった。マンハッタンのミッドタウン地区にあるオフィスは、床から天井まで白に塗られ、一つの壁面にはファブリック（織物）が掛けられ、別の壁面は美術本をぎっしり詰め込んだ本棚で覆われていた。部屋の中で一番目につくものが、中央テーブルの前の壁を占領していた。それは色とりどりの小さな図形が集まってできた巨大な四角形で、一見デジタル画像か、フォトリアリズム画家チャック・クロースの作品のクローズアップを思わせるが、実は色のスペクトルを表したものだ。いくつもある大きな窓から差し込む自然光が、頭上にとりつけられた明るい蛍光灯の光と混じり合って、広々とした印象的な空間を、隅々まで照らしていた。コットン・インコーポレイテッド〔コットンの需要促進を進める団体〕やデパートのサックス・フィフス・アベニュー、またドネガー・グループなど、著名企業や団体の代表が名を連ねる委員会は、二〇〇九―二〇一〇年秋冬シーズンの色予測を協議するために、ここに会していた。

メンバーは一人ひとり、「色見本」のプレゼンテーションを行った。色見本とは、インスピレーションをかきたてるイメージをポスターボードに表したもので、芸術作品や、彫像、モデル、陶器、静物などを描いた絵や、自転車乗り、花、葉、その他奇抜で目を引く物体の写真が多かった。たとえばあるメンバーの見本は、ヤギひげを生やした男性が、ダルマシアン犬に熱烈にキスしている写真だった。おとぎ話に出てくる雪玉のような、珍しい色の円がたくさん描かれたものもあった。

メンバーはこうしたイメージを見せながら、時代の風潮を象徴するようなできごとやトレンド、近いうちに世界に文字通り「彩り」を与えるであろう文化現象などを例に挙げて、話を進めていった。S・J・C・コンセプツの社長サル・セザラニは、メトロポリタン美術館で開催された、スーパーヒーローのコスチュームをテーマにした展覧会を引き合いに出し、明るい飽和色と漫画本にインスピレーションを得た模様やパターンが流行る兆しが見られると言った。ドンギア・ファーニチャー・グループの社長シェリ・ドンギアは、建築家フランク・ゲーリーが、実業家バリー・ディラーのインターネット技術会社の本部として、チェルシーに建てた新しいビル〔IAC本社ビル〕について、興奮した口ぶりで語った。ニューヨーク・タイムズに寄稿する建築評論家ニコライ・ウルソッフによれば、この建築は「遠くから見たときが、一番見栄えがする。チェルシー地区の風雨にさらされたレンガ造りの建物の間に望むとき、奇妙に切り出された形は周りの空を映し出し、表面が溶けているかのように見える。しかし北側に回れば、より対称的で鋭利な形になり、重なり合う帆か、ナイフを並べたようなプリーツを連想させせる。南側から見ると、さらにがっしりした形に見える。見る角度によって絶え間なく変化するこの性質が、建物の外観に謎めいた美を吹き込んでいるのである」。この変幻自在の建物の提唱者が、ドンギアその人だった。見る人の位置と気分によって変化するように思われるその外観が、明るい色への欲求を駆り立て、個人の知覚経験の重要性を喚起するのだという。

わたしはこうした断片的なできごとや建造物が、普通の人の色の好みにどれほどの影響を与えるのか、今ひとつピンと来なくて、「なんだか混乱してしまったわ」と独りごちた。続いてサックスの紳士服ファッション・デザイナー兼副社長マイケル・マッコーが、「エコ・ルーションン」というテーマで、委員会にプレゼンテーションを行った。要するに、環境保護運動に触発されて、天然染料や地球に優しい素材、アース・カラーの利用への関心が高まるという考え方だ。この話には納得がいったが、かれが提示した証拠には、それほど心動かされなかった。メンバー全員がプレゼンテーションを終えると、委員会は予測を合成して、「カラーカード」を完成させた。

予測会社や団体は、このような内部での話し合いのほか、カルバン・クラインやラルフ・ローレン、マイケル・コースといった著名ファッション・デザイナーにも助言を求める。デザイナーも、予測会社から聞く話に大いに関心を持っている。デザインがコンセプトから最終製品になってショップに並ぶまでには、最長で二年ほどかかる。そのためデザイナーは、未来のファッションを垣間見ることで、新しい洋服のラインの成功確率を大幅に高めることができるのだ。それにデザイナーは予測会社との会話を通して、トレンドや色の予測を作品にとり入れようとしている、競合他社の情報を探り出すことができる。たとえばカルバン・クラインは、やってはいけないことを知るために予測を購入していると言われている。「トレンド情報を購入せずに成功しているデザイナーは、世界中に一人もいないと言ってもいいでしょう」。デイビッド・ウルフは言った。「ファッション・デザイナーにとっては、もう研究開発の一環になっているのです」

小売業者も当然、将来の流行スタイルに関心を寄せる。かつてはパリ、ミラノ、ロンドン、ニューヨークのランウェイで、主要なファッション・デザイナーがお披露目するファッションを把握していれば事足りた。だが今日では、世界中の主要都市でファッション・ウィークが開催されているし、数万の中小ブランドがインターネットや口コミを通じて販売を行っている。そんなことから小売業者は、最新流行の分析と報告を、予測会社に任せるようになった。しかもその最新流行は、ほかならぬ予測会社が、デザイナーとのつきあいを通して、多少なりとも方向づけているのだ。このような連携の結果として、店頭に並ぶ洋服は多くの特徴を共有することになる。別々に作られていても、すべて同じ情報をもとにデザインされているからだ。もしあなたのお気に入りのシグナルレッド〔信号のような鮮やかな赤〕が流行を過ぎ、緋色が新しい流行色になったなら、旧シーズンの在庫処分の箱をあさらない限り、どう頑張っても自分の好きな色の服を見つけることはできなくなる。

「予測」はますます自己成就的になりつつある。デザイナーが、黒に代わって白が新しい流行色になると信じて、白いドレスしか作らず、店が白いドレスしか注文しなかったら、消費者はそれを購入するしかないのだ。あなたがたとえ時流に逆らおうとしても、たとえ洋服に無頓着であっても、それでもあなたの選択は、その時々の流行の影響を受ける。このことを見事に説明したのが、映画『プラダを着た悪魔』でメリル・ストリープが演じた、ファッション誌の攻撃的な編集長だ。若いアシスタントが、ファッションなど単なる「代替物」にすぎないとばかにすると、編集長は待ってましたとばかりに、彼女の鼻をへし折る。

この……代物《しろもの》ですって？　ああ、そう、そうなの。あなたはこういうことが自分と何の関係もないと思っているわけね。あなたは今朝クローゼットに行き、なんていうか、そのもっさりした青いセーターを選んだ。ほかに考えることがあるから、何を着るかなんて気にしてられない、とでも言いたげにね。でも、あなたは知らないでしょうけれど、そのセーターはただの青色でも、ターコイズ色でもラピス色でもなくて、実はセルリアン色なの。二〇〇二年にオスカー・デ・ラ・レンタが、セルリアンのドレスのコレクションを発表したことなんて、どうせうかつにも知らないんでしょう。それに、たしかあれはイヴ・サンローランだったはず、セルリアンのミリタリー・ジャケットを発表したのは。そんなわけで、セルリアンは八人ものデザイナーのコレクションで次々とお目見えしたのよ。それからだんだんデパートに行きわたり、とどのつまりがあの哀れっぽいカジュアル・コーナーにたどり着いて、在庫処分の箱からあなたに救い出されたってわけ。けどね、その青色は何百万ドルものお金と、数え切れないほどの人たちの仕事を象徴しているの。あなたがファッション業界とは無関係に、自分でセーターを選んだ、なんて顔をしているのは何とも滑稽なのよね。あなたの着ているそのセーターは、この部屋にいる人たちの手で、あなたのために選ばれたのよ、山のような選択肢の中からね。

さらに一歩さかのぼって、こう言うこともできる。オスカー・デ・ラ・レンタがセルリアン色のドレスを作ったのは、流行色の予測会社が「セルリアンのシーズン」が来ると予言したからだ、と。すると、流行を生み出すという手の込んだプロセスは、陰謀というよりは、「ニワトリが先かタマゴが先か」ゲームのおしゃれ版なのかもしれない。どちらが先に来るのだろう、顧客か、デザイナーか？　わたしたちはファッションを作っているのだろうか、それともファッションがわたしたちを作っている？　考えれば考えるほど、答えは指からすり抜けていく。

ファッション業界や関連業界を構成するさまざまな主体は、商品を宣伝するために、「持ちつ持たれつ」の方針で動くことが多い。サックス・フィフス・アベニューなどの小売業者は、ストアに近々お目見えするスタイルを、店頭に並ぶやいなや記事に取り上げてもらえるように、コスモポリタン、GQといったファッション誌に事前に知らせる。デザイナーはファッションショーを催し、ヴォーグなどのファッション誌の写真家やライターに、特別招待状をばらまく。雑誌は最新のトレンド情報を手に入れ、デザイナーは無料でコレクションを宣伝してもらえるというわけだ。そのほかデザイナーは、テレビ番組や映画の中で、自分の商品を使ってもらえるよう手を回し（あなただって『セックス・アンド・ザ・シティ』の主人公キャリー・ブラッドショーのドレスや、ジェームズ・ボンド・モデルの腕時計を喜んで身につけているかもしれない）、最新作を俳優やミュージシャン、パリス・ヒルトンのような社交界の名士に提供することも多い。セレブリティが盛大なプレミアやナイトクラブでパパラッチに写真を撮られ、それが雑誌やタブロイド紙の表紙を飾れば、自分のデザインした洋服も注目を集めることになる。デパートの買い物相談係やインテリア・デザイナーは、カクテル片手に業界関係者と懇談しながら、顧客に勧めるものを決める。わたしがファッション業界人との会合から何か学んだことがあるとすれば、それはこの業界ではだれもが知り合いで、だれもが同じ目的をもっていることが多い、ということだ。

業界がめざすのは、できるだけ多様なメディアを通じて、消費者を商品に触れさせ、さまざまなレベルで感化し、いわゆる「単純接触効果」を創出することだ。単純接触効果とは、心理学者のロバート・ザイアンスが一九六〇年代に行った研究で提唱した原理で、人は特定の対象や考えに何度も接するうちに、その対象にますます好意的な感情を持つようになるというものだ。ただし、当初から対象に、好意的ないし中立的な感情を持っていることが条件となる。ザイアンスが一九六八年に行った研究では、漢字を読めない人たちに同じ漢字を二五回見せ、そのたびごとに漢字の意味を当てさせた。その結果、協力者は漢字を目にする回数が増えれば増えるほど、ますます好意的な意味を当てるようになったという。たとえば「ウマ」や「やまい」だったのが、「しあわせ」になるなど。知らない漢字を何度目にしても、その意味に関する情報が得られるわけではない。したがって、人々が漢字そのものに抱く気持ちが、接触が増えるとともに好意的なものになっていったことを、この結果は示唆している。単純接触効果は、日常生活のさまざまな現象を説明する。子ども時代からの好物料理は、おふくろの味が一番、と感じるのもそうだ。最新ファッションが店やカタログで大々的に宣伝され、知り合いが身に着けているのを見たときに、わたしたちが感じる気持ちも、この現象で説明がつく。

そのうえ、新しい流行が登場すると、わたしたちはそれが急速に広まりつつあるという印象を受ける。まったく関係のない小売業者が、同じ流行の商品を一斉に店頭に並べ始めると、供給だけでなく需要も動いたのだと思い込んでしまうのだ。実はこの変化は、将来需要がシフトするという予測が促したものかもしれないのだが、それでも人々の選択に影響をおよぼす。商品との接触が増え、それが世の中に受け入れられつつあるという印象が強くなると、ますます多くの人がそれを購入し、そのことでさらに接触が増え、印象も強まる。この過程を通じて、予測者やファッション専門家の予言の正しさが立証され、かれらがおしゃれな予言者に見えてくる。「ずるいのは、これが自己成就的予言だということです」。デイビッド・ウルフに、トレンド予測と予測の操作が紙一重なのではないかと尋ねたとき、かれはそう認めた。「ファッションに関して言えば、予測はこれ以上ないというほど入り組んだシステムです。選択を操作し、そして提示する。正直に言えば、操作をしているのは、わたしなんですがね」

もとは言語、色知覚、選択の間の複雑な関係の研究として始まったことが、奇妙でいささか気味の悪い、犯人捜しになってしまった！　わたしは一種の詐欺を発見してしまったのだろうか？　もしそうなら、犯人はだれだ？　ウルフは自白したも同然だったが、顧客に対する犯罪容疑でかれを当局に突き出すつもりはなかった。ウルフを筆頭とする予測者たちは、「顧客が何を選択するかを事前に知っていた」と主張していたが、その根拠はかなり疑わしいものだった。スーパーヒーローがスパンデックス繊維を愛好することが、人々の選択に影響を与える、などというのだ。だが、予測者が選択肢の数を減らしてくれるおかげで、普通の人にも、ファッションのトレンドや色が簡単に「選択」できるようになっているのも事実だ。セルリアンか、ターコイズか、ラピスかという難しい問題を、わたしの手から引き取ってくれるのだ。もちろん、わたしに異存があるはずもなかった。

わたしが出席した色彩協会の会合に話を戻すと、最終的な予測色は四つの分類に分けられ、一枚の「カラーカード」の形にまとめられた。カラーカードには、一連の予測色から生まれたいくつかの「物語」が記されている。たとえば二〇〇九―二〇一〇年秋冬シーズンの婦人服色予測の「ミューズ」という物語には、エラトー（紫）、カリオペ（オレンジ）、クレイオー（緑がかった青）と名づけられた色が登場し、「前衛的庭園《アヴァンガーデン》」はエデン（ターコイズ）、クロコダイル（茶）、バーベナ（緑）から成っていた。このような名前は、色の特性を表しているわけではなく、予測者がデザイナーに伝えようとするニュアンスを、一言で表したものだ。たとえばある緑系の色を名づける方法について、予測者のマーガレット・ウォルチはこんなふうに語っていた。「わたしたちがクローバーと名づけようとしているこの色ですが、たとえばエメラルドとか、アイリッシュ・グリーンなどという名で呼ぶこともできるわけです。でもこういった名前は、的確ではあるけれど、現代人の注目を引くことはできないんじゃないでしょうか？」

名前と物語は、色のパッケージの一部であり、マニキュア実験で明らかになったように、このパッケージは製品が見える人たちにとって、かなり重要な要素なのだ。もちろんわたしは、こうしたパッケージをばかげたものとはねつけ、目の見える人たちの国では盲目の女性が女王なのだと、高らかに宣言することだってできる。でもそんなわたしでさえ、だれにも劣らず、簡単に惑わされてしまう時があるのだ。

Ⅲ．ブランドを飲んでいる

ケーブルテレビの人気番組『ペン・アンド・テラーのでたらめだ！』で、マジシャン芸人コンビのペンとテラーが、ミネラルウォーター産業を取り上げた回があった。二人はまず、ミネラルウォーターと水道水の質的な違い（のなさ）を示す証拠を洗い直してから、味の問題について考えた。ミネラルウォーター会社は、健康に良いだけではなく、水道水よりおいしいという触れ込みで、商品を宣伝する。しかしペンとテラーがニューヨークの町中で、通行人にミネラルウォーターのエビアンと水道水を、どちらかわからないようにして飲んでもらったところ、七五パーセントの人が水道水の方がおいしいと答えた。

調査の第二段階は、屋内のしゃれたレストランに場を移した。俳優を「水ソムリエ」に仕立て上げ、何も知らない食事客に、革表紙の立派なミネラルウォーターのメニューを見せた。メニューには、「マウント・フジ」、「ロー・デュ・ロビネ」といった名前が並び、高いものには一びん七ドルもの値段がついている。水ソムリエは、「天然の利尿剤、抗毒剤です」などと、各ブランドの能書きを説明し、お勧めを紹介した。水を注文した客には、ボトルから水をグラスに注ぎ、残りのボトルを氷の入ったワイン・クーラーに入れて、テーブルの隣にうやうやしく置いた。水ソムリエに味の感想を求められた食事客は、水道水より明らかにおいしく、「さわやか」で「口当たりがいい」と絶賛した。

読者の皆さんには、もうおわかりだろう。水が「天然の利尿剤、抗毒剤」なのはあたりまえ、そして「ロー・デュ・ロビネ」はフランス語で「水道水」の意味なのだ。実際、最高級のミネラルウォーターと称した水は、異国でボトル詰めされるどころか、どれも同じ、はるかにつつましやかな水源から採水されていた。レストランの裏庭の蛇口である。水ソムリエがホースとじょうごを使って、このえげつない行為に手を染め、それから中に入って、涼しい顔で顧客にミネラルウォーターの能書きを並べ立てたのだ。

ペンとテラーは科学的な正確さより、娯楽性に重点を置いていたかもしれないが、対照試験でも基本的に同じ結果が報告されている。そのうちの一つで、カリフォルニア工科大学とスタンフォード大学の研究者が、ワインの初心者に、五ドルから九〇ドルまでの値段がついた五種類のワインを試飲してもらい、味を評価させた。目隠しテストでは、どのワインも大体同じくらいの評価だったのに、いざ値段がつけられると、高価なワインほど評価が高くなった。実は協力者には内緒で、同じワインを、値段だけ変えて飲ませていたのだ。それなのに、高い値段がつけられたものほど、おいしいと評価されたのである。

製品ロゴの色や、製品そのものの色から、パッケージの形態に至るまで、あらゆるものが、こうした利き酒テストではとてもとらえ切れないような方法で、わたしたちの好みを左右する。なぜなのだろう？　わたしたちは、自分の好きなものがわからないのだろうか？　第3講で見たように、わたしたちは使用価値だけのために商品を選ぶのではなく、その商品を選ぶことで、自分の人となりを表そうとする。わたしたちが「ロー・デュ・ロビネ」や高価なワインを好むのは、裸の王様と同じなのかもしれない。自分のことを味覚が洗練されていない人、いやもっと悪いことに、高級品より安酒を好む人だなんて思いたくないし、他人にも思われたくない。だが、こうしたことは、もっと深いレベルでもわたしたちの選択を左右するのだろうか？　味覚の専門家ではない人、つまりほとんどの人は、かしこい選択をするために外部の情報に頼らなくてはならない。だがこれから見ていくように、情報には有益なものと、それほど有益でないものとがある。

たとえばあなたがミネラルウォーターを好むのは、水道水より衛生的だと思っているからだとする。そう思うのは、あなただけではない。ミネラルウォーターを飲む人の半数近くが、水道水の安全性に対する懸念を、少なくとも理由の一つに挙げている。しかもかれらは、ミネラルウォーターの優位性を示すデータを述べ立てる、白衣を着た広報担当に説得されたわけでもないのだ。決め手となったのはむしろ、いまわたしの机に鎮座している「クリスタルガイザー・ナチュラル・アルパイン・スプリング・ウォーター」のラベルに描かれているような、イメージなのだ。ラベルの正面には、源泉である、マウントシャスタの美しい自然が描かれ、背面にはこう書かれてある。「品質、味、新鮮さを保つために、湧き水をその場でボトリングしています。違いを感じてください」。ほとんどのミネラルウォーターのラベルが、「純粋」や「新鮮」、「天然」を謳い、山脈、湧き水、氷河など、荒野の奥に潜む手つかずの源泉のイメージを使って、それを視覚的に表している。それが暗に示すのは、このようなボトルに詰められていない水は、すべて不純で、人工的で、もしかしたら危険でさえあるということなのだ。この広告戦略は単純なようでいて、大きな成功を収めている。平均的なアメリカ人が一年間に飲むミネラルウォーターの量は、一九八七年には二二リットルだったが、その二〇年後にはほぼ五倍の一〇五リットルに達している。これは牛乳やビールの消費量より多いのだ。

もう少し詳しく調べてみると、ミネラルウォーターの魔法は、巧妙なトリックの働きによるところが大きい。クリスタルガイザーのボトルには、台所の蛇口から出る水よりも、品質が高い、おいしい、あるいは新鮮だなどとは、一言も書かれていない。競合他社のボトルだってそうだ。たしかに「違い」はあるのかもしれないが、それは何だろう、そして何と比べた違いなのだろう?

この戦術は、法律用語で「誇大広告」と呼ばれる。アメリカ連邦取引委員会（ＦＴＣ）はこの用語を、「一般の顧客が真に受けない」主観的な主張、と定義している。誇大広告とは、たとえば電池の広告の「エナジャイザー・バニー」の誇大表現や、「最高」、「画期的」、「高性能」、「グルメ」、「気に入ることまちがいなし」、「若返って見える」等々、聞こえはよいがほとんど意味のない決まり文句などだ。それでも人々が現に誇大広告を真に受けていることは明らかだ。少なくともマーケティング担当者が、売上の伸びに自信を得てこの手法を続けるほどには、効果があるようだ。

ミネラルウォーターの顧客は、誇大広告を真に受けたにちがいない。ボトル詰めされた「不老不死薬」に、リットルあたり水道水の一〇〇〇倍もの金額を支払っているのだから。しかし実はミネラルウォーター・ブランドの四分の一が、住宅や公共の水飲み器に水を供給する、公営の上水道から採った、水道水なのだ。ラベルはそれ以外の点では技術的には正しいが、製品はラベルの暗黙の保証を裏切ることが多い。たとえば「ポーランド・スプリング」というブランドのミネラルウォーターは、人工の井戸から採水している。しかもその井戸は、駐車場の真下にあったり、ゴミ集積場と違法廃棄物処理場跡地に挟まれていたりする。これらは定義からすれば「源泉」、つまりいつしか地表に湧き出てきたであろう地下水源であることはまちがいないが、ボトルのラベルが想起させるような、牧歌的な場所にはない。実際、連邦政府機関の定める水道水質基準は、ミネラルウォーターの水質基準より厳しく、より厳正に施行されるため、どんなミネラルウォーターも、まちがった意味で「違いがある」ことになる（ただし水道水もミネラルウォーターもほとんどの場合、絶対安全である）。

同じ会社が別ブランドを所有

自由市場には、わたしたちを粗悪品や無駄な製品から保護してくれる働きがあるはずだ。現に多くのブランドが競合する中で、人々が本当に必要とする優良品を提供しない企業は、生き残れないのではないか？　それに虚偽広告や誇大広告は、競合他社から必ず指摘、反論を受けるはずではないか？　いや、そうとは限らない。その製品を自社でも扱っている場合、製品を支えるコンセプトそのものの過《あやま》ちを暴くより、「敵」と共謀した方が利益になる場合があるのだ（この種の「持ちつ持たれつ」の関係に覚えはないだろうか？）。別々のブランドが、よくあるように、同じ巨大企業の傘下にあれば、積極的な協力が見られることさえある。

ブランドの差別化をめぐる狂騒の裏で、実はサンペレグリノもペリエも、その他の七七銘柄のミネラルウォーターとともに、同じネスレ傘下にある。そのような事情から、この業界ではコカ・コーラとペプシの間に見られるような、熾烈《しれつ》な広告競争が繰り広げられるはずがない。それにアメリカで最もよく売れているミネラルウォーター上位二銘柄を所有するのは、ペプシ（アクアフィーナ）とコカ・コーラ（ダサニ）だ。そのため、「ソフトドリンクより健康的」という、ミネラルウォーターが正当に主張できる数少ない利点が、積極的に宣伝されることもまずない。これはミネラルウォーターに限った話ではない。たばこ会社のフィリップモリスとR・J・レイノルズは、それぞれアルトリア・グループとレイノルズ・アメリカンの子会社であり、二社合わせてアメリカのたばこ市場の八〇パーセントを掌握し、四七の銘柄を抱える。キャメル、ベーシック、クール、チェスターフィールド、パーラメント、ウィンストン、セーラム、バージニア・スリム、それにもちろん、マールボロなど。そのほか、スーパーで見かけるシリアルは、ほとんどがケロッグかゼネラル・ミルズ製だし、化粧品の大半は、もとをたどればロレアルかエスティローダーが製造しているのだ。

ほとんどの商業分野で、製造業者による合併、買収、ブランド売却が進んでいる。こうした一握りの巨大企業は、商品が店頭に並ぶはるか以前に、傘下のブランドで何種類の商品を提供するかを、はっきり定めている。しかも、何種類もの商品を取り揃える目的は、本当の意味で製品の幅を広げるためではない。むしろイメージ的な違いを前面に押し出し、多様性に富んでいるという幻想を生み出すことによって、できる限り少ないコストで、できる限り多様な顧客の気を惹こうとするのだ。

一本一ドル三〇セントするクリスタルガイザーのボトルに入っているのは、一本一ドルのホールフーズの「365オーガニック」ブランドと同じ水源から採水された水だ。実際、スーパーのプライベート・ブランド商品の多くが、ラベルが違うだけで、中身はまったく同じである。またジェネリック（後発）医薬品は、ブランド医薬品と同等の効能を有することを、アメリカ食品医薬品局（FDA）によって義務づけられている。ジェネリック医薬品は、新薬と同じ会社が製造することもあるのに（その場合公認ジェネリックと呼ばれる）、新薬より価格が安い。たとえば抗コレステロール薬シンバスタチンは、アメリカの製薬大手メルクによって、「ゾコール」というブランドで販売されている。だがジェネリック医薬品もメルクの研究所で作られ、メルクのロゴを入れて、インドの大手製薬会社ドクター・レッディズ・ラボラトリーズを通じて販売されているのだ。

まったく同一でなくても、思った以上に似ている製品もある。化粧品ブランドのランコムとメイベリンは、イメージも、標的とする消費者層も、まったく異なるが、いずれもロレアルの傘下企業である。どちらのブランドのマット・ファンデーションも、同じ工場で製造され、配合もほぼ同じで、「コスメ警察官」の異名を取る化粧品専門家ポーラ・ビゴーンによれば、仕上がりにも検出できるほどの違いはないという。つまり、メイベリンの「ニューヨークズ・ドリーム・マット・ムース・ファンデーション」を八ドル九九セントで購入する代わりに、ランコムの「マジック・マット・ソフトマット・パーフェクティング・ムース・メイクアップ」を三七ドルで購入する客は、品質以外の何かにお金を払っていることになる。

なぜ企業は、何のとがめも受けずに、こんなことをやりおおせるのだろう？　それは、巨大企業が特定の商品だけでなく、見かけ上のライバル企業の経営をも支配しているからにほかならない。そのため、どれが本物の違いで、どれが作られた違いかを判別するのがとても難しいのだ。一般に、「安かろう悪かろう」というのが通説なので、もし安価な製品にも高価な製品に負けない効能があるなら、メーカーがその事実を宣伝するチャンスを見逃すはずがない。だが同じ一つの企業が両方のブランドを製造しているとなれば、話は別だ。この場合、同じ製品を二種類のブランドで、価格を変えて販売し、分厚い財布を持った人にたくさん支払ってもらった方が、全体としてより大きな利益が得られるのだ。

こうした戦術が積み重なった結果、わたしたちは多様な製品に囲まれているようでいて、実は質的に異なる選択肢の数は思ったよりずっと少ない。そのため選択が、非常に難しいプロセスになっているのだ。多大な労力をかけて、あり余る選択肢をやみくもにより分けていると、もしかしてだまされているのではないかという疑念が頭をよぎる。そこで賢明な判断を下せるように、誇大広告から身を守る手だてを求めて、インターネットやニュースに頼る。だがたとえ中立的な情報源の見解であっても、新しい発見によって今後覆されないという保証はない。そんなわけでわたしたちは、ますます多くの情報を求め、ますます混乱してしまうのだ。そのうちにめまいがして、こんな捨て台詞を吐くかもしれない。

「いろんな力がわたしの選択を操作しているからって、なによ。とにかくわたしはのどが渇いていて、水がほしいの。クリスタルガイザーで十分だわ。ピュアで爽やかな感じがするんですもの」

だれもささいなことでいちいちくよくよなんかしたくないし、そんな必要もない。だがもし選択に、自由と自己決定権の行使という意味があるというのなら、わたしたちは消費者として有意義な選択をしているふうを装うことで、自分を裏切っているのではないだろうか？

Ⅳ．人はなぜコカ・コーラを選ぶのか

二〇〇四年にヒューストンで行われた、興味深い目隠し味テストがある。

まず実験の第一段階ではごく単純に、協力者にコーラとペプシを、ブランドを隠して飲み比べてもらい、おいしいと思う方を選んでもらった。約半数の人がコーラを、残りの半数がペプシを選んだ。また協力者にふだんどちらのブランドを買うことが多いかを尋ねたところ、コーラとペプシで半々に分かれた。このとき興味深い事実が明らかになった。ふだん買っているもの（主観的な好み）と目隠しテストでの好みが一致した人と、一致しなかった人が、ほぼ半数に分かれたのだ。あまりにも意外な結果が出たため、研究者たちは実験がまぐれではないことを確認するために、同じ実験を人を替えて何度かやり直したほどだった。

もしわたしたちがコーラとペプシのどちらを購入するかを、味覚の好みで決めているつもりなら、好みはあまり当てにならないということになる。コインを投げて、表が出ればコーラを買い、裏が出ればペプシを買っても、同じような結果になるだろう。ここでは一体何が起きているのだろう？

実験の第二段階では、協力者を機能的磁気共鳴画像（ｆＭＲＩ）装置にかけた。これは強力な磁場を用いて脳の血流をとらえる装置である。その結果わかったのは、協力者が好きだと思っている飲み物を飲んでいるときの方が、腹内側前頭前皮質と呼ばれる脳の部位が、活発に動

いていたということだ。この脳の部位は、おいしいと感じたりする、基本的報酬の評価と関係がある。つまりこのときかれらは、カフェイン、糖分、香料の混ざった飲み物を、純粋に感覚的に評価していたのである。

もちろんふだんの生活でコーラやペプシを飲むとき、ブランドを隠して飲む人はまずいない。そこで追跡実験を行って、もう一度協力者にソーダを何度か飲んでもらい、その様子をｆＭＲＩでモニターすることにした。協力者には、飲んでいるソーダの種類を教えなかったが、実際はすべてコーラだった。このとき、半数の試行でコーラ缶のイメージを見せてから飲ませ、残りの試行では色とりどりの電球のイメージを見せてから飲ませた。ただし協力者には、イメージは飲んでいるソーダのブランドとは無関係だと告げた。この結果、実際にはコーラしか飲んでいなかったにもかかわらず、七五％の人が、コーラの画像を見てから飲んだ味の方がおいしいと答えたのである。またコーラのイメージを見たことで、脳のほかの部位の活動が活発になった。それは海馬と前頭前野背外側と呼ばれる部位で、どちらも過去の感情体験を参照するときに用いられる部位だ。言い換えれば、このとき協力者は、「ブランド」を味わっていたのだ。この実験をペプシの飲料とロゴで繰り返したときは、同様の効果は生じなかった。つまり、わたしたちはコーラに対して抱いているような親近感を、ペプシには抱いていないということになる。それはなぜなのだろうか？

何年も前、飛行機に乗っていたとき、この答えになりそうなできごとに遭遇した。フライトの飲み物サービスが回ってくると、わたしの隣席の客はコーラを頼み、ペプシ製品しかありませんと言われて憤慨した。「申し訳ありません、コーラはお出ししていないんです」。アテンダントは言った。「代わりにペプシはいかがですか？」。だがかれは、どうしてもペプシを受け付けなかったのだ。そこでわたしは、本当に味の違いがわかるのか、なぜペプシよりコーラの方がいいのか尋ねた。「違いがわかるか、ほんとのところは自信がない」とかれは答えた。「コーラはいつもしっくりくるんだ。なんというか、コーラはクリスマスのようなもんだ。クリスマスのない人生なんて、想像できるかい？」

ではなぜクリスマスを連想させるのはペプシではなく、コーラなのだろう？　コーラには成分として、炭酸水、ブドウ糖果糖液糖、カラメル色素、リン酸、カフェイン、天然香味料が記されている。ペプシもまったく同じで、しかもペプシの「天然香味料」の味まで、コーラとほとんど同じなのだ。もちろん、味の違いはまったくないとは言えない。特にペプシはやや甘く、コーラは、その名をもらったコカの葉でまだ風味をつけている（もちろんコカインを除去してからだ）。しかしこれらの違いはごくわずかであることが、標準的な目隠しテストで証明されている。それならわたしたちがコーラを好むのは、単に脳がコカ・コーラのロゴの中毒になっているからだけだろうか？

コカ・コーラは一八八六年に発明されて以来、攻撃的でしばしば巧妙な広告戦略を通じて、消費者の心とアメリカ文化の中にしっかりと根を下ろしてきた。コカ・コーラ社は、イメージが製品そのものより重要だということに、いち早く気がついた企業だ。この一世紀の間に数十億ドルもの資金を投じて、あのどこでも見かけるトレードマークと、特別な色合いの赤で塗られたおなじみの缶を、テレビ・コマーシャルや雑誌、広告、そして特にハリウッド映画に登場させてきた。コカ・コーラの看板は一九三二年以来、マンハッタンのツー・タイムズスクエア・タワーの看板の下段を占めている。同社は第二次世界大戦中、前線の後方でコーラをびん詰めするために、二四八人もの「技術顧問」を海外に送った。また人気画家のノーマン・ロックウェルに、アメリカの農場の少年たちが海水浴場でコーラを飲んでいる絵を描かせた。世界中から集まった若者たちが丘の上で「世界にコーラをおごりたい」と歌った七〇年代のコマーシャルを覚えている人がいるだろうか？　あの歌は、トップテン・ヒットになった。人々はお金を払ってまで、コカ・コーラのCMソングを聴いていたのだ！　コーラは単なる飲み物以上の存在なのである。

実際、コカ・コーラはいろいろなものを象徴しているが、その一つがクリスマスなのだ。サンタクロースを想像するとき、あなたはどんな姿を思い描くだろうか？　赤い服に帽子、黒いブーツにベルトを身に着けた、太った陽気なおじさんが、赤ら顔に満面の笑みを浮かべているイメージではないだろうか？　スウェーデン人画家のハッドン・サンドブロムが、世界中ののどの渇いた子どもたちにサンタクロースがコーラを届けている広告を描くようコカ・コーラ社に依頼されて、このイメージを生み出した。

「サンドブロムのイラストが登場する前は、クリスマスの聖人は、青や黄や緑や赤のさまざまな服を着ていた」とマーク・ペンダーグラストが著書『コカ・コーラ帝国の興亡　100年の商魂と生き残り戦略』（一九九三年、徳間書店）に書いている。「ヨーロッパの美術作品では、たいてい背が高くやせた人物として描かれていたが、クレメント・ムーアは詩『聖ニコラスの訪問』の中で、サンタを妖精として描いている。だがソフトドリンクの広告が登場してからというもの、サンタは大柄で肉付きのよい、太いベルトと腰までの黒長靴を身に着けた、陽気なおじいさんというイメージが定着した」

サンタの服がコーラのラベルとまったく同じ色の赤だということに、あなたは気づいていただろうか？　それは偶然ではない。コカ・コーラ社はこの色の特許を取得している。サンタクロースは明らかに、コカ・コーラの宣伝マンなのだ。

それだけではない。わたし自身の経験から言えば、コーラは自由を象徴する。わたしがベルリンに行ったという話は前にした。一九八九年一一月のベルリンの壁崩壊に続く祝典では、缶コーラが無料で配布された。それから何年もたった頃、コカ・コーラのマーケティング・キャンペーンについて研究しているとき、初めて無料コーラのことを思い出したのだった。そうだ、自由の勝利として讃えられたあの日、わたしはたしかにコーラを飲んだのだ。壁から削り取った色とりどりの破片を左手に持ち、右手にはコーラ缶を握っていた。もしかしたらわたし自身のコーラ好きも、そのとき動かぬものになったのかもしれない。わたしの中ではこのとき、コーラが、自由やその他のアメリカの理想と結びついたのだ。

二〇〇四年にタイムズスクエアの新しいコカ・コーラの看板がお披露目されたとき、ニューヨーク市長のマイケル・ブルームバーグは、テレビの全国放送でこう言った。

「この看板は、何よりもアメリカを象徴しています……。コカ・コーラ社は、これまでずっとニューヨーク市の偉大なるパートナーであり、アメリカの偉大なるパートナーでした。コカ・コーラ社は、すべての善きものを守るために戦ってきたのです」

わたしたちはこうしたメッセージに絶えずさらされており、その結果として、コカ・コーラのロゴを見るたびに良い気分になる。そしてこのような良い感情が、飲料の味にふくらみを持たせる。コーラの味は砂糖と天然香味料だけではない。自由の味がするのだ。

V. 投票行動は容姿に影響される

イェール大学心理学教授のジョン・バーグは、わたしたちの判断、意見、態度、行動、印象、そして感情が、意識的認識のないところでどのようにして形成されるかを、生涯の研究テーマとしている。その中でも、最も洞察に満ちた研究の一つを紹介したい。この研究では、ニューヨーク大学の学生三〇人を対象に、言語熟達度を測るという名目で、次のような課題を与えた。まずバラバラに並んだ五つの単語を見せた。たとえば「かれは、それを、隠す、見つける、すぐに」といった具合だ。そしてそのうちの四つを使って、文法的に正しい文章を作ってもらった。課題は二組用意し、どちらかをやってもらった。一方の組には、バラバラに並べた単語に、高齢者の様子や、高齢者に対する固定観念と関係のある単語を含めた。たとえば心配性の、年老いた、白髪の、感傷的な、賢明な、引退した、しわ、ビンゴゲーム（高齢者の間でブームになっている）、フロリダ（退職後の移住地として人気）といった単語だ。このとき、後に説明する理由から、遅さと関係のある単語は一切含めなかった。もう一方の組には、老齢とはまったく関係のない単語、たとえばのどが渇いた、きれいな、プライベートな、といったものを含めた。

さて協力者が作文の課題を終えると、実験者は協力に感謝して、廊下を先導して一行をエレベーターまで連れて行った。一行が研究室の戸口からエレベーターまで歩く間に、別の実験者がすべての協力者を観察して、廊下の約一〇メートル先に貼っておいたテープにたどり着くのに要した時間を計った。その結果、高齢者に関連した単語を使って短文を作った協力者は、もう一方の組の課題をやった協力者に比べて、エレベーターに到達する時間が平均で一五％長かったのだ。どちらの組にも、速度と関係のある単語はまったく含まれていなかったのにである。

この研究結果は、二つの理由から興味深い。第一にこの結果は、自動システムにも複雑な精神活動が可能であることを示している。協力者の思考は、高齢者に関連する言葉のパターンに気づいて記録し、それを「高齢者はゆっくり歩く」という既存の知識と結びつけ、さらにその「ゆっくり歩く」という概念を、自分の行動に適用した。しかも、このすべてを、意識的な気づきがないまま行ったのである。実験終了後、学生たちに、高齢者に関係のある言葉が含まれていたことに気づいたかと尋ねたときも、気づいたと答えた学生はいなかった。またかれらは、自分の行動が作文の課題に影響されたとは、まったく考えていなかった

第二に、潜在意識がわたしたちの行動の隅々にまで、しかも一般に選択とは見なされないものにまで、影響をおよぼし得ることを、これらの結果は示している。その究極の表れとして、わたしたちの歩く速度は、ボディランゲージ、表情、話し方などと同様、意識によって制御できるが、そのような制御を絶えず行使しようと努めない限り、自動システムの指図に従うことになる。ジョン・バーグはこう述べている。「日常生活における思考、感情、行動の大部分は、反射的なもので、意識的な選択や熟慮を一切経由せず、その時々の環境の特性によって動かされる」。氷山は、水面上に表れている部分が全体のわずか一〇分の一でしかないように、わたしたちの意識も、精神活動のほんのわずかな部分でしかない。実際、精神の水面下に沈んでいる部分は氷山よりさらに大きく、一説によれば精神活動の九五％が、潜在意識下で反射的に行われているという。意識が介入しないとき、外部の力が大手を振って、わたしたちの選択を左右することがあるのだ。

精神は記憶された情報を、アルファベット順や時系列、それにもちろんデューイ十進分類法などではなく、ほかの情報との類似性をもとに、体系化する。その結果、ある情報に接すると、それに関連する情報を簡単に（または否が応でも）呼び出せるようになる。そしてこの場合の

「情報」には、単なる事実だけではなく、たとえば手の動かし方、レモンの味、初めてキスしたときの気持ちといったものまでもが含まれる。この仕組みを、意図的に利用することもできる。たとえば試験勉強で語呂合わせを考えたり、鍵がどうしても見つからないときに頭の中で自分の行動をたどってみたり、思い出の品を見て昔を懐かしむなど。だが同様に、連想は日常生活での何らかの体験に対する反応として、不意に（しばしば意識的な自覚なしに）生じることも多いのだ。こうした条件反射的な連想を促すきっかけは「プライム」と呼ばれ、プライムがわたしたちの精神状態やその後の選択におよぼす影響は「プライミング」と呼ばれる。あなただって、レモンをかじると想像しただけであごの辺りがうずいたり、「思い出の歌」を何年もたってからラジオで聴いたとき、昔の恋人を思い出したりしたことがあるのではないだろうか？　これが「プライミング」の実例だ。コーラ缶を見るとコーラをもっとおいしく感じられたり、サンタのイメージを見るとコーラが無性に飲みたくなったりするのも、プライミング効果だ。

ここまで、広告その他がわたしたちの選択におよぼす影響について見てきたが、もしプライミングがなければ、こうした影響はどれも半減するだろう。わたしたちはセレブが身に着けている商品を買うとき、連想のおかげで、自分の魅力が少し増したように感じる。この咳止めシロップが好きなのは、本物の医者ではないがテレビで医者役を演じているあのハンサムな俳優を見ると、具合が悪くても心が慰められるからだ。その俳優が、あなたの喉痛の原因など知らなくても、かまわない。実際、これまでに作られたほとんどの広告が、そうお目にかかれないほど容姿端麗な男女を主役に据えているのは、プライミング効果を狙っているためでもある。テレビで美しい男女がデナムの歯みがき粉を使っているのを見ると、それを実生活で使うわたしたちも、かれらの魅力にあやかれるような気がする。ばかばかしく聞こえるかもしれないが、自動システム的には完全に筋が通っている。プライミングは、いわば脳内グーグル検索のように、ある考えに最も関連性の高いものをリストアップする。その際、両者の関係が、わたしたちのニーズにどれだけ役立つかということは、一切考慮されない。そして広告主はグーグルを活用するように、プライミング効果をうまく活用する術も学びつつある。

プライミングは、わたしたちの気分や感覚、選択に幅広い影響をおよぼし得る。プライムが喚起する連想は、それほど強力ではないが、強力である必要はない。わたしたちは連想がおよぼす影響に気づかないため、意識的に意思決定を行う際、その影響を打ち消すことができない。その上わたしたちはプライム自体を、無意識でしか認識しないため、自分が影響を受けたことにまったく気がつかないのだ。

サブリミナル・メッセージが、この典型例だ。映画などの大衆文化では、サブリミナル・メッセージを利用すればどんな行動でも引き起こすことができると言わんばかりに、その効果が誇張されることが多いが、本当の効果はずっとささやかなものだ。たしかにわたしたちの感情や選択は、わずか五〜三〇ミリ秒（一ミリ秒は一秒の一〇〇〇分の一）しかスクリーンに表示されない、単純な言葉やイメージに、無意識のうちに影響を受けることはある。一回のまばたきの速さが平均一〇〇ミリ秒だと考えれば、信じられないほど短い時間だ。「ビーフ」という単語が繰り返し挿入された映像を見た人々は、プライムの挿入されていない映像を見た人よりも空腹を感じたが、特に牛肉が食べたくなったわけではなかった。こうした本物の潜在意識メッセージは、意識的にとらえようとしてもとらえられないほどわずかな時間しか表れないもので、研究所の中だけにしか存在しない。だがわたしたちが日常生活の中で受けるどんな刺激も、意識的に注意しなければ、サブリミナルと同じ効果を持つことがある。

そう考えると、わたしたちは過剰なほど警戒していなければ（または警戒していても）、検出することさえできない影響に、ただ翻弄されるだけなのだろうか？　こうした油断のならない、洗脳的な力を相手に、いわば勝ち目のない戦いを挑んでいるのだろうか？　そうだとしたら、映画の迫力は増すかもしれないが、現実世界ではものごとはもう少し複雑なのだ。一つの理由として、わたしたちは人生を大きく左右するような選択を、ロボット・モードで下すことはまずない。朝目覚めて、「そうだゆうべ〝意識〟に無断で結婚したんだっけ」などと思う人はいない。プライミングが有効なのは、それが強力だからではなく、とらえどころがないからこそだ。プライミングは、確固たる価値観に逆らって行動するようわたしたちをけしかけるよりも、むしろ選択に周辺部からじわじわと影響を与える。つまり、プライムは、コーラを飲むかペプシを飲むかといった選択に影響を与えることはあっても、わたしたちに財産を処分させて余生をヒマラヤの男子修道院で送らせるようなことはできない。

他方、わたしたちの核心的な価値観や態度は、無意識の影響を比較的受けにくいが、いざその核心を行動に移す段になると、やはり影響は免れない。自動システムは、連想を形成し、それを行動に移す際、ささいな選択ときわめて重大な選択を区別しない。つまりわたしたちは、人生で最も重要な選択でも、自分の意に反する影響を受けることがあるのだ。たとえば、有権者は何かの問題について投票するとき、その問題に対する自分の考えをもとに賛否を決めるべきであり、それ以外のことはほとんど考慮に入れるべきではない。だがわたしたちは、住民投票などで直接投票するとき、無意識のうちに、投票の物理的環境に賛否を左右されることがある。

投票行動は容姿に影響される

これを証明したのがヨナ・バーガー、マーク・メレディス、S・クリスチャン・ウィーラーが行った研究だ。この研究では、二〇〇〇年に行われたアリゾナ州総選挙の結果を分析し、その中でも特に住民投票事項三〇一の投票結果について調べた。この投票は、州売上税を五・〇%から五・六%に引き上げて教育支出に充当することへの賛否を問うものだった。研究者たちは、投票が行われる場所が、投票結果に影響を与えるかどうかに関心があった。

アメリカの選挙では、教会や学校、消防署などが投票会場になり、有権者は自宅に近い投票所を指定され、そこで投票を行う。この時の選挙では、学校を投票所として指定された有権者は全体の二六%を占め、学校以外の場所で投票を行った有権者と比べると、学校を支援する住民投票事項三〇一に賛成票を投じた人の割合が、たしかに高かった。ただしこれには他の要因が働いている可能性もあった。たとえば、学校の近くに住んでいる人は、もともと教育熱心な人が多いのかもしれない。そこで、純粋に投票場所による効果であることを確かめるために、学校という場所が与える影響をまねた、オンライン実験を行った。性格検査という名目で、半数の協力者には学校のイメージを見せた後で、住民投票事項三〇一への賛否を尋ね、残りの半数には学校ではない、一般的な建物のイメージを見せた後で、賛否を尋ねた。その結果、やはり学校のイメージを見せられた人たちの方が、教育支援のための増税に賛成する割合が高かったのだ。

揺るぎない確信を持ち、毅然としている人は、こんな影響にさらされることはないのかもしれない。そうは言っても、価値観を揺るがすような問題のほとんどが、白黒をはっきりさせるのが難しいのだ。同じくらい望ましい、または望ましくない選択肢の間で、妥協点を探さなくてはならない場合も多いし、ときには問題を目の前に突きつけられるまで、まったく何も考えていなかったということもあるだろう。投票が行われる場所には、賛否どちらかの呼び水となりうる、感覚的な手がかり（プライム）が存在する。たとえば学校のチョークの匂いや、教会の祭壇に供えた灯明の炎といったものだ。学校に対する支出増が物価の〇・六％上昇に値するのかどうかについて、まだ心を決めかねている人たちや、投票用紙の記入所に行くまでこの法案のことなど知らなかった人たちに、プライムは影響をおよぼすことがある。

候補者選びはさらに難しい投票判断だ。この場合、一つの問題を取り上げるのではなく、総合的に見て、管轄地域を運営するのにふさわしい人物を選ばなくてはならない。そもそも何が望ましい政策で、どの候補者の選挙公約がそれに最も近いかを判断する難しさのほかにも、候補者の資質や信頼性などの、個人的要因を考慮に入れる必要がある。候補者の長所と短所を熟慮システムで分析する間にも、自動システムが、その分析に役立つかどうかわからない、さまざまな情報を吹き込んでくる。困ったことに、情報をふるい分けるフィルターがないため、有用な情報だけに基づいて最終決定を下したと自信を持って断言できない。

たとえばわたしたちは、候補者の外見が、その人物の能力とはまったくではないにせよ、ほとんど関係がないことを知りながら、外見に判断を左右されている。一九七四年のカナダ国政選挙に関する古典的研究では、最も魅力的な候補者たちの得票数は、最も魅力の薄い候補者たちの二倍以上だったとされている。また二〇〇七年に行われた研究で、協力者に選挙の候補者の写真を見せて、有能そうに見える候補者を選んでもらったところ、実際に当選者の七〇％を当てることができたという。しかも、候補者の写真を一〇分の一秒だけ見て判断した場合も、結果は同じだった。後続の研究もこれらの結果を裏づけている。そのほかの研究でも、公選職員は人口全体の平均に比べて身長は約一〇センチ高く、禿げでない確率も高いことが示されている。これは政治の世界に限ったことではない。さまざまな研究が、身長と年収が比例の関係にあることを明らかにしている。特に男性の場合、身長が二・五センチ高くなるごとに、年収も二・五％増え、また性別にかかわらず、非常に魅力的な人は、それほど魅力的でない同僚に比べて、年収が一二％も多いという。実際外見は、就職面接では職務資格よりも採用の決め手になることが多いのだ。それに刑事訴訟では、魅力的な被告人はそうでない人に比べて刑が軽く、刑務所に行かなくてすむ確率は二倍も高いのである。

今挙げたどの事例でも、人々は外見を判断材料にしたとは公言しなかった。もちろん、これほど浅はかで明らかに不当なことを認める人や、ましてや自分から告白するような人はまずいない。それにほとんどの場合、こうした偏見を持っていても、おそらく自分では気がつかないのだろう。わたしたちの頭の中では、外見的な魅力と専門的能力は、自然に結びついている。なぜなら、どちらも望ましい特質だからだ。その結果、わたしたちはどちらか一方に触れることが呼び水になって、もう一方を連想するのだ。このような連想は、文化を通じてさらに強化される。シンデレラに始まり、古今東西のテレビや映画のヒーローがその例だ。物語にこの「容姿端麗＝有能」の連想が組み入れられるのは、人々の願望を充足するためでもあり、長々しい生い立ちを省略して簡単、便利に登場人物を描くためでもある。だが悪影響として、このような連想が現実世界の判断にまで、条件反射的に適用されることがある。日焼けや十円ハゲは、ファッション写真は別として、どんな分野であっても考慮に入れる必要がない要因だ。しかしそれでも、重大な決定を下すときもいつの間にかしのびこんでくるのだ。

投票用紙の順番も有意に影響を与える

プライミング効果自体が、目を見張るほどの影響をおよぼすことはまれだが、人々の行動上のかすかな変化が、世界全体にとてつもなく大きな影響を与えることはある。二〇〇〇年の悪名高い大統領選挙を覚えているだろうか？　フロリダ州を除くすべての州の開票を終えた時点で、アル・ゴアが一般投票で勝利し、選挙人投票でも二六七票対二四五票で、ジョージ・W・ブッシュを上回っていた。大統領に選出されるには、全米の選挙人票五三八票のうち、過半数の二七〇票を獲得する必要があったため、二五人の選挙人を抱えるフロリダ州が、勝敗のカギを握ることになった。ところが最終結果は、投票日から一ヶ月以上たってもまだ確定しなかった。その理由は、フロリダが激戦州だったことと、投票用紙の様式に問題があったせいで、非常に多くの無効票が出たからだ。パームビーチ郡の紛らわしい「バタフライ投票用紙」のせいで、アル・ゴアに投票しようとした数千人が、誤ってパット・ブキャナンに投票してしまった。その上この投票用紙は、投票者が穴を空《あ》けるパンチカード方式だったのだが、穴がうまく空かず、自動開票機で読み取れなかった数千票が無効になったのだ。投票結果をめぐる論争から、一部の選挙区で再集計が行われ、事件は最終的に最高裁判所にまで持ち込まれた。騒ぎが収まると、フロリダ州政府は、ブッシュが五三七票差で勝利したと宣言した。ちなみに州全体で再集計が実施されていれば、アル・ゴアが一七一票差で勝利していたはずだという報道もあった。

だが驚くべきことがもう一つある。それは、バタフライ投票用紙と、パンチ穴の混乱だけが、ブッシュ勝利の決め手ではなかったということだ。これらはまさに利用者軽視の典型であり、きちんとした投票用紙の設計者であれば、こういう事態が起こることは十分予想できたはずだ。しかし選挙に決着をつけたのは、実はブッシュの名前が投票用紙の最上部に書かれていたという事実が引き起こした、行動変化だったのかもしれない。この背後には何の魂胆もなく、党利党略さえなかった。投票用紙に記載する順番の決め方は州によってまちまちで、そのことは、順番が重要視されていないことの証しでもある。氏名のアルファベット順という州もあれば、党名のアルファベット順、また現職候補を先に記載する州もある。投票区ごとに順序を替えて、全候補者が平等に表示されるよう配慮している州は、ほんの一握りでしかない。そして問題のフロリダ州では、現職知事と同じ党に所属する候補者の名前が最初に記されることが、条例で定められていた。二〇〇〇年当時のフロリダ州知事はジョージ・W・ブッシュと同じ共和党員の（そして弟でもある）ジェブ・ブッシュだったため、ジョージが筆頭に記載されたのである。

なぜこれが重要だというのか？　スタンフォード大学教授のジョン・A・クロスニックは、二〇〇〇年大統領選挙に関する調査を、オハイオ、ノース・ダコタ、カリフォルニアの各州で行った。これらの三州では投票順序を入れ替えているため、候補者の名前が投票用紙の最上位に記載されていたときと、下方に記載されていたときの、両方の場合の得票数を調べることができた。その結果、ブッシュであれ、ゴア、ブキャナン、ネーダーであれ、投票用紙の最上位に記載された候補者が、きわめて有利だったことがわかった。中でもカリフォルニア州では、ブッシュが実に九・五ポイントも有利だった。すべての州と候補者で見た場合、平均的なアドバンテージは二パーセントだった。政治の世界で二％といえば、どんな候補者も喉から手が出るほど欲しい大きな違いだ。たとえば一九六〇年の大統領選挙で、ケネディとニクソンの得票率差は、わずか〇・二％だった。ブッシュはフロリダ州ではつねに投票用紙の最上位に記載されていたため、同州でこの効果がブッシュにどれだけ有利に働いたかを測ることはできなかったが、控えめに全体平均の半分の一％と見積もっても、ブッシュは投票用紙の最上位に名前が記載されるという、まったくの幸運によって、五万票も多く得票したことになる。もし記載される順番が入れ替えられて、この票がゴアと二分されていたなら、世界中のパンチ穴を集めても、ブッシュを救うことはできなかっただろう。そして世界は今日、違う場所だったかもしれないのだ。

Ⅵ．プライミングに影響されない選択は可能か

だれだって、人生では有意義な選択をしたい。だが選択肢に与えられた社会的価値や、どのような選択肢が最善かというわたしたちの信念、そしてわたしたちの感覚や感情までもが、他人によって操作されている現状で、それは叶わぬ願望でしかないのだろうか？　ある意味で、現実の世界を映画『マトリックス』の世界になぞらえるのは、思った以上に的を射ているのかもしれない。反乱軍のリーダーであるモーフィアスによれば、コンピュータの生み出した仮想現実空間であるマトリックスは、「神経による対話可能なシミュレーション」だ。映画では、シミュレーションはきわめて邪悪なものとして描かれる。これを認めようとしない人間の登場人物で、真実を知りながら、マトリックスの生み出す心地よい幻想にも魅力を感じているように思われる人物は、鼻持ちならない男で、反逆者でもある。かれは名をサイファー〔暗号、ゼロなどの意〕といい、長年レジスタンスにいたのだが、同志を裏切る見返りに、マトリックス

の世界に戻してもらおうとする。「無知は幸福だ」、とかれは言う。サイファーはその名においても、態度においても、意味と対立し、ひいては真実と対立する。この映画のように「われわれ」と「かれら」をはっきり区別できるとき、悪役を仕立て上げるのはとても簡単だ。しかしだれもが「一枚かんで」いるとき、つまりわたしたちが集団として、選択のシステムを作り上げている現状では、「現実」とそうでないものを区別することすらできないのではないだろうか？

この世界では一人ひとりの脳が、シミュレーターの巨大ネットワーク内のノード〔ネットワークへの接続ポイント〕、つまり個々の「神経による対話可能なシミュレーター」として機能しているとも言える。すべてのシミュレーターの活動が集まってこの世界を作っており、また各人は自らのシミュレーターを通して世界を理解している。他のシミュレーターの影響を逃れる唯一の方法は、ネットワークから抜け出し、すべての接続を切断して、自分の頭の中だけで生きることだ。

わたしは何も、広告やプライミングなどの影響を、社会的交流につきまとう、やむを得ない影響と割り切って、一切無視すべきだと言っているわけではない。わたしたちの決定に影響をおよぼすさまざまな主体や担い手を、批判精神をもって分析することは、まったくもって有意義なことだ。だがわたしたちは、『マトリックス』で言う、赤い薬か青い薬か、つまり超・自覚か幸福な無知かのどちらか一方を選択する必要はない。自分の行動におよぶかもしれない影響を自覚することは必要だが、だからと言って、必ずしもそれに反するような決定を下すべきだということにはならない。たとえば環境保護派が、ポスターにアザラシの赤ちゃんのクローズアップ写真をあしらうのは、〔赤ちゃんアザラシにいわれのない恐怖を持っていない人にとっては）たしかに感情操作だ。だがそれを目にした人々に、二酸化炭素排出を抑えさせる効果があるのなら、操作についてあれこれ心配する必要はあるだろうか？　あなたがペプシよりコーラが好きで、実はその好みが製法の違いではなく、広告キャンペーンによって作られたものだということがわかったとしても、あなたにとってコーラの方がおいしいという事実は、少なくとも当面の間は変わらない。これからはノーブランドのコーラに乗り換えて少々節約しながら、ノーブランドでもコカ・コーラと変わらずおいしいのだと、脳にゆっくりと再教育をほどこしてもいいし、あるいは自分はコーラを味わっているだけでなく、コーラを味わうという行為を味わっているのだと言い聞かせてもいい。それにあなたの知る限り、コカ・コーラ社はボトル詰めに児童労働を用いていないのだから、この際もう気にしなくてもいいではないか？

わたしたちは自分の決定権が脅かされそうな気配を感じると、反射的に拒否反応を示すことが多い。わずかでも決定権を放棄すれば、やがてロボット同然になってしまうのではないかという恐れがあるからだ。この不安はあながちいわれのないものではないが、過剰な不安は何も生まない。問題は、わたしたちが選択を理想化しがちなことにあるのかもしれない。選択をあまりにも偶像化し、すべてを自分の意思で決めることができてあたりまえと考えているのだ。もしかしたら、自分の価値観を脅かすような影響と、基本的に無害な影響とに分けて考えた方がいいのかもしれない。そうすれば、自分の理性のプロセスを意識的に分析して、有害な影響に少しは対抗することができる。

味覚に関するささいな操作程度なら、問題ないではないか。それに、たとえあの青いセーターが、自分の気に入った色合いの青でなくても、目をつぶって買えばいい。だが自分の投票行動が、自分の気づきもしない要因に影響されているとなると、マインドコントロールの可能性はもはやＳＦとは思えなくなる。投票という、民主主義の根幹がいとも簡単に揺るがされるというのなら、世界を動かしているのは一体だれなのだろう？　それこそ、わたしたちが問うべき問題だ。本当に重要なことだけに目を向ければ、長い目で見ればどうということのない決定にとらわれることもなくなる。ここで節約した労力を、熟慮システムに回せばいい。次講で紹介するような選択に対処するためには、熟慮システムをフル稼働させなくてはならないのだから。

第6講

豊富な選択肢は必ずしも利益にならない

私が行った実験の中でもっとも多く引用され、応用されている実験にジャムの実験がある。ジャムの種類が多いほど売り上げは増えると人々は考えたのだが

I.ジャムに巻き込まれる

わたしが行った選択に関するさまざまな研究のうちで、もっとも人口に膾炙《かいしゃ》しているのが、「ジャムの研究」だ。

フィデリティ・リサーチの社長は、わたしに会った時こう話してくれた。

「消費者は、選択肢が多いことが、すなわち良いことだと思い込んでいます。でも、ジャムの品揃えが多すぎると、購入率が下がるんですよね。当社はお客様に四五〇〇ものミューチュアルファンドを提供しているんですが、あの研究をスローガンにしましたよ。『し・ぼ・り・こ・め』ってね。社員には、お客様のために『絞り込め』と、いつもハッパをかけているんです」。かれはこうつけ加えた。「スライドを作ったので、お送りしますよ」

マッキンゼーの重役の話はこうだった。この研究を紹介する社内メモをきっかけに、同社ではコンサルタントが「三×三ルール」を実践するようになったという。まずクライアントに三つの選択肢の中から選んでもらい、そこから次の三択に進み、三組めの三択ですべてを完結させるのだ。選択肢を顧客に提示する際、この方法を、銀行や買い物代行業者、証券会社などが広く採り入れていると聞く。このことは、顧客に与える選択肢の数に上限を設けることが、幅広い支持を集め、実際に役立っていることの証左である。

わたしがジャム研究の熱狂的信者に出くわすのは、重役会議や仕事の会合だけとは限らない。一度など、長いフライトで隣り合わせた女性と、食料品の買い物のようなふつうの用事が本当にかったるいのよね、という話になった。「最近は店に行っても、商品が多すぎるのよ」。彼女はため息をつき、最近ニューヨーク・タイムズ紙で読んだという、ある研究について詳しく話してくれた。何年か前、だれかがスーパーマーケットで、ジャムを使った実験をしたらしい。その結果、ジャムの品揃えが豊富なときより、品揃えが少ないときの方が、お客が実際にジャムを買う確率が高かったというのだ。詳しいことは忘れてしまったが、自分がずっと感じていたことを裏づけてくれる気がして、妙に忘れられないのだ、と彼女は言った。

わたしがここ数年話をした多くの人たちが、飛行機で隣り合わせた女性と同じように、「多すぎる選択肢」というこの奇妙な考えに、幾ばくかの真実があると考えていた。とは言え、だれもが諸手を挙げて、この考えを受け入れたわけではない。研究報告は、本やトークショーなどで叩かれ、ラッシュ・リンボー〔ラジオ番組の司会者で保守派の論客〕などは、激しい攻撃演説でやり玉に挙げたらしい。この考えはどう見ても自由に反する！　そんな考えを広めるような輩《やから》は、権威主義、ナチズム、共産主義の信奉者にちがいない！　選択が普遍的善でないなどとは、笑止千万だ！

ジャム研究を行ったのは、このわたしだ。だからその輩はわたし、ということになる。しかし研究がとてつもない注目を集め、さまざまな形で語り伝えられている今となっては、もう自分だけの研究とは言えなくなってしまった。これほどの反響を呼んだのは、わたしにとって予想外のことであり、なぜなのだろうと、今なおその理由について考え続けている。話が語り継がれるうちに、キャッチフレーズが生まれた。「多いことは少ないことだ」。言い換えれば、選択肢が多いと、満足度や充足度、幸福度は低くなるということだ。豊富な選択肢が必ずしもわたしたちの利益にならないという、この目からウロコの発見は、一般文化にまで浸透し、面白おかしいゴシップやスキャンダルのように広まりつつある。「ちょっと、選択の話を聞いた？」。「聞いた、聞いた！　信じられないわよねえ？」この考えは、一見矛盾していて、まさかと思わせるところが、かえって人々の心をとらえるのだ。頭で考えるとなんか変だけれど、それでも気持ち的にはしっくりくることが、少なくとも時々はあるのではないだろうか？

わたしたちには自分で選択したいという欲求があるため、選択肢がある状態を、心地よく感じる。「選択」という言葉は、いつでも肯定的な意味合いを帯びている。逆に、「選択の余地がほとんどなかった」というのは、選択肢が少ししかない窮地に立たされた不運を弁解、説明する言い方だ。選択の余地があるのが良いことなら、選択肢が多ければ多いほど良いはずだという連想が働く。幅広い選択肢には、たしかに良い面がある。だがそれでもわたしたちは混乱し、圧倒されて、お手上げ状態になるのだ。「もうわからない！　選択肢が多すぎる！　だれか助けてくれる人はいないの？」。挫折に負けずに、選択肢の氾濫のマイナス面をプラスに変えていく方法はあるだろうか？　ありあまるほどの選択肢を前にしたとき、わたしたちの中では何が起こるのだろう？　そしてその結果、どんな問題が生じるのだろう？

Ⅱ．なぜ七という数字が多いのか

第2講で紹介した、アジア系とアングロサクソン系のアメリカ人の子どもを対象に、わたしが行った研究を覚えているだろうか。アジア系アメリカ人の子どもたちは、母親が選んだと思っているパズルを解くときが、最も成績が良かったのに対し、アングロ系の子どもたちは、自分で選んだパズルを解いたときの成績が最も良かった。先の説明では、研究の準備として行った予備作業を割愛したが、これからそれに立ち返りたい。実は、すべてはここから始まったのだ。

科学的研究では厳密な手法が求められる。そのため、選択が、二つの集団の子どもたちにおよぼす影響を比較する前に、まず選択の余地があることが、アングロ系の子どもたちに実際に良い影響をおよぼすことを証明する必要があった。選択がモチベーションに好影響を与えることは、数十年にもおよぶ理論や先行研究が実証してきたとおりだ。そのため、わたしは自分の研究でこれを証明することなど、朝飯前だと思っていた。もちろん、それはとんでもない思いちがいだった。

最初の調査は、カリフォルニア州パロアルトの幼稚園の三歳児を対象に行った。まず部屋をおもちゃで一杯にした。レゴ？　もちろん。エッチ・ア・スケッチ〔ダイアルを回して描くお絵かきおもちゃ〕？　ありますよ。スリンキー〔階段を下りていくバネのおもちゃ〕、ティンカートイ〔パーツを組み立てて車や動物などを作るおもちゃ〕、ジグソー・パズル、クレヨン、と にかくなんでも集めた。この部屋に子どもを一人ずつ連れてきて、好きなおもちゃで遊ばせた。

子どもが遊び終えると、次の子どもの番だ。しかしこのときの子どもには、遊ぶおもちゃを指定し、それ以外のおもちゃで遊ぶことを禁じた。このようにして次々と順番が回り、最終的に、半数の子どもが指定されたおもちゃで遊び、残りの半数が好きなおもちゃで遊んだ。二つの集団のうち、一方の集団は夢中で遊び、終了時間が来たときもまだ遊び足りなさそうだったのに対し、もう一方の集団は気もそぞろで、どうも意欲が湧かないようだった。さて、どちらがどちらだったのだろう？　答えは聞くまでもないだろう。選択はモチベーションを高めるのだから、おもちゃを自分で選んだ子どもたちの方が楽しんだにきまっている。ところが、結果はその逆だったのだ。一体なぜだろう？

当時若い大学院生だったわたしは、指導教官のマーク・レッパーに何とかしていいところを見せたかった。自分の至らなさを克服するために、何が何でも「正しい」実験結果を得ようと決心した。ところが何度実験を繰り返しても、同じことだった。そこで実験のやり方を若干変更することにした。単に楽しいおもちゃが足りないだけなのかもしれない。わたしはおもちゃ屋の棚という棚をあさり、最新流行の珍しくて斬新なおもちゃを取りそろえた。まもなく部屋は一〇〇種類を超えるおもちゃで埋め尽くされた。これで、どんなに好みがうるさい子どもでも、何かしら目新しくワクワクできるおもちゃを見つけられるはずだと、わたしは自信を持った。それなのに、事態は悪くなる一方だった。自由に選んでいいと言われた子どもたちは、ますますうんざりして落ち着かなくなり、逃げたくてうずうずしていた。すべてがふりだしに戻ってしまった。

わたしは選択の力を論じた先駆的論文の数々とにらめっこし（少なくとも、西洋における先駆的論文である。これらの研究は主にアメリカで、白人男性を対象に行われている）、細かい点を見落としていないか確認した。どの研究も一様に、人は年齢にかかわらず、選択する余地を与えられれば、満足度、健康、意欲が高まると報告していた。たとえ何曜日の晩に映画を見るか、どのパズルを解くかといった、ささいな選択であっても、効果は同じだった。また自分には選ぶ権利があるという認識を持つだけで、たとえ実際にその権利を行使しなくても、よい影響があった。もしこれらの実験的証拠が示すように、ほんのわずかな選択肢や、自分に選ぶ権利があるという確信でさえ、よい影響をおよぼすというのなら、選択肢の数を増やせば増やすほど、素晴らしい効果が得られるに違いない。この連想は、論理的に十分筋が通っていたため、あえてその正当性を検証しようという人はいなかった。主要な研究で、協力者に六つより多い選択肢を与えたものはなかった。最初に行われた研究で、選択肢の数として手軽で扱いやすい六が用いられ、その後の研究はそのまま先例に倣った。うまく行っているのだから、あえて変える必要はない、というわけだ。

最初の実験にヒントを得て、わたしは別の一連の実験を企画した。今回は、小学校一、二年生を一人ずつ部屋に入れて、マーカーを使ってお絵かきをさせた。一部の生徒には二つの選択をさせた。六つのテーマ（動物、植物、家など）の中から一つを選ばせ、それを描くマーカーを六色の中から一つ選ばせた。残りの生徒には、どのテーマを、何色を使って描くかを、こちらから指定した。この実験によってようやく、最初の実験でどうしても得られなかった結果が得られた。つまり、自分でテーマと色を選んだ生徒は、作業にもっと時間をかけたがり、選ばなかった生徒よりも（独立的な観察者の判定によれば）「良い」絵を描いたのだ。この実験によって、選択の余地が存在する状況が、アングロ系アメリカ人の子どもによい影響をおよぼすことを示し、ようやくアジア系アメリカ人の子どもとの比較研究の土台を作ることができた。

だがわたしは胸をなで下ろしながらも、おもちゃ実験の思いがけない結果が、どうしても腑に落ちなかった。なぜあの子どもたちには、お絵かき実験の子どもたちのように、選択が良い影響をおよぼさなかったのだろう？　幼すぎて、選択する能力が十分発達していなかったせいだろうか？　それともわたしは何かずっと大きなもの、選択のまだ解明されていない側面をつかみかけているのだろうか？　これを突き止めるには、「六」という数字に注目し、この数字が選択との間に結んだ、秘密協定を暴く必要があった。

ありがたいことに、現在はプリンストン大学の心理学教授を務めるジョージ・ミラーが、すでに詳細な調査を進めてくれていた。ミラーは一九五六年の論文『マジカル・ナンバー７±２：われわれの情報処理能力の限界』の中で、自分が「ある整数に苛《さいな》まれてきた」と告白している。その数字は、かれの後をどこまでもつけ回し、「そのしつこさといったら、ランダムな偶然をはるかに超えていた」という。たしかに「世界の七不思議、七つの海、七つの大罪、ギリシャ神話プレイアデスに出てくるアトラスの七人の娘、人生の七つの顔、地獄の七層、七原色、七音音階、そして七曜」など、七にまつわるものはいろいろとある。しかしミラーが何よりも関心を持っているのは、この数字と、人間に処理可能な情報量との関係なのだ。

たとえばある実験で、協力者に短い時間にいろいろな形を見せた後で、それを小さい順に並べてもらったところ、見せた形が七種類までの場合、順位付けは非常に正確だった。ところが形の種類がそれより多くなると、とたんにまちがいを犯すようになり、ちがう形に同じ順位をつけたり、同じ形に複数の順位をつけたりした。さまざまな知覚判断に同様の限界があることが、多くの先行研究により明らかになっている。たとえば点の位置、線の方向や曲率、物体の色や明るさ、音の高さや強さ、振動の位置と強さ、においや味の強さなどだ。どんな感覚でも、ほとんどの人が五つから九つまでのアイテムにしか対処できず、それを越えると知覚の誤りを一貫して犯すようになった。たしかに個数が多くなるにつれて、アイテム間の差も小さくなるかもしれないが、それだけではわたしたちの経験する困難を説明できない。五種類の高周波音も、五種類の低周波音も区別できるのに、その十種類をすべて区別しなさいと言われると、とたんに混乱してしまう。高周波音と低周波音はわけなく区別できるのだから、問題は音の特性ではなく、合計数にある。

またいくつもの物体や事実を同時に追跡しようとすると、へまをやらかしてしまう。たとえば真っ黒な画面に一個から二〇〇個の点を、数分の一秒間点滅させ、いくつ見えたか当てる実験では、六個くらいまでは正確な答えが返ってくる。だがそれ以上になると、答えは当てずっぽうになるのだ。それに数字や単語などの単純な情報のかたまりを短期記憶に保持するのは、七個が限界で、それ以上の数になるとすぐに断片が失われ始める。

わたしたちは選択を行うとき、今挙げたような処理能力の多くに頼っている。すべての選択肢を認識し、それらを比較して違いを見つけ、自分の下した評価を記憶し、その評価をもとに順位をつける。処理能力の限界のせいで、選択肢の数が増えるにつれて、それぞれの段階がますます手に負えなくなっていくのだ。そんなわけで、お絵かき実験の子どもたちは六つの選択肢に対処できたが、おもちゃ実験の子どもたちは、一〇〇もの選択肢に混乱したに違いなかった。最初の研究の「失敗」がわたしをミラーに導いてくれ、ミラーの奇妙な妄想のおかげで、わたしは選択の、重要で興味深い側面が見過ごされていることに気がついたのである。日々の選択に、選択肢の数が与える影響について、だれかが調べるべき時が来ていた。

ジャム実験は、このような経緯から生まれたのだ。

Ⅲ．品揃えが豊富すぎると逆に売り上げが下がる

プロイセンからアメリカに渡った移民、ギュスターブ・ドレーガーは、一九二五年にサンフランシスコにデリカテッセンを開いた。勤勉で進取の気性に富んだかれは、事業をみるみるうちに成長させていった。禁酒法解禁後、ドレーガーは酒屋の小さなチェーンを設立し、引退するまでに、サンフランシスコ初のスーパーマーケットをオープンした。後を継いだ息子たちが事業をさらに発展させ、第一号店は閉店したものの、新しい店舗を続々と出店した。

わたしは大学院生時代、ドレーガーズのメンロパーク店に足繁く通ったものだ。ここは夢のようなお買い物体験ができる店として知られている。アトリウムを支える、見事な彫刻をほどこした樫の柱、黒大理石のカウンター、落ち着いた色のセラミック製床タイル、二万本ものボトルがずらりと並ぶワインコーナー。これらをはじめ、ほかの無数の要素が相まって、一介の食料品店を、消費者至上主義という見せ物の繰り広げられる大劇場に変えていたのだった（その様子は、カメラを振り回すおなじみの日本人観光客が、しっかり記録していた）。

この店で最高級の調理鍋を買い求め、これまた売り物の三〇〇〇冊におよぶ料理本の中からレシピを選んで料理を作ることもできたし、二階で開催される料理教室でコツを教えてもらうこともできた。お腹が空いて家に帰るまで我慢できないという人は、店内のレストランで一〇ドルのグルメ・バーガーを食べてもよかった（ちなみにこれは一九九五年、マクドナルドのハンバーガーが八五セントだった時代の話だ）。店内の通路を練り歩けば、一五種類のミネラルウォーター、一五〇種類のビネガー、二五〇種類のマスタードに二五〇種類のチーズ、三〇〇種類

のジャム、五〇〇種類の農産物が揃っていた。オリーブオイルの数は控えめに七五種類だったが、お値段は控えめではなかった。一〇〇年以上熟成させたものは、鍵付きのガラスケースにうやうやしく飾られ、一びん一〇〇〇ドル以上もした。この豊富な品揃えは広告でも強調され、ドレーガーズの誇りと差別化の源泉となっていた。買い物客に紹介するために、試食コーナーが常設され、同じ商品の二〇から五〇種類ものサンプルを試食できるようになっていた。店は圧巻の品揃えでまちがいなく注目を集めていた。だがその注目は、売上に結びついていただろうか？

豊富な品揃えに勝るものはないと信じていた同店の店長は、わたしと同じくらい、この疑問に対する答えに関心を寄せていた。そんなわけで、わたしは店内に自分の試食コーナーを設置して、実験をやらせてもらうことになった（実験への思わぬ干渉を避けるため、店員には知らせなかった）。わたしは研究助手とともに、イギリス女王御用達のジャム会社、ウィルキン＆サンズの売り子になりすますことにした。このブランドを選んだ理由は、種類が豊富で品質が高かったからで、またジャムを選んだのは、マスタードや酢などと違って試食しやすく、ほとんどの人が好きか、少なくとも嫌いではないように思われたからだ。

試食コーナーは買い物客の目を引きやすい、入口近くに設置した。人好きのするスタンフォードの学生、アイリーンとステファニーの二人が、係を担当してくれた。数時間ごとに、試食に供するジャムの種類を、大きな品揃え（二二九ページ上の写真）と小さな品揃え（同、下の写真）とで入れ替えた。大きな品揃えでは、ウィルキン＆サンズの作っている二八種類のジャムのうち、二四種類を取り揃えた（試食客がいつも買っているという理由でジャムを選ばないように、イチゴ、ラズベリー、ブドウ、オレンジ・マーマレードの、一般的な四種類は外した）。小さな品揃えでは、キウイ、ピーチ、ブラックチェリー、レモンカード、レッドカラント（赤スグリ）、スリー・フルーツ・マーマレードの六種類を取りそろえた。

別の研究助手、ユージーンが、試食コーナー近くの高級調理器具売場に張り込み、ここから入店者数と、ジャムの試食に立ち寄った客の人数をこっそり数えた。その結果、二四種類のときは、買い物客の六〇％が試食に立ち寄ったが、六種類のときは買い物客の四〇％しか訪れなかったことが判明した（ユージーンは身を入れるあまり、姿を隠していた鍋売場で三〇〇ドルもするル・クルーゼ鍋を万引きしようとしているのではないかと、店員にあらぬ疑いをかけられたほどだった）。

その間試食コーナーでは、アイリーンとステファニーが、客にお好きなだけどうぞと試食を勧めていた。二四種類の時も六種類の時も、試食客が試食したジャムは平均二種類程度だった。コーナーに立ち寄った客全員に、ウィルキン&サンズのどのジャムにも使える、一週間有効の一ドル引きクーポンを渡した。ジャムを購入したほとんどの人が、受け取ったその日のうちに、クーポンを利用した。試食コーナーではジャムを販売しなかったので、顧客はジャム売場に足を運び、そこでジャムを選び、レジで支払いをする必要があった。ジャム売場でも、在庫を調べている店員が目撃された。実はかれも調査チームの一員のマイクで、そう、買い物客をこっそり観察していたのだ。二四種類のジャムを見た試食客は、とても戸惑っていた。びんを次々と手にとっては調べ、連れがいる場合は、どの味がいいだろうと相談を持ちかけた。こんなふうにして長いときには一〇分も迷った挙げ句、多くの人が手ぶらで去っていったのだ。これに対し、六種類しか見なかった試食客は、自分の好みに合うジャムがはっきりわかっているようだった。通路を大股でやって来て、一分ほどでびんを選び取り（レモンカードが人気だった）、

24種類のジャムの品揃え

６種類のジャムの品揃え

（上の写真ともに、ドレーガーズのメンロパーク店で）

それからほかの買い物を続けた。

　クーポンを集計した結果、驚くべき事実が判明した（バーコードから、購入客がどちらを試食したかがわかるようになっていた）。六種類の試食に立ち寄った客のうち、ジャムを購入したのは三〇％だったが、二四種類の試食の場合、実際にジャムを購入したのは、試食客のわずか三％だったのだ。大きな品揃えの方が、買い物客の注目を集めた。それなのに、実際にジャムを購入した客の人数は、小さな品揃えの方が六倍以上も多かったのである。

　この結果を店長に伝えると、かれはその意味について考え込んでしまった。ドレーガーズでのお買い物体験が圧倒的だということには、文句のつけようがなかった。しかしこの結果は、店の運営方法にどんな意味を持つのだろう？　豊富な品揃えを見て圧倒されることこそが、ドレーガーズに行く目的だという人が多かった。ドレーガーズへ行くことは、単なる買い物ではなく、娯楽でもあったのだ。でも店が繁盛するには、ただ訪問客や見物人を集めるだけではだめだ。店に来て手ぶらで帰っていく客の大半を、お金を使ってくれる顧客に変えなくてはならない。それなのに、素晴らしい品揃えは、購入客より、ただの見物客を引きつけるようだった。豊富な品揃えで店に呼び込んだ買い物客は、土産にジャムの一びんも買わずに帰ることも多かった。一体どうすれば、このような事態を避けられるのだろう？

　一つの対策として、ただ品揃えをするだけに終わっていた、試食コーナーの使い方を変えようと、店長は考えた。品揃えが豊富なのは、店内の陳列を見ればわかることだ。むしろ、特定の商品やブランドの選択肢を厳選して紹介するために利用すべきだ。このようにして試食コーナーは、ただの見せ物ではなく、選択のプロセスを補助する役割を担うようになったのだった。

ロングテール

あれから何年もたったが、選択が顧客と経営者の両方に突きつける問題は、難しくなる一方だ。わたしが「多すぎる選択肢」なるものがあるのではないかと初めて感じた一九九四年に、アメリカで販売されていた消費財は、すでに五〇万種類を超えていた。だが二〇〇三年になると、この数字はほぼ七〇万に増加し、今も増加傾向が鈍化する兆しは見られない。技術の進歩によって、わたしたちの暮らしには続々と新種の製品が入り込んでくる。たとえば携帯電話やコンピュータ、デジタルカメラなどは、暮らしに欠かせないものになり、あれよあれよという間に数え切れないほどの製品が出回るようになった。それと同じくらい重要なのは、前より多くの製品が市販されているだけではなく、それを手に入れる方法までもが多様化していることだ。典型的なスーパーマーケットの取扱品目は、一九四九年には三七五〇種類だったが、今では四万五〇〇〇種類を数える。ウォルマートなどの大規模チェーン店は、全米各地のアメリカ人に一〇万を超える商品群を提供している。足を伸ばしても探しているものが見つからない場合、数クリックすればきっと見つかる。インターネットのおかげで、いまや地元を超えてはるか遠くにまでリーチが伸び、ネットフリックス・ドットコムの一〇万種類ものDVDや、アマゾン・ドットコムの二四〇〇万冊もの書籍（をはじめとする、その他数百万品目の商品）、マッチ・ドットコムの一五〇〇万人もの独身者にまで手を伸ばすことができるのだ。

選択の「拡大」が、いまや選択の「爆発的増加」になった。ちょっと指先を動かすだけで、これほど多様なものが何でも手に入るようになったのは、素晴らしくて、大いに満足すべきことなのに、わたしたちはそのせいで悩まされもする。これだけ多くの選択肢があれば、友人の誕生日にぴったりの贈り物など、いとも簡単に探せるはずなのに、結局はずらりと並んだプレゼント候補の前で、途方に暮れてしまうのだ。本当に彼女らしいものは、何だろう？　どれが本当の「最高の」プレゼントだろう？　これもいいが、ほかを探せばもっといいものが見つかるのではないか？　まだまだ探し足りないのではないだろうか？　こんなふうに探し回っているうちに、ほとほと疲れてしまい、愛する人の誕生日を祝うという、本来喜びであったはずのことが、ただの面倒な作業になってしまうのだ。

このような豊かさは、あたりまえのように思えるが、だれにでも手に入るものではない。選択肢が多いことを疑問視すれば、贅沢なと責められるかもしれないし、何を大げさなと一笑に付されるかもしれない。さらに言うなら、わたしたちが選択についてどんな危惧を抱いていようと、そもそもこれまで多くの選択肢を要求し続けてきたのは、ほかでもない、わたしたち自身なのだ。こうした要求が叶えられてきたからこそ、今の状況がある。それに、選択の幅が拡大したことの恩恵を否定することはできない。

その一つとして、自分が探しているものがはっきりわかっている場合、その原版か、それが無理でも絶版本やレア録音は、以前よりずっと簡単に手に入るようになった。ネットフリックス、アマゾン、ラプソディ音楽配信サービスといったインターネット小売業者では、全売上の二〇％から二五％を、知名度が低いためにほとんどの従来型企業では在庫を持てないような商品が占めている。ハリー・ポッター・シリーズの最終巻は、発売当日だけで一一〇〇万冊売れたが、無名商品は年間一〇〇冊ずつしか売れないかもしれない。だが一〇〇冊ずつしか売れない百万冊の本は、まとめれば百万冊売れる一〇〇冊の本と同じくらい、大きな力になるのだ。

「ロングテール」と呼ばれるこの現象は、ワイアード誌編集長のクリス・アンダーソンが同名の著書『ロングテール──「売れない商品」を宝の山に変える新戦略』（二〇〇六年、早川書房）の中で論じたものである。このような名前がついた由来は、商品売上の棒グラフを販売高の多い順に左から並べると、販売高の少ない商品が、動物のしっぽよろしく、先細りで右に伸びていくからだ。

この現象は、小売業者にとっては朗報だ。テールを作る非売れ筋商品は、総売上数を大幅に押し上げる。それにメーカーや出版社が低い印税率で妥協するため、利益率が高い場合が多い。また消費者は、欲しいのにどこにも売っていない、珍しい、知る人ぞ知る商品を見つけて、大喜びする。だがそうは言っても、ほとんどの人が購入するものの大部分が、一般的な商品だ。こうした商品は、先のグラフではテールの反対側に位置するため、「ヘッド」と呼ばれる。テールから知名度の低い商品が購入されるときは、一般的な主流商品を購入した上で、そのつけ足しとして購入されるに過ぎないのだ。

ロングテールは、人が数百万もの選択肢に対処できることの証拠として、引き合いに出されることが多い。だがこの現象が見られるのは、書籍や音楽CDのように、ほかとはっきり区別がつく商品の場合だけだ。それに消費者が一生かけて収集するものは、せいぜい数千種類であることは言うまでもない。選択肢の見分けが容易につかないとき、あるいは最高のものをたった一つだけ選ばなくてはならないとき（デンタルフロスを各種取りそろえようなどという人はいない）、選択肢の多さは、もはや便利でも、魅力的でもなくなり、単にノイズを生み出し、わたしたちの集中を妨げるだけになってしまう。下手をすると、まったく同じ用途の大量の商品の中から、とほうもない時間をかけて、どれかを選ばなくてはならないはめになる。目の前に莫大な品揃えがあると、ちょっと検討しなければという強迫観念にとらわれるものだ。しかし、スーパーマーケットのシャンプーや猫用トイレといった商品は、一体何種類を超えると余計な選択肢になってしまうのだろう？

プロクター&ギャンブルの成功

この考えを実際に試し、「少ないことは良いこと」の方針を実践している企業もある。プロクター&ギャンブル（P&G）が、二六種類あったヘッド&ショルダーズのフケ防止シャンプーのうち、売上の少ないものを廃止して一五種類に絞ったところ、売上は一〇%も跳ね上がった。同様に、ゴールデン・キャット・コーポレーションは、小袋タイプの猫用トイレのうち、売上の少ない一〇種類を廃止することで、売上を一二%伸ばした上、物流コストを半減することができた。この結果、小袋タイプの分類全体で、八七%もの増益を記録したという。

相当数の企業が、顧客に提供する選択の数を減らすことで、利益を得るだろう。一見リスクが高いように思える戦略だが、そうではないことを裏づける証拠は増え続けている。ジャム研究が世に出て以来、わたしやほかの研究者は、品揃えの幅がおよぼす影響を明らかにするために、実験を重ねてきた。これらの実験には、選択が行われる実環境の条件をできるだけ正確に再現したものも多い。このような実験によって、人は比較的少ない数（四から六）の選択肢を与えられた場合、多く（二〇から三〇）の選択肢を与えられた場合よりも、実際にどれかを選び取る可能性が高く、自分の判断に確信を持ち、選んだものへの満足度が高いことが、一貫して実証されている。

ノイズを好む客もいる

もちろんだからと言って、ジョージ・ミラーの研究報告にあるように、たった「7±2」個の選択肢で我慢すべきだということにはならない。あなただって、実生活で選択の幅が広がって大いに恩恵を被った例を、反証としていくつも挙げられるはずだ。実際、人は基本的認知能力の限界に関する研究が示唆するよりも、ずっと多くの選択肢に対処することができる。買い物客はシリアル売場を訪れただけで、ノイローゼになるわけではない。むしろ、アメリカのスーパーマーケットの過剰性は、ときに身体だけでなく、心まで満たしてくれることがある。ドン・デリーロの小説『ホワイト・ノイズ』で、語り手は妻とスーパーマーケットを訪れた体験を、次のように回想している。

バベットとわたしは、あれこれと大量に買いこんだ。どっさり詰まった買い物袋が物語る豊かさ。そのずっしりとした重さ、大きさ、数。デイグロー社の特売シールのついた家族割引パック。こうした商品が、わたしたちの内に息づく温かな家庭に与えてくれる充足感、幸福感、満足感。わたしたちはようやく一人前になったような気がした。多くを必要とせず、多くを期待もせず、夜の一人きりの散歩を中心とした生活を送っているような人たちには、けっしてわかり得ない気持ちだ。

かれは自分のあふれんばかりのショッピングカートを、独身の友人の「一つだけの軽い紙袋」と比べている。だがそれだけではなく、より一般的に「豊かさ」の心地よさ、ありがたさについて語っているように思われる。消費に身を任せる快楽は束の間のもので、主に錯覚や妄想が生み出すものなのかもしれないが、ある瞬間、自分はまさにこれを求めていた、と感じることがある。『ホワイト・ノイズ』を読むとき、語り手の体験は薄っぺらく、不快に思われるかもしれないが、語り手自身はそれを明らかに楽しみ、貴重なものに思っている。にもかかわらず、スーパーマーケットはかれのような者にとってさえ、「ノイズにあふれた」場所なのだ。「単調な作り、カートの耳障りな騒音、ラウドスピーカーやコーヒーメーカーの音、子どもたちの泣き叫ぶ声。そしてそのすべてにかぶさるように、あるいはその底流のように、鈍い轟きがどこからともなく聞こえてくる。まるで人間の理解を超えた、何らかの生命の群がりのように」。もしかすると、このホワイト・ノイズの中には、わたしたちが手の届くところにあるすべての選択肢を受けとめようとするときに起こる、頭の中のうなりが含まれているのかもしれない。

多数の選択肢から選り分ける方法

人に対処可能な選択肢の数は、選択肢の性質によっても変わる。ロングテールの例のように、選択が頻繁に行われ、複数の選択肢を選ぶことができる場合、一つひとつの選択肢の重要性はそれほど高くないため、とことん検討する必要はない。だから、たとえば一〇〇曲のＭＰ３ファイルから選ぶのは、一〇〇種類のＭＰ３プレーヤーから選ぶことほど、気が重くない。とすれば、選択肢の種類によっては、何とか対処できそうなものがあるようだ。だがそうでない場合に、かぎりなく無限に近い選択肢の中から選ばなくてはならないとき、どうすればノイズに気を取られずに、いや気を狂わされずにいられるだろう？

一つの方法として、特定の領域での専門知識を培うことが、多すぎる選択肢に対処する手段になる。専門知識があれば、一つひとつの選択肢をより細かい部分まで認識し、別々の分割できない品目としてではなく、さまざまな特性の総体として理解することができる。たとえば同じ対象を見ても、見る人の専門知識のレベルによって、「車」、「スポーツカー」、「V12型エンジン搭載フェラーリ・エンツォ」というふうに、受けとめ方が変わってくる。専門知識の助けを借りて、対象をより細かいレベルまで理解することができれば、情報処理に関する認知能力の限界を、いろいろな方法で補い、対処できる選択肢の数を大きく増やすことができる。まず第一に、さまざまなアイテムを多面的に比較することで、区別できるアイテムの数が飛躍的に増える。ジョージ・ミラーは先の論文で、オーディオ音の聞き分け実験を紹介している。被験者に周波数だけが違うオーディオ音を聞き分けさせたところ、七種類しか区別できなかった。だが強度、長さ、空間的位置など、その他の特性にも違いがあるとき、一五〇種類もの音をまちがわずに聞き分けられたという。

それだけではない。人はアイテム全体よりも、それがもつ属性に選好を持つようになることがある。そしてその選好をもとにして大多数の選択肢をすばやく排除し、残りの少数に注意を集中するのだ。車の例で言うと、ある人が車を買おうとしているとする。希望はドイツ車のステーションワゴン、値段は三万ドル以下、荷物収納のために後部座席が折りたたみ式になっていて、サンルーフつきならなおよい。こんなふうに好みが具体的になればなるほど、選択の作業は簡単になる。その分野に通じていて、自分が欲しいものがはっきりわかっている人は、莫大な品揃えの中からでも、適切なものを選ぶことができるのだ。

このような専門知識の効果が組み合わされれば、選択肢への対処能力は飛躍的に向上する。学習や実践を通じて、いろいろな要素を単純化、優先付け、分類、パターン化する方法を学ぶことで、混沌とした状況の中に、秩序を作り出すことができるのだ。たとえば古今東西のチェスの名人は、二〇面指しや目隠しチェスといった離れ業を演じてきた。なぜそんなことができるのか？　第一にはもちろん、何万時間もの訓練の積み重ねにより、攻撃対象、キングの逃げ道といった重要な情報を、盤上から素早く読み取る方法を身につけたからだ。情報に基づく直感を培うことで、価値あるものとそうでないものとを区別し、その時々の状況に応じて、考慮に値する動きだけに照準を合わせることができる。最も有効な戦術だけを検討すればよいのだから、それほど頭脳を酷使せずに、いくつもの動きを頭の中で組み立てられるのだ。こうした戦術の一部は、定石になり、「シシリアン・オープニング」、「ボーデンのメイト」といった名がついているものさえある。また名人は過去のグランドマスターが同じような状況でとった戦法から学ぶことで、先人たちの叡智を利用している。一言で言えば、かれらは根性ではなく、要領で勝つのだ。

チェスの名人のめざましい記憶力の秘訣は、超人的な記憶術（だけ）ではなく、認知の効率化にもある。ある研究で、名人と初心者にチェスの盤面を五秒間だけ見せ、それを再現させたところ、名人の方が圧倒的に成績がよく、一度の試行で二五駒中、二三、四駒を正しく再現したこともあった。ただしそれは、現実の対局中に生じた盤面に限られた。駒をでたらめに配置した場合、名人の成績は初心者と変わらず、初見では二、三駒しか再現できなかったのだ。

専門知識というものの性質からいっても、選択を行う際には、環境の中に存在する膨大な数の選択肢の中から、選択者が実際に検討する選択肢を取捨選択することがカギとなる。一〇〇個の選択肢を直接比較して選ぶのは、専門家にとっても初心者にとっても、気の遠くなるような作業だ。そこで何とかして選択のプロセスを単純化しなくてはならない。専門家が初心者と違うのは、選択を単純化することで、より多くの選択肢を処理できる点だ。これができるおかげで、専門家は多くの選択肢から選ぶメリットを存分に活かすことができる。これに対して初心者は、選択の提供者によってあらかじめ絞り込まれた選択肢の中から選ぶことになるため、専門家ほどメリットを活かすことができない。また十分な絞り込みがなされていなければ、膨大な選択肢に圧倒されてしまう。

初心者が、対処しきれないほどの選択肢の中から選ばなくてはならない場合、どうすればよいだろう？　専門知識を培えるような状況にないときはどうだろう？　結局のところチェスとは、明確なルールと、「キングを詰める」という単純明快な目的をもつ、首尾一貫した、閉じたシステムでしかない。だがそれでもマスターするには、途方もない労力が必要だ。そう考えると、自分の目標や、それを達成する手段が定かでない状況で、しかも現実世界で専門知識を身に着けるのは、至難の業だ。一体どうすればよいのだろう？　これまで取り上げてきた事例では、多すぎる選択肢がおよぼす悪影響といっても、それほど重大なものではなく、せいぜいジャム売場で悩んで数分無駄にするとか、目隠ししたチェスの名人に負けて恥をかくといった程度だった。なぜならそれは、たいして深刻ではない状況の中で行われた選択だったからだ。しかしこれから見ていくように、「選択過多」の状況は、もっと重大で複雑な決定にも起こり得る。実際、多すぎる選択肢は、わたしたちの経済基盤や健康を損なうことすらあるのだ。

Ⅳ．多数のうなり

アメリカでは一九七八年に、４０１ｋと呼ばれる新しい退職金積立制度が導入された。従来型の年金制度では雇い主である企業だけが掛け金を拠出したのに対し、この「確定拠出型」の年金では、従業員が給与の一部を拠出して、さまざまなミューチュアル・ファンドで運用し、その収益を退職後に役立てる仕組みになった。従来型の年金には、積立不足や、転職先に移管できないといった、さまざまな問題があったが、４０１ｋはその多くを解決した。また新しい制度のおかげで、人々はより主体的に資産形成を行えるようになった。今日４０１ｋは、アメリカの退職年金制度の主流となっており、退職金積立制度の加入者の実に九〇％が、拠出した掛け金の全部又は一部を、確定拠出型年金で運用している。

４０１ｋも長期投資の類《たぐい》に漏れず、複利の効果を利用する。資産価格は、特に株式市場では短期的に大きく変動することがあるが、長期的には好況と不況の影響が打ち消し合って安定するため、めざましい累積リターンを生み出すのだ。二〇〇八年に、株式市場が四〇％という大恐慌以来最悪の下げ幅を記録した後でさえ、スタンダード・アンド・プアーズ総合五〇〇種株価指数（Ｓ＆Ｐ５００）の過去二五年間の年平均投資収益率は、まだ一〇％台を保っていた。この率でいくと、二五歳の人が、拠出した掛け金を毎年Ｓ＆Ｐに一〇〇〇ドルずつ投資していけば、六五歳で定年を迎える頃には、総計四万ドルの掛け金が五〇万ドルもの巨額に膨れ上がっている計算になる。これはインフレーションを考慮に入れていない数字だが、インフレは貯蓄にも投資にも等しく影響するため、４０１ｋプランのリターンは、インフレ調整後も銀行預金の一〇倍以上とみて差し支えない。

その上拠出金とその運用益は、退職して資金が引き出されるまでの間、課税が繰り延べられる。税金で差し引かれるはずの金額も運用に回すことができるため、効果は絶大だ。しかもほとんどの企業が、従業員の拠出額に上乗せする「マッチング拠出」を行っている。上乗せ率は企業によって異なるが、七〇〇〇ドルを上限として、従業員と同額を拠出する企業は珍しくない。つまり先の例で行くと、年間一〇〇〇ドルの拠出金は実質二〇〇〇ドルになり、退職時には百万長者になっているという計算だ。このようなインセンティブを考えれば、たとえ投資のズブの素人がランダムにファンドを選んだとしても、まったく４０１ｋに加入しない場合に比べて、まちがいなく経済的に有利な選択になる。では、なぜ加入しない人がいるのだろう？

二〇〇一年に、わたしはアメリカの大手投資信託運用会社バンガード・グループの、退職年金制度研究センター所長を務める、スティーブ・アトカスから電話をもらった。アトカスによれば、バンガードが運用を請け負う４０１ｋプランで、九〇万人超の加入者の退職投資に関する決定を分析したところ、憂慮すべき事実が判明したという。

４０１ｋへの加入資格を持つ従業員の加入率が低下の一途をたどり、七〇％にまで下がっているというのだ。しかしそれと期を同じくして、各プランで選択できるファンドの数は、着実に増加していた。かれはわたしのジャム研究の論文を読んだばかりで、この二つのトレンドに、ひょっとして何か関係があるのではないかと考えた。かれらは選択過多に苦しんでいるのではないだろうか？

この疑問に答えるために、わたしは同僚のファイナンス教授ガー・ヒューバーマンとウェイ・ジアンとともに、投資記録を分析した。その結果、選択肢の増加が、実際に加入率に著しい悪影響を与えていることが判明したのだった。左のグラフが示すとおり、加入率は最も規模の小さなプラン（ファンド数四本）が七五％で最も高かったが、運用対象のファンド数が増えるにつれて急激に低下し始め、ファンド数が一二本のプランでは七〇％だった。ファンド数が三〇本までは加入率はほぼ一定だが、それを超えると再び低下し始め、五九本のプランでは六〇％をわずかに上回る程度だった。

非加入者が、多すぎる選択肢に不満を感じて、自分から積極的に加入を拒絶（オプト・アウト）したとは考えにくい。むしろ、非加入者の大多数が、ちょっと調べて自分に合ったファンドを選んでから、加入しようと思っていたのだろう。ファンドが五本しかなければその場で加入しやすいが、五〇本もあれば、しばらく考えたいと思うのが人の常だ。残念ながら、決定を先延ばしし続けるうちに、数日が数週間に、数週間が数ヶ月になり、やがて４０１ｋのことなどすっかり頭から抜け落ちてしまう。

このように、選択肢の数に圧倒されて、加入しなかった人がいたことはわかった。多すぎる選択肢は、かれらにはかえって不利に働いたようだ。しかし、実際に加入した人たちについてはどうなのだろう？　かれらは投資に詳しく、自信があり、選択肢の多さがもたらすメリットを十分活かすことができたのだろうか？　わたしがシカゴ大学経済学准教授エミール・カメニツァとともに、加入者の選択したファンドを調べたところ、そうでないことがわかった。選択肢の増加は、結果的に不利な選択を促していたのだ。これらの４０１ｋプランは株式の占める割合が最も高く、しかも選択できるファンドの数が多いプランほど、株式の配分が高い傾向にあった。したがって、普通に考えれば、たとえファンドをランダムに選んだとしても、選択肢が多いプランほど、株式の配分は高くなるはずだった。しかし、実際には正反対のことが起こ

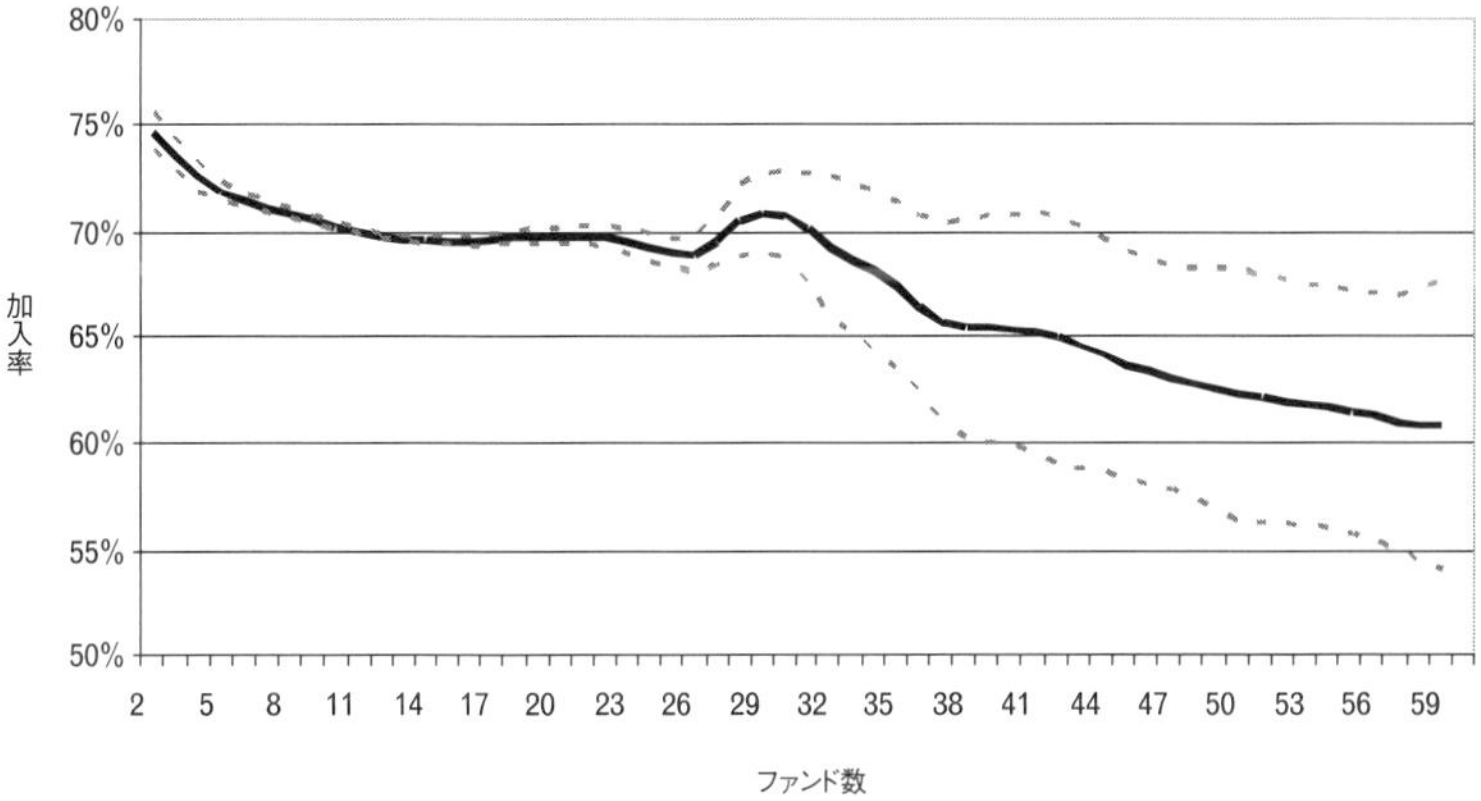

っていた。プランで選択可能なファンド数が一〇本増えるごとに、株式にまったく投資しない人の割合が二・八七％増え、しかもそれ以外の人たちの株式組み入れ比率も三・二八％低下し、代わりに債券や公社債投資信託（ＭＭＦ）の比重が高まったのである。

なぜわたしたち研究者は、この結果を憂慮したのか？　それは、４０１ｋが長期的な資産運用を前提としており、株式投資が本領を発揮するのが、まさにその長期投資だからにほかならない。過去二五年間の平均投資収益率を見ると、株式は確実に債券とＭＭＦを上回るリターンをあげており、特にＭＭＦは物価上昇率にも追いつかず、インフレで目減りするおそれさえある。それなのにわたしたちの調査では、本来大きなリスクをとる余裕があるはずの、一〇代後半から二〇代前半の加入者にさえ、プランのファンド数が増えるほど株式の配分が低くなる傾向が見られた。これは憶測だが、全部のファンドを検討するのがあまりに煩雑だったため、最も大きな分類である株式を頭の隅に追いやることで、選択肢の数を減らそうとしたのではないだろうか。だがそうすることで、かれらは将来の経済的安泰を、自ら危うくしたのかもしれないのだ。ただし、かれらは一つだけ例外をもうけていた。それは自社株である。おそらくは自分が勤める会社への親近感や忠誠心から、自社株を買い増していたのだ。これは一般に、危険な動きである。勤め先が倒産すれば、仕事を失うだけでなく、老後の貯えの大半が吹っ飛んでしまう。それはエンロンやリーマン・ブラザーズの元従業員が、身をもって体験したことだ。

人々が退職投資で４０１ｋという選択肢を活用しないのは、それが重要とは言え、すぐ影響をおよぼすような決定ではないからだろうか？　今すぐ、具体的な見返りが得られないために、与えられた選択肢を注意深く、徹底的に検討しようという動機が働かないのだろうか？　これと同じくらい重要で、かつ今の幸せを左右するような問題なら、多数の選択肢のメリットを活かそうと、必死で取り組むのではないだろうか？　いや、ちがう。残念ながら健康保険のような、重要かつ即時的な影響がおよぶ問題でさえ、人々は豊富な選択肢をうまく使いこなしていないようなのだ。

医療保険でも同じことが

ジョージ・W・ブッシュ前大統領が推進した、メディケア改革を覚えているだろうか？　この改革によって、高齢者向けの連邦医療保険制度に、「パートＤ」と呼ばれるプランが新設された。二〇〇三年一二月に導入されたこの制度は、それまで保険の適用外だった処方薬の費用を、国が一定の基準で保障するというものだ。その背景には、現代の医療で処方箋薬剤が果たす役割が高まり、それとともに医療費がかさむようになったという事情がある。高齢者は民間の医療保険会社が提供する、多様な医療保険の中からどれかを選んで加入し、政府が保険会社を通して給付を行う仕組みである。ブッシュは、この制度によって選択の幅が広がることを、「メディケアの病《やまい》」に対する万能薬と自画自賛した。「現代のメディケア制度は、一人ひとりの高齢者にとって、選択の幅を広げ、大いなる恩恵をもたらすものでなければなりません」とかれはたからかに宣言した。「メディケアには、選択の要素が欠かせません。国民の自主性を尊重し、自分の受ける医療を自分で決めてもらうことが、この制度の根幹なのです」。高齢者に多様なプランを提供する背後にある論理は、「高齢者が選べる選択肢が増えれば増えるほど、一人ひとりが自分のニーズに合ったプランを選ぶことができる」というものだった。

メディケア・パートＤが導入された結果、加入者の自己負担額は一三％減り、またある研究によれば処方薬の購入が増えたという。こうした恩恵はたしかに注目に値するが、その他の面では、導入は期待はずれの結果に終わっている。４０１ｋと同様、加入することで得をする人たちの多くが、いまだに加入していないのだ。当初の加入期限だった二〇〇六年五月一五日を過ぎても、四三〇〇万人の加入資格者中、五〇〇〇万人が加入していなかった。後日加入も可能なため、まだ絶望的というわけではないが、その場合生涯にわたって割高な月額保険料を払い続けることになる。

そうは言っても、高齢者の九割方が加入したではないかと、あなたは言うかもしれない。それは成功と言ってもいいのではないか？　いや、そんなことはない。実は加入者の三人に一人は、保険会社を通じて自動的に加入させられたに過ぎず、その多くが、必ずしも自分の処方薬のニーズに合わないプランを、ランダムに割り当てられていた。そしてそれ以外の、自分の意思で加入を選択する必要があった人たちだけを見ると、加入したのは一七五〇万人中一二五〇万人、つまり七割強にすぎなかった。最もパートDを必要とする人たち、つまり自己負担ゼロで、かかった処方薬費用を全額保障してもらえる低所得者に至っては、加入率は微々たるものだった。今加入すれば、とても支払えない遅延金を課されるし、加入しなければ、自費では賄えない医薬品をあきらめるしかない。どう転んでも、非加入者が困った状態にあることはまちがいない。

高齢者は、自分でプランを選べるようになり、選択の幅が広がったことで、恩恵を受けるはずだった。だが選択それ自体が、加入の大きな妨げとなったのだ。選択できるプランの数は、アラスカ州の四七種類から、ペンシルベニア州とウェストバージニア州の六三種類まで、何十種類もあった。また高齢者には目が悪く、コンピュータをうまく使えない人も多いのに、インターネットを使って各プランの特徴を調べる必要があった。しかも、それぞれのプランの違いを理解するには、超人的な謎解き能力が必要なように思われた。プランの違いは多岐にわたっていた。適用対象の薬剤、ジェネリック医薬品の扱い、自己負担額、月額保険料、年間控除額等々。同じような特徴のプランを異なる価格で提供する保険会社もあったし、その特徴自体、毎週のようにくるくる変わっていたのだ。

クリーブランド州の元看護師マリー・グラントは、パートDに対する不満を次のように語っている。「ごちゃごちゃで何が何だかわからなかった……すっかり頭に来てしまったわ。それぞれにプランが違うのですもの」。ウィスコンシン州の元教師マーサ・トンは、こうだ。「もうたくさん、手に負えない、と感じた」。そう思ったのは、彼女たちだけではない。ある調査では、高齢者の八六%、医師や薬剤師の九〇%が、パートDがわかりにくすぎると回答した。メディケアへの加入を検討している高齢者の多くが、すでに加入している保険と保障内容が重複しているかどうかさえ理解できず、ましてやどのプランに加入するのが望ましいか、自分のニーズにはどのオプションを組み合わせるのがよいかなど、わかるはずもなかった。何であれ、六三種類もの選択肢を比較するのは、認知能力の限界を試されるような試練だ。しかしこの話は、多様な選択肢の処理能力だけにかかわる問題ではすまなかった。ブッシュを筆頭に、制度の立案者たちは、選択肢の数を増やすことに腐心した。だが不幸にもそのせいで、選択肢の質、つまり人々の生活の質を高めるような選択肢が提供されているかどうかということに、ほとんど注意が払われなくなってしまったのだ。

このように、４０１ｋプランでどのように年金資金を運用するか、メディケア・パートＤの給付金制度をどうすれば最大限利用できるかといった、困難かつ重大な意思決定については、やみくもに選択肢の数を増やすことは逆効果を生み、利益になるどころかかえって害になるような意思決定を導きかねない。

でもちょっと待って、とあなたは言うかもしれない。それなら、選択を提供する方法や、選択肢を選別する方法に、もっと注意を払えばすむ話じゃないか。全体としてみれば、選択の幅を広げることは、有意義なのではないか？

Ｖ．ひらけゴマ

「一つの扉が閉じれば、もう一つの扉が開く」。このヘレン・ケラーの名言は、だれかの願いが惜しくもかなわなかったときなどに、長い目で見ればいいこともあるさと慰めるために使われることが多い。だが夢破れた瞬間にそう言われても、なんの慰めにもならないかもしれない。この名言には、実は続きがある。「しかし閉ざされた扉ばかり、いつまでも未練がましく見つめていると、開かれている扉に気づかないことが多いのだ」。わたしたちが失われた選択肢を未練がましく見つめ続けるのは、すべての扉を大きく開け放っておきたいからなのだ。第1講で見たように、動物さえもが、少ない選択肢より、たくさんの選択肢を自ら進んで手に入れようとする。何の見返りもないのに、エサを要求するボタンが一つではなく、複数ある状況を好むのだ。自分には閉ざされた機会がそこにあると、何だかだまされたような気になる。なぜ最初からあきらめなくてはならないのだ?

二〇〇八年に刊行された『予想どおりに不合理』の著者で、行動経済学者のダン・アリエリーが行った、ある実験について考えてみよう。この実験では、協力者にコンピュータ・ゲームで小遣い稼ぎをさせた。画面上に赤、青、緑の三つの閉じた扉が現れ、クリックすると、扉を開けて部屋の中に入ることができる。部屋に入ると、クリックするたびに、賞金が手に入る。賞金の金額は毎回ランダムに変わり、プラスのときもあれば、マイナスのときもある。新しい扉をクリックすれば別の部屋に入れるが、前の扉は閉まってしまう。クリックできる回数は合計一〇〇回で、この限られたクリック数でできるだけ多くの賞金を稼がなくてはならない。扉によって賞金総額は違うが、最終的にはどの扉も、平均すると一クリックあたり三セント稼げる設定になっていた。扉に差がないことに気がつき、開いた扉の中でできるだけたくさんクリックすることが、ゲームをマスターしてより多くの賞金を稼ぐコツだった。

だがゲームには、ちょっとした仕掛けを加えた。次の実験では、開いた扉の中をクリックするたびに、ほかの扉が一二分の一ずつ縮んでいき、クリック一二回分で完全に消えてしまった。

たとえば最初に青い扉を選び、中をクリックして賞金を稼いでいると、赤と緑の扉がだんだん縮んでいく。消えかけている扉、たとえば赤い扉を一度クリックすれば、元の大きさに戻すことができたが、そうすると今度は青い扉と緑の扉が縮んだ。これがジレンマを生んだ。扉が閉ざされないようクリックすれば、賞金稼ぎに使えたはずの貴重なクリックを無駄にしてしまう。かといって、扉が消えるまま放っておけば、今の扉より賞金が高いかもしれない扉を逃すおそれがある。結局この実験の協力者は、いくらクリックしてもほかの扉が消える心配がなかった実験の協力者に比べて、扉を切り替えるのに二倍ものクリック数を費やした。そして目に見えるすべての扉を残しておこうとして必死にあちこちをクリックしたために、残念ながら獲得金額はかなり少なくなってしまった。

だが、さらに驚くべきことがあった。次の実験では、どの扉も一クリックあたりの平均金額が同じであることを、協力者に前もって教え、扉を切り替えても金額的に何のメリットもないことを説明した。それなのに、扉が消える実験の協力者は、やはり扉を切り替え続け、得られたはずの賞金をふいにしてしまったのだ。この実験では文字通りの意味だが、実生活では比喩的な意味で「扉を開けておく」ことは、とても大切なことと考えられている。だがこの研究が示すように、両方のいいとこ取りはできない。幅広い選択肢を残しておくためには、時間であれ、心の平安であれ、利益であれ、何かをあきらめなくてはならない。この消える扉ゲームでは、代償といっても、数セントずつちょこちょこ失うだけだったが、選択肢を残しておくにはとかく代償が伴うことを、肝に銘じる必要がある。

わたしたちが賢明な選択ができるかどうかは、自分の心の状態をどれだけよく知っているかに、少なからずかかっているようだ。もっと選択肢が欲しいというのは、こう言うのと同じことだ。「自分が何を欲しいかはわかっている。だから選択肢がどんなにたくさんあっても、自分の欲しいものを選ぶことができる」。どんなに多くの選択肢を与えられても、自分が足を踏み入れたい扉がどれなのか、いつか必ずわかるはずだと思っているのだ。しかし皮肉なことに、より多くの選択肢を要求するのは、言い換えれば「ときどき自分が欲しいものがわからないことがある」、または「すぐに気が変わってしまうから、選択する瞬間にならないと、自分の欲しいものがわからない」という告白でもあるのだ。そしていつしか、選択に費やす時間と労力が、選択によって得られた利益を打ち消してしまう。

それならなぜわたしたちは、選択の幅を広げることに、こうもこだわり続けるのだろう? どんなに好きなものでも、それだけしか選べないと、苦痛を感じることがままある。たとえば何でもいいが、あなたの好物を朝昼晩と一年間食べ続ければ、いつか必ずうんざりしてしまうだろう。この状態に至る過程は、「飽和」と呼ばれる。飽和が生じるのは、特定の対象とその類似物に対してだけなので、ほかの食べ物は前と同じようにおいしく感じられる。そのため、元の好物への食欲が戻るまで、少なくとも一時的に、ほかの食べ物を好むようになるのだ。実際、過去数十年の間に、プリンからピザロールまで、ありとあらゆる食べ物を使ったさまざまな研究が行われている。その結果、人は一種類しか食べ物を選べない場合より、いろいろな食べ物や味の中から選んだ方が、食べる量も増え、よりおいしく感じることが明らかになっている。

飽和と、それに伴う多様性への欲求は、お気に入りの映画から友人、恋人にいたるまで、わたしたちの生活の多くの側面に影響をおよぼしている。飽和の発現速度と持続時間にもよるが、場合によっては選択肢の集合をかなり大きくする必要が生じる。あなたの周りにも、同じ本を二度と読み返さない人や、同じ映画を繰り返し見ない人、レストランで同じ料理を決して注文しない人がいるだろう。このような理由から、選択肢の数が増えることは、たとえ一つひとつの選択が困難になっても、好きなものに飽きたときのための予備を持っておけるという点で、全体としてみれば都合がよい。しかしアリエリーの研究が示すように、選択肢の「質」よりも、選択肢が存在するという「状況」を重んじるあまり、好ましくない決定をしてしまうことがある。

Ⅵ・秩序立った選択

訓練を積めば、多すぎる選択に振り回されることなく、選択が約束するものを有利に活かせるはずだ。選択のデータ処理上の要求と、そうでない要求の両方に対応する方法を身につけるには、まず二つのことが必要なようだ。第一に、選択に対する考えを改めること。選択が無条件の善ではないことを、肝に銘じよう。また認知能力や許容量の制約上、複雑な選択を十分に検討できないことをわきまえ、つねに最良の選択肢を探し当てられないからと言って、自分を責めないこと。第二に、専門知識を増やして、認知能力や許容量の限界を押し広げ、選択から最小限の労力で最大限の効果を引き出すことだ。

しかし専門知識を培うことは、それなりの代償を伴う。外国語を習得するとか、好きな食べ物を見つけるといったことは、ふだんの生活の中でできるが、分野によってはかなりの訓練と労力を要するものも多い。その上、チェスの盤面の記憶実験で見たように、専門知識は一定分野にしか通用しない。懸命に努力して専門知識を習得しても、関係のある分野では思ったほど活用できず、関係のない分野に至ってはまったく役に立たないということもままある。万事に精通するのは時間的にも不可能だし、たとえ精通したとしても、労力が報われるとは限らない。自分の人生において、最も汎用性が高く、重要な選択にかかわる分野、大いに楽しみながら学習と選択ができる分野に集中した方がいい。

では自分が精通していない分野で、賢明な選択をするにはどうするか？　もちろん、精通している人の助けを借りるのだ。とは言え、具体的にどうするかという話になると、実行するのは難しい。選択肢を提供する側にとっては、経験の浅い人に適切な支援を与えつつ、経験者に敬遠されないようにするのは至難の業だ。他方、選択する側にとって難しいのは、選択肢群のどんな特性に注目すれば、より良い選択ができるのか、あるいは混乱するだけなのかを、見極めることだ。

わたしたちは、自分の好みは自分が一番よく知っているのだから、最後は自分で選ぶしかない、と思い込んでいる。たとえばレストランのメニューやビデオを選ぶときのように、人によって好みが大きく分かれる場合はたしかにそうだろう。だが総じて言えば、好みは人によってそれほど変わらないことが多い。たとえば退職投資なら、最高のリターンを実現するという目標は、万人に共通する。難しいのは、どうやってその目標を達成するかだ。こんなとき一番手っ取り早いのは、専門家の助言に従うことだ。ただし選択者の側に、専門家が自分の利益を最優先してくれるという信頼があることが、大前提となる。

ここで再び退職投資のジレンマに話を戻そう。スウェーデンは二〇〇〇年に社会保障制度を民営化し、従来型の年金制度から、確定拠出型への全面移行を実施した。スウェーデンの労働者は、所得の一定割合を保険料として源泉徴収され、その資金を四五〇を超えるミューチュアルファンドから選んで運用することもできる。また運用先を指定しない場合、資金は政府が平均的な投資家のニーズを想定して設定した、既定の「デフォルト・ファンド」で自動的に運用される。しかし政府は大がかりな宣伝キャンペーンを張って、国民に自分でファンドを選んでポートフォリオを構築することを奨励し、デフォルト・ファンドの選択を意図的に牽制した。その甲斐あって、三人に二人が自分自身でファンドを選び、政府提供のデフォルト・ファンドを選択したのは三人に一人に過ぎなかった。

しかし経済学者のヘンリク・クロンクビストとリチャード・セイラー（『実践行動経済学――健康、富、幸福への聡明な選択』〈二〇〇九年、日経ＢＰ社〉の著者のひとり）がこの制度を分析したところ、政府の誘導が不適切だったことが判明した。自分で運用先を選択した人たちは、自分の利益に反する、誤った意思決定を下していたのだ。かれらのポートフォリオはバランスが悪く、債券その他の資産をほとんど組み入れない、株式偏重型の資産配分になっていた。しかも株式ファンドでは、国内株や自社株、その時々の注目株の比重が高すぎた。総じて言えば、かれらは自分のニーズに合わせて、分散化されたポートフォリオを構築する手間をとらずに、ニュースや日常生活でよく知っている選択肢を安易に選んだにすぎなかった。その結果、自分でファンドを選択した人たちの運用成績は、デフォルト・ファンドを大幅に下回り、三年後には一〇％、七年後には一五％もの差がついてしまったのである。

今になって考えると、政府は経験の乏しい投資家をデフォルト・ファンドから遠ざけるどころか、むしろ積極的に誘導すべきだったことがわかる。投資分野こそ、専門家の助言に忠実に従うことが、選択者に有利に働く典型例なのだ。そうは言っても、先にバンガード研究の一環として説明した、アメリカの制度との比較で言えば、スウェーデン政府の行動には、適切な面もあった。そもそもデフォルト・ファンドを設定し、しかもMMFといった、単純だが有利ではないファンドで間に合わせるのではなく、慎重にファンドを設計したという点では、デフォルト・ファンド自体を設定しなかったアメリカの制度より優れていた。アメリカでも、雇用主である企業に同様の方式を認める法案が、議会を通過している。従業員が特に加入を拒否しない限り、自動的に401kプランに加入させ、報酬の一定割合を拠出するという仕組みである。自動加入は、加入率を高めるのに絶大な効果があるとされる。最近の研究によれば、加入する意思がありながら先延ばしにしている人たちや、プランの存在に気づかない人たちを獲得することで、加入率は九〇％を超えるという。

専門家の知恵、集団の知恵

人によって目標や好みが大きく分かれるものについては、選択を共同作業にするのも一つの手だ。選択者は、その場を利用して助言を求めたり、大勢の人と交流することができる。たとえばワイン専門店の「ベストセラーズ」の例がある。この小売店は、顧客に積極的に働きかけることで、できるだけ簡単に商品を選べるような工夫を凝らしている企業の模範例だ。一般にワインショップといえば、原産地やブドウの種類別に分類された数千本ものワインが、ずらりと棚に並べられているものだが、ベストセラーズは、高品質で手ごろな価格の一〇〇種類ほどの厳選されたワインだけを販売する。ワインは「発泡性」、「みずみずしい」、「甘い」といった、分かりやすい八つの味に分類されている。それぞれのワインの詳しい説明は、棚の上方の目につきやすいところに掲げられ、店員に尋ねれば、分かりやすい言葉で親切に助言してくれる。

ワイン通や、特別な機会のためにワインを求める人には物足りないかもしれないが、一般消費者が普段の暮らしで楽しむワインを選ぶ店としては、他の追随を許さない。

わたしたちが利用できるのは、専門家の知恵だけではない。集団の知恵も捨てたものではない。たとえばレストランガイドの『ザガットサーベイ』は、個人の批評家ではなく、一般のレストラン利用者の意見をもとに、レストランを評価する。またロングテールを活用するオンライン小売業者の成功のカギの一つは、カスタマー・レビューやお勧めリストにある。顧客は集団の中でも、特に自分に似たグループに目を向けることで、ぐっと選択しやすくなる。アマゾン・ドットコムは「この商品を買った人はこんな商品も買っています」と称して、顧客の気に入りそうな何十もの商品を勧めてくるし、オンラインＤＶＤレンタルのネットフリックス・ドットコムは、顧客による映画評価を利用して、趣味が似通った他の顧客を探し出し、かれらが高く評価する映画の中でまだ顧客が見ていないものを、「お勧めの映画」として提案する（ネットフリックスでは映画選びがあまりにも簡単なため、つい嬉しくなって映画をほいほいレンタル希望リストに登録してしまい、一〇年かかっても見られないほどのＤＶＤを借りる羽目になる）。こうした推奨システムのもう一つの利点は、莫大な数の選択肢に一定の秩序を課しながらも、選択の幅自体は狭めていないことにある。専門知識を持っていて、コンピュータのお勧めリストに載っていないものがほしい人も、自力で商品を探し出すことができる。

選択肢を分類することも、選択の負担を軽減する方法の一つだ。選択肢群を扱いやすい数に分類し、それぞれの分類に、やはり扱いやすい数の選択肢を含める。こうすれば、顧客に選択の幅が狭まったと感じさせずにすむ。これが実際に行われている様子を観察するために、わたしは研究助手のキャシー・モジルナーとタマル・ラドニックの二人とともに、スーパーマーケット「ウェグマンズ」の雑誌コーナーに張り込んだ。観察の結果、選択肢の総数が少なくても、分類の数が多ければ、買い物客は選択の幅が広いと感じることがわかった。雑誌の品揃えを減らして、「健康・フィットネス」、「ホーム&ガーデン」といった、幅広いカテゴリーの下に分類し、より効率的に楽しく雑誌選びができる工夫がされていた。これは、だれもが得をする状況と言える。選択肢が減ることで顧客の満足度は高まり、雑誌の版元は余分な選択肢を生み出すコストを節約できる。

分類手法には、たとえばデパートが多様な商品を、そう、売場《デパートメント》ごとに分けるといった単純なものから、ベストセラーズの味の分類のように、一般の消費者には認識できないような属性に基づいて、一つの商品をいくつかの分類に仕分ける、高度なものもある。「群衆」主導型の分類手法をよく表す例として、ユーチューブやフリッカーといったインターネット・サイトにおける、キーワードや「タグ」の利用が挙げられる。利用者は、登録したサイトに目印となるような言葉をつけて、膨大な量のコンテンツを分類する。犬の画像に「犬」というタグをつけるという、いとも簡単な作業のおかげで、サイト上のすべての画像をかき分けて犬と関係のある画像を探すという不可能に近い作業が、検索ボックスに言葉を打ち込むだけですむ。初心者は、どのような形態のものであれ、分類を活用することで、重要でない選択肢に気を取られずに、最も有望なものだけに焦点を絞るという、専門家の能力をまねることができるのだ。

推奨も分類も、難しい決断を下そうとするときに役に立つ機能だ。なぜなら次の二つの点で、賢明な選択を下す助けになるからだ。第一に、専門家や群衆の知識を借りることで、判断を下しやすくなる。そして第二に、かれらの知識に学ぶことで、助けを借りない場合よりもずっと早く、自分の専門知識を構築できるのだ。ほかの人がどんなものを高く評価し、どんなものを重視しているかを学ぶことで、分野の全体像を俯瞰《ふかん》してとらえることができる。またこうした知識に触発されて理解を深め、自分の好みを形成することができる。万事に精通することはもちろんできないが、専門家の知識を借りて、賢明に選択する方法を学ぶとともに、選択がどういうものであるかを深く理解することで、選択を行うプロセスに精通することはできるのだ。

選択肢のツリーを作る

他人から学ぶように、自分からも学ぶことができる。多数の属性をもとに選択しなければならないとき、選択をどのような順序で行うかが、多くの選択肢に対処するカギになる。これを確かめるために、わたしは同僚のジョナサン・レバブ、およびドイツ＝クリスチャン・アルブレヒト大学のマーク・ハイトマン、スイス＝ザンクト・ガレン大学のアンドレアス・ヘルマンとともに、ドイツの大手自動車メーカーと実験を行った。この会社では、エンジンからバックミラーに至る、すべてのオプションを、一覧表から選んで、車をオーダーメイドで作れるようになっている。

実験では、同じ型の車を購入する消費者を、二つのグループに分けて比較した。第一のグループは、選択肢の多いオプションから順に選んでいった。まず最も種類の多いオプションの、内装色と車体色を、それぞれ五六色と二六色から選んだ。それから次に選択肢が多いオプションに移り、最後は最も種類の少ないオプションの内装とギア仕様を、それぞれ四種類から選んで終わった。第二のグループは同じ選択を逆の順序で行い、選択肢の最も少ないオプションから始めて、最も多いもので終わった。どちらのグループも、最終的に八つのオプションについて、合計一四四の選択肢を検討した。だが二つのグループの間には、大きな違いが見られた。多い順に選択を行ったグループは、かなり手こずった。最初のうちはすべての選択肢を注意深く検討していたが、すぐに疲れてしまい、既定のオプションですませるようになった。結果的に、出来上がった車に対する満足度は、少ない順に選んだグループに比べて、低くなってしまったのだ。

人は学習を通して多数の選択肢から選べるようになるが、浅瀬から始めて、技と度胸を培いながら徐々に深場に向かった方が溺れにくいことを、この研究は教えてくれる。五六色の塗装色という巨大な選択群は、選択プロセスの終盤であれば、それほど手こずらずに対処できた。この頃になれば、車の全体像がかなりはっきりしているからだ。それに、自分がどんな車がほしいのか、たとえばスポーティ、高機能、家族向けなど、大体のところがわかっていれば、それをさらなる指針として一部の選択肢を除外し、それ以外のものに集中できるため、選択の作業はより単純になる。要するに、選びやすいものから取り組むのが得策だということだ。たとえば種類が少ないものや、自分の欲しいものがすでにわかっているものなどだ。このようにして自分の選択したものを指針として、少しずつ難しい選択に取り組んでいけばいいのだ。

選択は創造である

フランスの数学者、科学思想家のアンリ・ポアンカレはこう言った。「発明とは、無益な組み合わせを排除して、ほんのわずかしかない有用な組み合わせだけを作ることだ。発明とは見抜くことであり、選択することなのだ」。わたしなら後の文をちょっと変えて、違う説を唱える。「選択とは、発明することなのだ」。選択は、創造的なプロセスである。選択を通じてわたしたちは環境を、人生を、そして自分自身を築いていく。だがそのために多くの材料を、つまり多くの選択肢をやみくもに求めても、結局はそれほど役に立たない組み合わせや、必要をはるかに超えて複雑な組み合わせをいたずらに生み出すだけで終わってしまうのだ。

わたしたちはもっともな理由から、賢明な選択をすべく、日々努力している。だが選択肢を生み出し、要求し、さらに多くの選択肢を生み出すことに終始して、選択がどんな時に、なぜ役に立つのか、考えもしないことが多い。おそらく選択における最も難しい課題は、過剰な期待を持たないことだろう。そこで、制約が独自の美と自由を生み出すことを、身をもって示してきた人たちに目を向けてみよう。発明家や芸術家、音楽家は、選択に制約を加えることの意義を、とうの昔から知っている。かれらは形式や制限、そして規則という縛りの中で創作に励み、こうした縛りの多くを破るが、ともすれば前よりかえって厳しい境界線を引き直してしまうこともある。選択にまつわる物語は数え切れないほどある。わたしたちの文化でも、選択の物語を読み、著す方法は無数にある。詩人のリン・ヒージニアンは、エッセイ『閉鎖の拒絶』（The Rejection of Closure）の中で、「形式と……〔著述〕作品の題材との関係」について、次のように述べている。

形式は、根源的な混沌（手を加えていない題材、組織化されていない衝動や情報、不確実性、不完全性、広大さ）に備わった、大いなる活力と生成力を損なわずに、それを明確に表現することができるだろうか？　形式は、さらに踏み込んで、秘めた力を開放し、不確実性を好奇心に変え、不完全性に思いをめぐらし、広大さを豊かさに変えることはできるだろうか？

わたしの考えは、イエスだ。それこそが、形式が芸術において果たす役割なのだ。形式は固定的なものではなく、つねに流動している。

もし形式が、芸術という世界で、これだけのことを成し遂げられるというのなら、毎日の選択にも、役立てられるのではないだろうか？　選択に構造化された方法を採り入れることには、試してみる価値がある。選択のプロセスに細心の注意を払い、選択そのものの幅を拡大するのではなく、それを実践する方法に注目することで、選択の力を最大限に引き出すのだ。芸術や音楽が生み出すものであるように、選択もまた生み出すものだ。それなら選択の指針を、創造的分野に求めてもおかしくはない。しかし何かに「しがみつく」ためには、何かに尽くさなくてはならないことを、わたしたちは学ばなければならない。この献身こそが、選択に満ち満ちたこの現実世界で、最も難しいことなのかもしれない。

ジャズ界の巨匠で、ピューリッツァー賞音楽賞受賞作曲家でもあるウィントン・マルサリスは、ある時わたしにこう話してくれた。「ジャズにも制約が必要だ。制約がなければ、だれにだって即興演奏はできるが、それはジャズじゃない。ジャズには制約がつきものだ。そうでなきゃ、ただの騒音になってしまう」。マルサリスによれば、即興演奏の能力は、基礎知識を土台としているのだという。そしてこの知識が、わたしたちが「選択できること、実際に選択することを制限する」のだという。「選択しなければならないとき、知識は重要な役割を果たすんだ」。その選択がもたらす行動は、情報に基づく直感、つまりかれの言葉で言えば「超思考」に基づいている。ジャズにおける超思考は、ただ単に「正しい」答えを決定するだけのものではない。ほかの人には同じ音の繰り返しにしか聞こえないものの中に、新しい可能性を見出し、ほんのわずかしかない「有用な組み合わせ」を構築する能力でもあるのだ。

わたしたちはこの超思考を通して選択の成り立ちを学び、この知識を利用して、それまでノイズしか聞こえなかった場所に音楽を生み出すことで、難しい選択を乗り越えることができるかもしれない。すでに多くの選択肢があるのに、さらに多くを要求すれば、強欲の現れと見なされる。選択に関して言えば、それは想像力の欠如の現れなのだ。これを回避するか、克服しなければ、多すぎる選択肢の問題を解決することは決してできない。

第7講

選択の代償

わが子の延命措置を施すか否か。施せば、重い障害が一生残ることになる可能性が高い。その選択を自分でした場合と医者に委ねた場合との比較調査から考える

I．わが子の生死を選択する

あなたには、ジュリーという、早産で生まれた女の赤ちゃんがいる。ジュリーは妊娠二七週めに、体重わずか九〇〇グラムで生まれ、脳内出血を起こして危篤状態にある。現在、著名な大学病院の新生児集中治療室（ＮＩＣＵ）で治療を受けており、人工呼吸器で生命を維持している。

あなたは医師に、このまま危篤状態が続けば、ジュリーは深刻な神経障害を残し、命を取り留めたとしても生涯寝たきりで、喋ることも歩くことも、意思疎通もできないだろうと宣告された。医師団は熟慮の上、延命治療を中止すること、つまり人工呼吸器を取り外して死なせてあげることが、ジュリーにとって最良の選択だと判断した。

少し時間をかけて、いま起こったことについてよく考えてから、以下の各項目に、１（まったく思わない）から7（とても思う）までの数字で答えてください。

一）あなたは次の感情をどの程度感じましたか？

a）困惑　1　2　3　4　5　6　7

b）憤慨　1　2　3　4　5　6　7

二）あなたはこれが最良の判断だったと確信が持てますか？

1　2　3　4　5　6　7

三）あなたは自分で判断を下したかったと思いますか？

1　2　3　4　5　6　7

このシナリオでは、医師はほとんど情報を開示せずに、自ら最終判断を下した。こんなやり方は信じられない、いやひどいとさえ思う人がいるかもしれないが、西洋医学史のほとんどを通じて、これがあたりまえのやり方だった。古代ギリシャの医師ヒポクラテスは、紀元前五世紀に、病気は天罰ではなく自然の力によって起こるという説を唱え、医療に革命をもたらした。そのほか、医師の倫理を説いた「ヒポクラテスの誓い」を残した功績などから、かれは「医学の父」と呼ばれている。現代の医師は、ヒポクラテスの誓いをそのままの形で宣誓することはないが、かれの教えは現代版の誓いに脈々と受け継がれている。ヒポクラテスに「父」の称号がふさわしいのは、今なお医師の基本的な理念を指し示しているにとどまらず、医師と患者との関係を、親と子との関係としてとらえたからでもある。ヒポクラテスにとって、医師は知識と経験、健全な判断力を持つ存在だったのに対し、患者は自分にとって何が最良かを理解することができず、病気にかかったことで精神的に動転している存在でしかなかった。そんなことから、すべての医療上の決定は、賢明にして有能であり良心的な、医師の手に委ねられて当然と考えた。当時の一般的な考え方は、「患者を医療上の決定に関与させることは、治療の質の低下を招くため、過失に等しい」というものだった。あなただって、この時代の医師だったなら、きっと「患者を診るときは、ほとんどの事実を患者から隠し」、「患者の現在または将来の病状は、一切明らかにしない」というヒポクラテスの助言に従い、患者を慰め、気を紛らわせることに精を出していたはずだ。もしあなたに当時ジュリーのような子がいたら、障害や治療中止の説明さえ受けられず、ただ亡くなったとしか告げられなかっただろう。

このようにヒポクラテスは、医療父権主義（パターナリズム）の考え方を提唱した。ローマ帝国や、後には中世のヨーロッパやアラブ社会では、かれの業績は高く評価されていたため、この見解に異議が唱えられることはほとんどなかった。医師はその後も絶対的権威としての地位を保ち、むしろ中世の宗教的感情の高まりを受けて、その地位は一層強化された。医師の権威は神によって授けられたと信じられ、医師に従わないことは、愚かで無礼であるばかりか、ほとんど冒瀆に等しいとされた。一八世紀の理性革命とも言うべき啓蒙主義の時代にさえ、これに代わるモデルが提唱されることはなかった。もし患者が医師ほど医療に精通していたなら、医師が処方する治療にまったく異存はないはずだ。それなら患者に相談することはおろか、情報さえ与えずに治療を進めるのが、賢明で効率的ではないのか？　これが、一八四七年当時のアメリカ医師会の考え方だった。この年の設立総会で制定された倫理綱領は、ヒポクラテスの教えに驚くほど似ていた。医師たちは「謙遜と威厳をあわせ持ち、患者の心に感謝、敬意、信頼の気持ちを呼び起こさなくてはならない」とされ、「病人の知的無能と気まぐれ」を「そこそこ大目に見る」よう指導された。また患者に「暗い見通しはなるべく告げず……やむを得ない場合に限り危険の予告」だけを与えるよう教えられた。それどころか、医師たちはこの義務を可能な限り回避し、悪いしらせを伝える役目を「十分な判断力と思いやり」を持つ第三者に委ねるよう勧告されていた。

このように医者が患者になり代わって判断を下し、何の説明も与えなかったかつての時代には、父権主義的な考え方が主流だった。それではジュリーの話に戻ろう。今回は、少し違う展開について考えてほしい。

情報が与えられたうえで選択をゆだねる

あなたには、ジュリーという、早産で生まれた女の赤ちゃんがいる。ジュリーは妊娠二七週めに、体重わずか九〇〇グラムで生まれ、脳内出血を起こして危篤状態にある。現在、著名な大学病院の新生児集中治療室（ＮＩＣＵ）で治療を受けており、人工呼吸器で生命を維持している。治療を始めてから三週間が経過したが、ジュリーの状態に改善は見られない。

あなたは医師から、この事態を踏まえて考えられる二つの方針について、説明を受ける。延命治療を続けるか、人工呼吸器を取り外して治療を中止するかだ。医師は、それぞれの方針がもたらす結果を、次のように説明した。治療を中止すれば、ジュリーは亡くなる。治療を続けた場合、ジュリーが死亡する確率は四〇％で、生存の確率は六〇％だが、命を取り留めたとしても生涯寝たきりで、喋ることも歩くことも、意思疎通もできない。医師団はジュリーの深刻な状態を熟慮した上で、延命治療を中止して死なせてあげることが、ジュリーにとって最良の選択だと判断した。

少し時間をかけて、いま起こったことについてよく考えてから、以下の各項目に、1（まったく思わない）から7（とても思う）までの数字で答えてください。

一）あなたは次の感情をどの程度感じましたか？

a）困惑　1　2　3　4　5　6　7

b）憤慨　1　2　3　4　5　6　7

二）あなたはこれが最良の判断だったと確信が持てますか？

1　2　3　4　5　6　7

三）あなたは自分で判断を下したかったと思いますか？

1　2　3　4　5　6　7

今回のあなたの回答は、前回とどこか変わっただろうか？　今回も、決定を下したのが医師団で、ジュリーが亡くなったということに、変わりはない。だが医師団から、考えられる方針と、それぞれの方針がもたらす結果に関する説明を受けたことで、これが最良の判断だったという確信が高まり、判断に伴う精神的ストレスが軽減された結果、決定を受け入れやすくなったのではないだろうか。このやり方は、今ではあたりまえのように思われるが、医療従事者が従来の見解を改め、患者が自分の健康状態を正確に把握することが、患者自身と家族のためになるという認識を持つようになったのは、二〇世紀に入ってからのことだった。

ヒポクラテスの信奉者たちは、医師と患者の父権主義的関係だけでなく、かれの四体液説も支持した。これは、人体は血液、粘液、黄胆汁、黒胆汁の四種類の「体液」からできていて、これらのバランスが崩れたときに病気になるという考え方だ。このとらえどころのないバランスを取り戻すために、患者は瀉血《しゃけつ》を施され、吐剤や不快きわまりない下剤を投与された。放血器とメスを逃れたとしても、楽天的、鈍重、気むずかしい、憂鬱の四気質に分類され、それに応じた食事療法を施された。もしかしたらこの方法には、思いがけず食物アレルギーを治療する効果があったかもしれないが、その他の疾病に効果があったとは思えない。それでも病気の四体液説は深く根を下ろし、二〇〇〇年以上もの間生き延びたのだ。

体液説が幅をきかせていた時代には、医師にかかることでかえって病状が悪化することが多かったのではないだろうか。だが皮肉にもそのせいで、患者は今よりずっと医師を信頼しなくてはならなかった。現代人はばかにするかもしれないが、このような盲目的な信頼は、いわゆる「プラシーボ効果」の欠かせない要素なのだ。患者は医師の言いつけを守れば良くなると信じているからこそ、苦しみが薄れ、回復が早まり、本当に元気になる。はるか昔の医師であっても、理論的知識には限界や欠陥があったかもしれないが、現場での経験を通じて判断力を高め、直感に磨きをかけることはできた。だがそのような経験を持たず、難解な医学など解さない患者たちは、日常にはびこる、死に至ることの多い病気を前にして、医師を信じる以外になすすべはなかったのだ。

一九世紀半ばになると、ようやくパラダイム・シフトが始まった。科学的発見や調査を重視する風潮の中で、医療父権主義の慣行は廃《すた》れていき、代わりにインフォームド・コンセント〔正しい情報を伝えられた上での合意〕という考え方が広まっていった。医療行為は、かつてほど怪しくでたらめなものではなくなり、治療の仕組みやリスクに対する理解が進むとともに、ますます体系的に、効果的に適用されるようになった。とは言え、このような変化はすんなり受け入れられたわけではなく、医師は患者に対する態度をなかなか変えようとはしなかった。その後も決定権を握り、患者に情報を与えず、無断で治療を続けた医師は多かった。

一九〇五年に衝撃的な事件が起きた。プラットという名の医師が、てんかんを患っている女性患者に、簡単な手術をすれば病気が治ると告げた。だが患者が麻酔で眠っている間、ホルモン・レベルを安定させ発作を抑えるという目的で、子宮と卵巣を無断で摘出してしまったのだ。医師は信頼を著しく侵害したとして訴えられ、有罪判決を受けた。しかし患者の意見や自己の身体に対する権利が、このような形で無視されるのは、当時珍しいことではなかった。第二次世界大戦後になっても、医師たちは今日なら「非良心的」とされる方法で、勝手なことをやり続けた。精神医学者のジェイ・カッツは、著書『医師と患者の沈黙の世界』(The Silent World of Doctor and Patient)に、ある評判の良いフランス人医師と交わした会話を記している。この医師は、腎不全に苦しむ農村の男性に相談を受けたが、何もできることはないとつっぱねた。透析で命が助かることを故意に教えなかったのだ。透析療法を受けるためには、町に引っ越す必要があったが、医師は「小作人が大都会に移り住んでも、なじめるわけがない」と判断し、それで話は終わってしまった。

しかし過去の教訓が生かされ、科学的手法への信頼が高まり、情報の開示が進んだことなどがあいまって、やがて医療父権主義を支えていた論理的根拠が覆された。治療や処置が論理的で科学的根拠に基づいているのなら、患者に説明できない理由、説明すべきでない理由はないはずだ。透明性が高まったことで、説明責任がより一層問われるようになった。これも反論の余地のないことだった。一九五〇年代と六〇年代に一連の裁判事件を通じて、「インフォームド・コンセント」の原則が確立された結果、この姿勢は形式化され、医師たちは以下を義務づけられるようになった。(一) 患者に治療方法の選択肢を提示し、それぞれの選択肢の効果とリスクについて説明すること、(二) 治療をする前に、患者の同意を得ること。

医科大学は学生にインフォームド・コンセントの重要性をたたき込み、医師は医療過誤訴訟の恐れから、新しい法を遵守せざるを得なくなった。こうしたことが、激変をもたらした。一九六一年に医師を対象に行われた調査では、ガンと診断された患者に病名を告知すると答えた医師の割合は一〇％に過ぎなかったが、そのわずか一〇年後の一九七一年には、この数字は完全に逆転して、九〇％以上が患者に告知する用意があると答えた。このようにして、患者に健康状態に関する情報を与えないという、数千年間の伝統は終焉を迎えた。

だがこのとき、もう一つの大きな変化の兆しが現れ始めていた。この変化は、第三の最後のシナリオに見ることができる。

自ら選択をひきうける

今回も、あなたには、ジュリーという、早産で生まれた女の赤ちゃんがいる。ジュリーは妊娠二七週めに、体重わずか九〇〇グラムで生まれ、脳内出血を起こして危篤状態にある。現在、著名な大学病院の新生児集中治療室（NICU）で治療を受けており、人工呼吸器で生命を維持している。治療を始めてから三週間が経過したが、ジュリーの状態に改善は見られない。

今回医師たちは、あなたに選択を委ねる。延命治療を続けるか、人工呼吸器を取り外して治療を中止するかだ。医師は、それぞれの方針がもたらす結果を、次のように説明した。治療を中止すれば、ジュリーは亡くなる。治療を続けた場合、ジュリーが死亡する確率は四〇％で、生存の確率は六〇％だが、命を取り留めたとしても生涯寝たきりで、喋ることも歩くことも、意思疎通もできない。

あなたはどうするだろうか？

少し時間をかけて、いま起こったことについてよく考えてから、次の質問に答えてください。

一）あなたはジュリーのために、どちらの選択肢を選びましたか？

二）これからの質問には、1（まったく思わない）から7（とても思う）までの数字で答えてください。

あなたは次の感情をどの程度感じましたか？

a）困惑　1　2　3　4　5　6　7

b）憤慨　1　2　3　4　5　6　7

三）あなたはこれが最良の判断だったと確信が持てますか？
1　2　3　4　5　6　7

四）あなたは医師に判断を下してほしかったと思いますか？
1　2　3　4　5　6　7

今回、選択はあなたの手に委ねられた。医師はあなたに必要な情報を提示し、その上意思決定までも任せた。あなたは多くの選択肢を取捨選択する必要はなく、ただ二つの中から選んで最終決定を下した。あなたの反応は、前の二回に比べてどう変わっただろうか？　これは大事な質問なので、よく考えてほしい。現実世界でも、同じような状況に置かれた人たちが、このシナリオのような決断を迫られることがますます多くなっているのだ。

一九六〇年代と七〇年代は、医療現場における父権主義が廃れただけでなく、アメリカ文化全体に、自立と自己選択を重視する風潮が高まった時代でもあった。医療方針決定について患者の意思を尊重する動きは、選択の自由が医療現場にもメリットをもたらすことを実証した、いくつかの著名な研究の裏づけを得た。

たとえば第1講で紹介した、介護施設の高齢者に関する研究では、鉢植えを部屋に飾るか、どこに飾るか、何曜日の夜に映画を鑑賞するかといった、ごく些細なことがらであっても、自分で決めることを許された入居者は、職員に選択を押しつけられた入居者に比べて、充足感が高いばかりか健康状態も良く、死亡率も低かった。これほど些細な選択が、充足感や健康を促進するのなら、もっと重大な選択には、さらに強力な効果があるはずだ。医師たちにとって、患者に治療法を提示し、同意を得るインフォームド・コンセントから、考えられる選択肢を提示し、自ら治療法を選択させるインフォームド・チョイスへの移行は、小さな一歩でしかなかった。

最近では「医者は何でも知っている」という言葉は聞かれなくなり、重要な医療方針の決定では、患者や家族の判断が最優先されるようになっている。もしかしたら、これが医療の本来あるべき姿なのかもしれない。プラット医師の事件で何より問題とされたのは、子宮摘出がてんかんに効果のある治療法だったかどうかということではない。この患者に適切な治療法を決める権利が、だれにあるかということだった。プラット医師の過ち、ひいては父権主義的パラダイムそのものの過ちは、適切な治療法が、単なる症状と予後だけにかかわる問題ではないことに、思い至らなかった点にある。このケースでは、患者がどのような生活を送っており、どのような意向を持っているか、たとえば将来子どもがほしいと思っているかどうかを考慮に入れなければ、判断の下しようがなかった。父権主義のパラダイムが病気の治療を主眼としていたのに対し、患者の意思を尊重する新しいパラダイムでは、人を癒《いや》すことに焦点が移った。医師が専門知識を持ち、特定の治療法に伴う医学的なリスクと効果を、患者よりもよく理解していることには、議論の余地がない。しかし実は患者自身も、世界に一人しかいない専門家なのだ。医療行為が、病院や診療所を離れた自分の生活にどのような影響をおよぼすかは、患者自身にしか知り得ない。選択がおよぼす影響を身をもって体験するのは、患者ただ一人なのだから、最終判断は患者に任せるべきではないのか？

おそらくあなたは「そうだ」、と答えるのではないだろうか？　わが国の医療機関も、そのような方針を持つものが多い。ならば、あなたもわたしも、わが子を集中治療室に送り出さなくてはならない不幸な親たちも、アメリカではほかの多くの国と違って、父権主義が廃れかけていることに、感謝すべきではないのか？

しかしこれから見ていくように、延命治療を続けるか、中止するかの選択を委ねられた人たちのほとんどが、幸せでも、健やかでもなく、そのことを感謝してもいない。現実にこの決定を下す親たちは、医師に重大な決定を任せる親たちよりも、苦しんでいるのだ。

Ⅱ．スーザンの選択

スーザンとダニエル・ミッチェル夫妻は、第一子の誕生を心待ちにしていた。新居に越してきたばかりだったが、子ども部屋は真っ先に整えた。名前までもう決めていた。ダニエルの母の名をもらって、バーバラと名づけるつもりだった。

妊娠中は何の問題もなく順調だったため、スーザンが午前三時に破水したときも、二人はそれほど不安に思わず、すぐさま中西部の有名な大学病院に車で駆けつけた。スーザンはもうすぐ親になるという思いに勇気づけられて、激しくなる陣痛を乗り切った。だがようやく分娩と硬膜外麻酔の準備が整おうという時になって、痛みと薬で朦朧としたスーザンの頭に、「赤ちゃんの心臓が止まっている」という言葉が飛び込んできた。緊急帝王切開のために手術室に運び込まれ、腹部にメスが当てられたと同時に、意識が遠のいていった。

術後回復室で目を覚ましたスーザンの前には、夫がいた。だが娘の姿はなかった。たしか、「緊急事態」という言葉を聞いたような気がしたが、まだ頭が朦朧としていて、何が起こったのかわからなかった。医師が入って来て、彼女とダニエルに状況を説明した。この時初めてスーザンは、九ヶ月間お腹の中で大切に育ててきて、いまこの腕の中に抱いているはずの赤ちゃんが、人工呼吸器をつけられて、集中治療室にいることを知った。バーバラは深刻な低酸素脳症を発症し、脳の酸素不足から、命にかかわる脳障害を負ったのだった。障害の影響を正確に予測することはできなかったが、良い報《しら》せはほとんどなかった。自力で呼吸ができないバーバラは、今のところは人工呼吸器と栄養管で命をつないでいる。生命維持装置につながれていれば、長く生きられそうだったが、脳機能が回復する見込みはまずなかった。バーバラはいつまでも植物状態のまま、周りで起こっていることにも気づかず、だれとも意思疎通ができないまま、生きていくことになる。

このような医師の説明に、スーザンは聞き入り、うなずき、涙をこぼしたが、それでも赤ちゃんが良くなるという望みは捨てていなかった。バーバラを一目見れば、確信がもてるはずだ。彼女は集中治療室に連れて行って欲しいとせがんだ。まだ弱っていて歩けなかったので、職員に頼んで車いすに乗せてもらい押していってもらった。だがそこで目にしたものは、慰めにはならなかった。医療機器に囲まれたバーバラは、とても小さく、か弱く見えた。赤ちゃんが人工呼吸器に入っていることは知っていたが、白い管がのどを伝っていることは、この時まで知らなかった。心拍数モニターのビーッと鳴る音が、バーバラが生きていることを教えていたが、音が鳴るたびに、彼女が危篤状態にあることをしつこく思い出させられた。スーザンとダニエルは、時間が来るまでの一五分間、ずっと娘の手を握りしめ、娘に語りかけた。とうとう現実が突きつけられたのだ。奇跡が起きない限り、バーバラは普通の生活めいたものを送ることさえできない。まさかこんな決断が、バーバラの両親として下す初めての、そしておそらくは最後の重大な決断になるなどと、二人は思いもしなかった。

長い話し合いの中で、医師団はそれぞれの選択肢がどのような結果をもたらすかを詳しく説明し、どんな質問にも答えたが、提案を行うことは差し控えた。ミッチェル夫妻は、娘の延命治療を続けるか否かを決断しなければならなかった。二日後、夫妻は治療の中止を決め、バーバラは数時間のうちに亡くなった。

まだ手術から完全に回復していなかったスーザンは、療養のためしばらく病院にとどまった。同じ階にある育児室を通り過ぎるたびに、ほかの赤ちゃんの姿がいやでも目に入った。だが彼女が喪失を痛切に、心の底から実感したのは、自分の赤ちゃんをその腕に抱えずに退院したときだった。その後の数ヶ月間、ミッチェル夫妻は身を切られるような苦しみを味わった。二人と同じ痛みを経験していなくても、二人の悲しみが、なぜこれほど深かったのかを理解することはできる。

アメリカとフランスの調査から

生命倫理学者のクリスティーナ・オルファァリとエリーサ・ゴードンは、スーザンとダニエルをはじめ、幼な子を亡くすという辛い試練を経験したアメリカとフランスの親たちを対象に、面接調査を行った。どのケースでも、重病の子どもが延命治療の中止後に亡くなっていた。だがアメリカでは親が治療中止の決定を下さなければならないのに対し、フランスでは親がはっきりと異議を申し立てない限り、医師が決定を下すのが通例となっている。つまり、二つの集団が経験した選択には、大きな違いがあった。わたしはクリスティーナ・オルファァリとロンドン・ビジネススクールのマーケティング准教授シモーナ・ボッティとチームを組んで、この違いがもたらした余波を考察し、次の重大な問題について考えた。「辛い経験から数ヶ月を経た時点で、アメリカとフランスの親たちの感じていた苦悩に、違いはあったろうか？」

もちろんどちらの集団もまだ心を痛めていたが、一方の集団が他方よりうまく対処しているように思われた。フランスの親たちの多くが、「こうするしかなかった」という確信を口にし、そのせいかアメリカの親たちほど、「こうだったかもしれない」、「こうすべきだったかもしれない」という思いにとらわれずに、自分の経験について語ることができた。

かれらはそれほど強い動揺や怒りを見せずに、現実に起こったことを淡々と語った。中には赤ちゃんと過ごした、数少ないがとても貴重な良い思い出について語ってくれた人もいた。フランスの母親ノーラは、こう話した。「わたしたちはノアを失ったけれど、息子はわたしたちにいろんなことを教えてくれた。もちろん幸せを教えてくれたとは言い難いけれど、でもノアが生きていた間、わたしたちはかれを息子としてたしかに愛したの。それだけじゃない、もしかしたらノアは、人生哲学のようなものを教えてくれたのかもしれない」。また彼女と夫は息子を通じて、何人かの看護師と友情を育んだという。「悲しいことだけど、もしかれが亡くなったのなら、それは亡くなる運命だったんだわ」。彼女をはじめフランスの親たちは、だれ一人として自分や医師を責めなかった。治療中止の決定にもっと深く関わりたかったと言った人はいたが、それでも決断を下す立場に立つのは、あまりにも苦しくきついことだったろうと言った。娘のアリスを亡くしたピエールは、こう説明してくれた。「〔医師たちが〕決定を下し、それから親と話し合うんだ。ぼくたちは親だから、もしそんな決定に関与しろと言われても、無理だと思う。機械を止めろなんて言えるかどうか。今のやり方でさえ辛いのに、これ以上余計なストレスを抱え込みたくない」

　まさにこの「余計なストレス」が、アメリカの親たちを執拗に悩ませていた罪悪感、迷い、恨みを理解するカギなのかもしれない。エリオットの母親ブリジットは、看護師や医師に、決断をせかされたと言った。「今も同じことを考えながら、ただ歩き回っている。『あの時ああしていたら……』と堂々めぐりで考え続けているの」。彼女は治療方針の決定に、もっと深く関与すべきだったと考えていたが、自分が「プラグを引き抜いた」張本人だったことに、深く傷ついていた。「あの人たちは、わたしにわざと拷問を与えていたんだわ。どうしてあんなことを、わたしにやらせたの？　あの決定を、この手で下したという罪悪感を、一生抱えて生きていくことになった」。息子のチャーリーを亡くしたシャロンは、同じような感情をこう説明した。「まるで処刑に手を染めたみたいだった。あんなことするんじゃなかった」。こうした背筋も凍るような、苦渋に満ちた発言は、フランスの親たちの言葉とはかけ離れていた。たとえウィリアム・スタイロンの小説『ソフィーの選択』の主人公、ソフィー・ザヴィストフスカの口から出たとしても、違和感はなかっただろう。

ソフィーの選択

　第二次世界大戦時のナチス強制収容所を生き延びたソフィーは、身の毛もよだつような経験の数々を、片時たりとも忘れたことはない。小説の題名は、その中でも最悪の経験を指している。それはソフィーにつきまとい、最後には彼女を破壊してしまう、強いられた選択なのだ。本の終わり近くになってようやく読者は、ソフィーが許すことも、忘れることもできない選択について知る。彼女と二人の子どもたち、息子のヤンと娘のエヴァは、アウシュヴィッツに到着し、列車の中で待っていた。もうすぐ強制労働収容所に行くか、ガス室送りになるかが決まる。人々を選別していたのは、ナチス親衛隊の軍医だった。恐怖に襲われてせっぱ詰まったソフィーは、自分と子どもたちはユダヤ人ではなく、ポーランド人で、カトリック教徒だとうっかり口走ってしまう。すると軍医は、「おまえはポラ公で、ユダ公でない」のだから、選択の「特権」を与えてやろうと言った。二人の子どものうち、一人は残していい、もう一人はガス室送りだと言うのだ。「あたしに選ばせないで」。彼女は自分がささやき声で嘆願するのを聞いた。「あたしには選べません」。だが選ばなければ、子どもは二人とも殺されてしまう。「小さい子を、娘を連れて行って！」。そしてこの一言で、エヴァとソフィーの運命はともに封印されたのである。何年もたってソフィーはこう言っている。「毎朝のように、起きるとあのことを思い出し、その記憶を心に抱いたまま生きていかなければならない。それはあまりにも悲惨なことだ」。彼女の心は「あまりにも傷ついて、石になってしまった」という。

「拷問」や「処刑」などという言葉は、ブリジットやシャロンではなく、ソフィーの口から出てきて不思議はない言葉だ。アメリカの親たちの示した反応が、ソフィーの反応に似ているかもしれないと考えただけで、身も凍る思いがする。アメリカの親たちの置かれた状況は、フランスの親たちの状況とよく似ていた。同じような状況にあるのに、どうしてこれほどかけ離れた反応が見られたのだろう。もちろん、文化的差異が反応の違いを生んだ可能性はあるが、これほど悲劇的な生死の選択への反応は、きわめて本能的で根源的なものだから、万人共通の反応が見られるはずではないのか？

おそらくここには、別の力が働いているのだろう。アメリカの親たちとソフィーが背負っていた重荷、つまり選択の重荷が、フランスとアメリカの親たちの共通点を凌駕するほどの影響をおよぼしたのだ。現実に起こったできごとそのものではなく、決定を下す主体者になったという自覚によって、極限まで追い込まれるということがあり得るのだろうか？　そして選択そのものが強いる代償とは、一体何だろう？

Ⅲ．選択は痛みをともなう

ここまで、三つのシナリオについて考えた。最初のシナリオでは、医師は選択肢について説明することもなく、自ら治療中止の決定を下した（「情報なし、選択権なし」の状況）。第二のシナリオでは、医師は取りうる二つの方針と、それぞれがもたらす結果を説明してから、治療中止の決定を告げた（「情報あり、選択権なし」）。そして第三のシナリオでは、あなたは情報を与えられ、自分で決定を下すよう迫られた（「情報あり、選択権あり」）。

わたしたちは二〇〇八年にコロンビア大学で調査を行った。協力者にあなたが読んだものと同じ、ジュリーのシナリオを読んでもらい、ジュリーの親になったつもりで、質問票に回答してもらった。ただしあなたのように、すべてのシナリオを読んで回答するのではなく、三つのシナリオのうち、ランダムに割り当てられた一つを読んで回答してもらった。回答から、否定的感情の強さと、判断に対する確信の強さを分析した。

この結果、「情報のある非選択者」（フランスの親たちに相当）が持っていた否定的感情は、「情報のある選択者」（アメリカの親たちに相当）ほど強くないことが明らかになった。「情報のある選択者」と「情報のない非選択者」は、同じくらいの強さだった。この結果から、たとえ最終判断を下すのが医師であっても、患者側に治療の選択肢を提示することで、状況のもたらす悪影響を和らげられることが明らかになった。

また「選択者」は「非選択者」に比べて、判断に対する確信は強かった。言い換えれば、選択者は最終判断が正しいと確信していたにもかかわらず、辛い気持ちを人一倍感じていたということになる。この結果を詳しく検証するために、わたしたちは非選択者のシナリオを変更して、医師が治療の継続を決定したことにした。このとき、非選択者と選択者は、判断に対する確信の強さは同じだったが、やはり選択者の方が否定的感情を強く持っていた。つまり、否定的感情の大きさを決定する要因は、治療の中止または継続という実際の決定に対する確信の強さではなく、むしろこの状況をもたらしたのが自分であるという認識、子どもの死や苦しみを直接もたらした原因が自分にあるという認識にあるように思われた。

因果関係に対する認識がカギを握ることは、この研究で行ったもう一つの調査によって立証された。このときのシナリオでは治療中止を、専門家が推奨する選択肢として協力者に提示した場合、どのような影響があるかを検証した。選択者と非選択者の二つの集団に、医師のコメントとして、次の一文を加えたシナリオを読み直してもらった。

「われわれの意見では、治療を中止するしか方法はありません」

医師が治療中止を単なる選択肢の一つとしてではなく、医学的に望ましい選択肢として提示したとき、大きな変化があった。選択者と非選択者の否定的感情に、違いが見られなくなったのだ。このような形でシナリオを修正することで、二つの集団間にあった、否定的感情の大きな違いをぬぐい去ることができたのである。この発見は、重大な意味を持っている。第一に、医師が望ましい選択肢をはっきりと示すことで、困難な決定を担う人たちの負担を軽減できる可能性を示している。第二に、難しい選択の全責任または主要な責任を担わされる人たちの心や良心にのしかかる重圧がどれだけ大きいかを、この調査に限らず、ジュリーのシナリオを用いたすべての調査が明らかにしている。

その一方で、これまでの講で見てきたように、わたしたちはどんな状況であっても、選択の自由を手放すことを嫌う。それはなぜかと言えば、選択を通じて自分の人生をより良いものに変えられるという信念があるからだ。だがその反面、どの道を選んでも自分の幸せを必ず損なうような選択が存在することを、わたしたちは経験的、本能的に知っている。これがあてはまるのは、選択が避けられない上に、どの選択肢も望ましくないという状況、特に自分の大事にしているものを、「絶対的価値」(worth) ではなく「相対的価値」(value) という観点から考えることを強いられるような状況だ。この区別は、神話学者で詩人のルイス・ハイドが著書『ギフト――エロスの交易』(二〇〇二年、法政大学出版局) の中で論じたものである。「『絶対的価値』(worth) とは、自分が大切にしていて、値段がつけられないものに、もともと備わっているものだ。これに対して『相対的価値』(value) とは、あるものをほかのものと比較することによって導き出すものだ」

子どもの命には、「価値」がある。しかしミッチェル夫妻のように、治療に関する決断を迫られた親たちは、選択肢の比較を余儀なくされ、そして比較するためには「値踏み」を余儀なくされるのだ。どれほどの苦しみが、死に等しいのだろう？　言い換えれば、子どもの現在と将来の苦しみを足し合わせたものが一体どれほどであれば、死の方が望ましいと判断すべきなのだろう？　治療継続の判断を下すためには、どれだけの希望が、つまりどれだけの生存率や回復の見込みが必要なのだろう？　決断を下すとき、ほかの子どもたちにかかる感情的ストレスや経済的負担などの影響も考慮に入れて検討すべきだろうか？　それともこの子の命を、ほかの何よりも優先すべきだろうか？　値段がつけられないほど貴重なものを値踏みするとき、一体何が起こるのだろう？

いま一度、ハイドの考えに耳を傾けてみよう。

　市場価値があるものは、はかりに載せて比べるために、自分から切り離す、または手放すことができなくてはならない。わたしはこれを特定の意味で言っている。つまり、値踏みする者は、値段をつける対象から距離を置かなければならない。自分がその対象から離れている様子を思い描くことができなくてはならない、ということだ。（中略）状況によっては、値踏みを求められること自体、不適切、いや無礼にさえ感じられることがある。たとえばむかし道徳の授業で、こんな問題を考えたことはないだろうか？「あなたは救命ボートに妻、子ども、祖母と乗っているが、だれか一人を海に投げ込まないと、ボートが沈んでしまう」。これはジレンマだ。なぜならこの問題は、家族という文脈の中で判断しなくてはならないからだ。普段であれば、家族と距離を置き、それをあたかも商品であるかのように値踏みすることなど、とても考えられない。われわれは、たしかにこのような判断を強いられることがある。なぜそれがストレスに満ちているかと言えば、われわれが感情的な結びつきを持っているものに、比較可能な値打ちを割り当てたくないからにほかならない。

ソフィーとアメリカの親たちは、選択するために、子どもたちを値踏みすることを強いられた。そのためには、子どもたちと距離を置く必要があった。だがそうできなかったがために、心が千々に乱れてしまったのだ。まるで拷問台に縛り付けられ、手足が引きちぎれるまで引き伸ばされたかのように。この選択は、アメリカの親たちの心に、和らぐことのない罪悪感、怒り、苦悩を残した。戦時中数々の苦しみを味わったソフィーは、自殺によって、この選択に幕を下ろした。ナチス親衛隊の軍医がソフィーに選択を迫るシーンを読めば、かれが悪意から彼女を苦しめていることがすぐにわかる。だが実生活では、選択に伴う悲惨な代償になかなか気づかないことも多いのだ。

このような選択とは無縁でいたいと、だれもが願う。だが現実は厳しい。わたしたち一人ひとりが、一生の間にこれに劣らぬほど苦渋に満ちた決断を迫られる可能性が高いのだ。アルツハイマー病患者は全米で約四五〇万人いると言われており、今後さらに患者が増え、二〇五〇年には患者数は一一〇〇万人から一六〇〇万人程度になると予測されている。アメリカ癌協会の推計によれば、人が一生のうちに浸潤性のガンを発症する確率は、男性では二人に一人、女性では三人に一人にもなるという。アメリカでは毎年六万人近くの人が、新しくパーキンソン病と診断されている。あなたを落ち込ませるつもりはないが、要は、わたしたちのだれ一人として、こうした状況にまったく対処せずにすむ人はいないということなのだ。医療の質は向上の一途をたどり、人間の寿命は延びている。このような中、わたしたちはいつか親や愛する者たち、ひいては自分自身について、突き詰めれば「絶対的価値」と「相対的価値」の計算に行き着くような、難しい選択を迫られるだろう。

実際、わたしたちはジュリーのシナリオよりも、さらに難しい決断を迫られるかもしれないのだ。身を切られるような一つの選択ではなく、わたしたちがあまりにも安易にあたりまえのことと思い込んでいる、日常生活の些細な事柄について、選択を迫られるようになる。その結果、愛する者の生活の質そのものを値踏みすることを強いられるのだ。たとえば、用心のために母の車のキーを隠すべきだろうか、それともできるだけ自立した生活を送りたいという母の望みを聞き入れて、キーを渡すべきだろうか？　祖父が外を徘徊して、自分の庭のように知り尽くしていたはずの近所で迷子にならないようにするには、どうしたらいいのだろう？　父が自力でものを食べられないなら、常時看護が受けられる介護施設に入れた方がいいのだろうか、それともたとえばホームヘルパーを頼むなどして、ある程度自分の意思で生活できるように、住み慣れた環境で暮らさせてあげるべきだろうか？

このジレンマは、単純にイエスかノーかで答えられる問題というよりは、綱渡りと言った方が近い。たしかに健康と安全は考慮すべき重要な要素だが、自由と主体性をできるだけ尊重してあげることも大切ではないのか？　保護と尊厳とを値踏みし、病人の状況に応じて絶えず判断を繰り返すのは、並大抵の苦労ではない。人は心身共に衰えていく中で、周りの状況を掌握したいという本能だけは衰えないことが、さらにことを難しくする。病人は自分に残されたわずかな自由を守ろうとして、人の助けを拒絶するのだ。家族として、愛する者の選択をいつ、どのようにして取り上げるかを決定するプロセスが、ただでさえ苦渋に満ちた経験の最もつらい部分だと、どこの家族も口にする。

〝ジュリー・ジレンマ〟が教えてくれたように、ジュリーを生命維持装置から外すことを、医師が医学的に望ましい選択肢として提示したとき、選択者は、医師が意向を表明せず、ただ選択肢を提示したときほど、自分の決断に苦しめられなかった。わたしたちは、難しい決断の負担を軽減しようとして、権限や専門知識を持つ人たちに頼ることが多い。苦境に立たされたとき、自分が正しい方向に進んでいると太鼓判を押してくれる人がいれば、たとえ現実の結果が変わらなくても、苦しみは大いに軽くなる。わたしたちの文化では、選択の概念が、尊厳と主体性の美徳と、きわめて密接に結びついている。そのためだれからも、たとえそれが退行性脳疾患に苦しむ人であっても、選択の権利を剝奪すべきでないという強い意識が働いて、肉体的健康への配慮さえ、どこかに押しやってしまうことがある。その対処方法の一つが、ケアの最も厄介な側面を、医療専門家に任せることだ。息子や娘、夫が車のキーを隠す勇気がないなら、「運転はおやめなさい」という医師の一言が、祖母の運転免許証を返還するきっかけを与えてくれる。こうした難しい問題に限って言えば、選択の権利を行使するには、外部から何らかの助けが必要なように思われる。

人が保護と世話を完全に他人に頼るのは、幼児期と高齢期だが、自立を完全な依存の状態に変えるのは、老年だけだ。わたしたちは介護者になることで、選択にまつわる精神的負担を、他人の分まで引き受けることになる。もちろん、いつだって愛する者たちの幸せを望んではいるが、生活の質にかかわる、めまいがするような選択肢の数々には、頭がどうにかなりそうになる。わたしの同僚の女性は、まるで啓示に打たれたように、あることに気がついてから、肩の荷が下りたような気がしたと話していた。

「治療をどうするか何年も悩んでいたある日、突然はっと気がついたの。母は、わたしが何をやってもやらなくても、いつかは亡くなるってことに。残酷に聞こえるかもしれないけど、自分が母を治せないこと、母に自主性を戻してあげられないことを理解することは、わたしにとって本当に大切なことだった。そのおかげで、一緒に暮らした最後の数年間は、質の高い生活を二人で送ることだけを考えることができたのよ。完璧な介護者にならなきゃと、そればかり考えていたあの頃は、とてもそんなことはできなかった」

もしかしたら、わたしたちはみな、完璧になろうと頑張りすぎずに、愛する者たちとともに過ごす喜びに、もっと目を向けるべきなのかもしれない。

Ⅳ・選択を放棄することについて考える

医学史を通じて、医師や治療師のあやしい慣行やいかさま療法が横行してきたことを考えれば、わたしたちが父権主義的医療に拒絶反応を起こすのも、無理はないのかもしれない。だが自己決定型医療への移行には、また別の疑問や影響がつきまとう。意思決定プロセスに患者が参加することには、たとえ患者が結果として行う選択が、医師やその他大勢の患者の選択と大差なかったとしても、心理的にプラスの効果があることは確かだ。だがここまで見てきたように、選択は時に痛手となり、害をもたらすこともある。それに、信じたくないのはやまやまだが、過去の時代の大きな懸念、つまり一般人は機会を与えられても賢明な選択ができないのではないかという危惧は、あながち事実無根とも言い切れないのだ。たとえば医師として医療における意思決定を研究しているピーター・ユーベルが、著書『自由市場の狂気』（Free Market Madness）の中で指摘するように、一九七〇年代には、ワクチンの接種によりポリオを発症するリスクを恐れて、子どもにポリオの予防接種をさせない親が多かった。ワクチン接種による副作用でポリオを発症するリスクは二四〇〇万人に一人の割合にすぎなかった。これは、予防接種を受けない人がポリオに罹患する確率よりはるかに低いため、医療専門家であれば予防接種を促したはずだった。

しかし二四〇〇万人のうちの一人が、もし自分の子どもだったらと考えると、確率など何の気休めにもならない。そんなわけで一部の親たちは、予防接種を選択することでわが子を病気にした張本人になることを恐れるあまり、「何もしない」という、はるかにリスクの高い選択肢を選んだのだ。この一例からだけでも、行動を起こさないリスクより、行動を起こすリスクを恐れるという、人間のよく知られた性向が、とても困った状況をもたらすことがよくわかる。

それにわたしたちは、合併症や副作用に対する警戒や恐れのせいで、判断を惑わされることもある。ここでもピーター・ユーベルと同僚たちによる、最近の研究が参考になる。この研究では、協力者に結腸ガンと診断されたという前提で、選択をしてもらった。このガンには、次の二種類の手術が考えられる。手術1を受ければ、完治する確率は八〇％、手術中に死亡する確率は一六％で、残りの四％は治癒するものの、非常に不快な副作用（人工肛門、慢性下痢、間欠的な腸閉塞、または創傷感染）を一つだけ伴う。手術2では、完治する確率が八〇％、手術中に死亡する確率が二〇％だ。あなたならどちらを選ぶだろう？　副作用を抱えながら生きるのと、死ぬのと、どちらがましだろうか？

協力者に事前にこの質問をしたところ、九割以上の人が、どんな副作用があっても、死ぬより生きる方がいいと答えた。つまり、本来の意思どおりに選んだとすれば、手術1が圧倒的に多いはずだった。しかしふたを開けてみると、約半数の人が手術2を選んだのだ！　合併症のリスクがあっても生き延びる確率が高い手術の方が、合併症のリスクはないが死亡する確率が高い手術より好ましいことを、頭ではわかっていても、心では合併症のリスクのない手術の方がましだと感じるのかもしれない。もしかしたら、苦しくて厄介な副作用に苦しむ自分は想像できても、死にかけている自分は想像できないために、合併症の方が死よりもずっと生々しく感じられるのかもしれない。このようにわたしたちは、自分の命がかかっている状況でさえ、いや命がかかっている状況だからこそ、矛盾や先入観にとらわれることが多いのだ。

では一体どうすべきなのだろう？　もちろん、患者が思ってもみない臓器を摘出されて手術室から運び出された時代に戻れるはずはない。さりとて、選択肢を一方的に押しつけられるのは嫌だが、自分の健康や幸せを損なうような決断を、自ら下すのも避けたい。病気や死に直面する人たちと、周りの人たちの苦しみを、できるだけ軽減してあげたいが、かれらの選択を制約する方法はとりたくない。

ではここで考えてほしい。今まで読んできたことを考慮に入れて、あなたはこれまでのシナリオのような選択を、放棄したいと思うだろうか？　もしイエスなら、だれに、どれだけの選択を委ねたいだろうか？　ノーの場合、その理由は何だろう？　自分の不安や意図、行動原理をだれよりも熟知している自分が、まちがった選択をするはずがないからだろうか？　相手の感情が激しているときも、客観的な判断を下せるつもりでいるのだろうか？　それとも、選択を少しでも放棄するのは、ジョージ・オーウェルが描く暗黒郷のロボット人間になるのと紙一重だと思っているのだろうか？

このようにして厄介な問題に向き合わず、板挟みになるまで先延ばしにしていると、いざ決断を迫られた時には、一番自分のためになる答えを出せる状況ではなくなっている。困難な選択について考えろとわたしがせっつくのを、押しつけがましいことだと、またハイドが言うように無礼なことだと考える人がいるかもしれない。それにこんな選択について今から考えるのは、自ら不幸を招くようなものだと思う人もいるだろう。たしかに縁起でもない話だ。でもわたしたちは現実の生活で生命保険に入り、遺言状を書くときは、いやでも死を意識せざるを得ない。死は一生に一度、税務署員は年に一度しか訪れないが、不愉快なジレンマは時を選ばず押しかけてくる。このようなジレンマは、ナチス親衛隊の暴虐な軍医というよりは、厄介な隣人という姿をとって現れることが多く、ボディブローのようにじわじわとダメージをおよぼす。こうした影響を無視したり軽視したりせず、どう転んでも辛い選択を迫られるときが必ず来ることを、覚悟しておいた方がいい。

ヨーグルトの実験

日常的な「苦い」選択に対する人々の反応を検証するために、わたしは再びシモーナ・ボッティと組んで、別の実験を行った。消費動向調査のための味覚テストを行うという名目で、シカゴ大学の学生から協力者を募った。事前準備として、いろいろな味のヨーグルトを取りそろえ、何人かの学生に、それぞれのおいしさを、一から九までの点数で評価してもらった。この評価をもとに、一番おいしそうなものを四種類（黒糖、シナモン、ココアパウダー、ミント）と、一番まずそうなものを四種類（セロリシード、タラゴン、チリパウダー、セージ）を選び、実験を始めた。

学生が部屋に入ると、テーブルの上に、おいしいグループまたはまずいグループの四種類のヨーグルトが、それぞれラベルをつけて並べられていた。学生が目で見てにおいをかぎやすいように、ヨーグルトはふたのない透明なカップに入れてあった。半数の学生は、自分の好きなものを一つ選んで試食し（選択者）、残りの半数はくじを引いて、そこに記されたものを試食した（非選択者）。実はくじには細工がされ、前の試食者が選んだものと同じ味が書かれていた。全員が好きな量だけ試食してから、どれくらいおいしいと思ったか、この調査を運営しているという設定の架空の企業が、二五〇グラム入りのカップの小売価格をいくらに設定すべきかを、質問票に記入させた。

おいしいグループを試食した学生は、選択者の方が、非選択者よりも、食べた量が多かった。また選択者は非選択者に比べて、二五〇グラム入りカップに平均で一ドル高い値段を設定した。だがまずいグループでは、非選択者の方が食べた量も多く、つけた値段も一ドル五〇セント高かったのだ。おいしいグループの結果は説明するまでもないが、なぜまずいグループでは結果が逆転したのだろう？　なぜ魅力のないヨーグルトは、試食するものを自分で選ばなかった人にとって、自分で選んだ人より、ましな味に感じられたのだろうか？

調査結果を分析し、協力者と話し合った結果、いくらか手がかりが得られた。選択者は、それぞれの味の良い点と悪い点を目と鼻で比較検討してから、ヨーグルトを選んだ。だからこそ、それを試食したとき、「うわっ、まずい。なんでこんなにまずいんだろう？」、と評価のプロセスを続けずにはいられなかったのだ。スプーンを口に運ぶたび、その選択をしたのが自分だということを思い知らされた。自分は本当に一番無難なものを、ちゃんと選んだのだろうか？これに対して非選択者は、自分の試食した味を、その他の味と比べる必要がなかった。それに自分で選んだわけでもなかったので、おいしくなくてもそれほど気にならなかった。これはただの実験で、自分の成功や失敗を示す尺度ではないのだ。このように、ありがたくない選択肢からの選択は、たとえ失うものがほとんどなくても、後味の悪さを残すように思われる。

もちろんわたしたちは、ひどい味のヨーグルトを無理矢理食べさせられる、「バッド・ヨーグルト社」が支配する、奇妙な世界に閉じこめられているわけではない。近所のスーパーマーケットの試食コーナーに心をそそるものがなければ、通り過ぎるまでだ。だが「該当なし」の選択肢がいつもあるとは限らないし、場合によっては、それが最悪の選択肢になることだってある。たとえばあなたの夫がウーヴェ・ボル〔ヒットしないことで有名なゲーム映画の監督〕の作品の熱狂的ファンだとしよう。デートの夜、あなたは『ブラッド・レイン』か『ハウス・オブ・ザ・デッド』を見ようというかれの誘いに屈するだろうか、それともウーヴェ作品の全面禁止を申し渡して、愛しい人の胸を打ち砕くだろうか？　休暇シーズンに入ったら、義理の両親と過ごして実の両親をがっかりさせるか、それとも実家に帰って義理の両親をがっかりさせるか？　個人的な思い入れはあるがそれ以外に価値のない先祖伝来の家宝を、この娘にやるか、あの息子にやるか、それとも二束三文で売り払って、もうけを分けるべきだろうか？　こうした決定の一つひとつは、もちろん、人生を変えてしまうほどの選択ではない。だがその一つひとつが幸せを乱すなら、それらが積もり積もって大きな代償をもたらすのは、そう遠くない先のことだろう。そろそろ選択にまつわる根強い思いこみに異議を申し立て、それを捨て去ることにどんなメリットがあるのかを考えるべき時期に来ているのかもしれない。

V. 赤いボタン症候群

パラダイス・パークへようこそ！　ご来園ありがとうございます、どうぞごゆっくりおくつろぎ下さいね。おいしいものを食べ、陽気に騒ぎ、お好きなようにお過ごし下さい！　そうなんです、当園に規則はありません。主役はあなたですよ（あ、ボタンにはさわらないで下さいね）。地図を片手にほうぼう探検して、楽しんで下さい。天気はいつも最高ですから。え、なんですって？　ボタン？　ああそう、ボタンさえ押さなければ大丈夫。でも押してしまうと、そうですね、何が起こっても当園では一切責任を負いかねますんで。いいですか、この大きな丸い(色は真っ赤を想像して欲しい)ボタンには近づかないで下さいね。

さて、もしあなたがわたしと同類なら、何のためのボタンだろうと、いぶかしく思っていることだろう。楽しめるものはほかにたくさんあるのに、ついついボタンのことを考えてしまう。押したって、それほどひどいことは起こらないさ。何か隠そうとしているだけなんだ。それに、自分が押さなくても、だれかが押してしまうだろう。いやいや、やっぱりそんなリスクは冒さない方がいい。でももう少し近づいてよく見ても、減るもんじゃなし。だいたい、なんでそもそもボタンの話なんかしたんだろ? 実は、押させたいのかもよ? うん、でも政府が仕組んだわなだったらどうする? それを知る方法は、一つしかない……。

わたしたちはほんの幼い頃から、世の中にはやってはいけないことがあると教えられるが、それをはいそうですかと、そのまま受け入れるわけではない。魔の二歳児は、癇癪《かんしゃく》を起こしてものを投げるし、ティーンエイジャーはドアを力任せに閉め、窓からこっそり抜け出す。読み手を夢中にさせる、時代を超えて語り継がれる物語の主人公は、禁じられたものの誘惑に抗《あらが》おうとし、往々にして屈してしまう。どの果実を食べてもいいが、この木になっているものだけはいけない? 敵の息子だけは愛してはいけない? どんな結果が待っているかは、わかりきっている。不服従、反抗、反逆、など呼び名はたくさんあるが、心理学者のジャック・ブレームは一九六〇年代に「心理的反発」(リアクタンス)という名前をつけ、次のように説明した。

自分に何かの行動をとる自由があると信じている者は、その自由が失われるか、失われそうになるとき、心理的反発を感じる。心理的反発とは、「失われそうな自由、または失われた自由を回復しようとする、動機づけ状態」と定義され、その行動を取りたいという欲求の高まりとして現れる。

あなただって、失われたものを強く求めたことがあるはずだ。しかしここまで見てきたように、人はいつも自分にとって「最良」の選択をするとは限らない。この問題を解決する方法として考えられるのは、自分を苦しめるおそれのある選択を自分の手から放し、だれか信頼できる、もっと適任な人、客観的な立場の人に任せることだ。だがこれは口で言うほど簡単なことではない。たとえ何が自分に「苦しみ」をもたらし、だれが「適任」かということに意見の一致を見たとしても、選択の自由を手放すことは、心理的反発を招く可能性が高いのだ。選択の自由が最初からないことと、かつて持っていた選択の自由を失うこととは、まったく別物だ。ジュリー・ジレンマとヨーグルトの実験の選択者は、他人に決断を任せた方がよかったかという質問に対し、そうは思わないと回答した。これに対し、非選択者は、自ら判断を下したかったと回答した。つまりほとんどの人が、選択権のある状況を、望ましい、または少なくとも良いことだと思っていた。しかも、実際には選択者よりも非選択者の方が、全体的に見て満たされていたにもかかわらずである。

もしかしたら、二つの研究のシナリオのテーマが、架空の選択と、日常の瑣末《さまつ》な選択だったため、見返りがあまりにも小さすぎて、自分が選択権を持つべきかという問題を、本気で考えるまでには至らなかったのかもしれない。だが自分の赤ちゃんの治療に関して、現実の重大な意思決定を行い、そのような立場に立たされたことに憤りと恨みを感じていたアメリカの親たちでさえ、選択を放棄することには躊躇《ちゅうちょ》したのだ。かれらは、自ら選択を行うことがマイナスに働くような状況が存在することを、身をもって知ったはずだ。それなのに、たとえ機会を与えられたとしても、医師に重大な決断を委ねたいと思わなかったのはなぜなのだろう？　さらに言えば、フランスの親たちは、自国で医療上の決定が個人の選択の問題と見なされていないおかげで、辛い思いが軽減されたのに、自分で選択できなかったことに、複雑な思いを抱いていたのだ。

前の方の講で、わたしは選択が人間の健康にとって基本的な必要であり、生命、自由、幸福の追求の「不可侵の権利」と結びついていると説明した。そのようなものとして、選択には相対的価値ではなく、絶対的価値がある。わたしたちは選択を行うとき、一つひとつの選択肢を値踏みせざるを得ないが、「選択の自由」そのものは、そのような評価をはねのけ、ゆるぎない愛と忠誠をわたしたちに強要する。このように建前としての選択と、本音としての選択が衝突するとき、葛藤が生じる。選択の絶対的権利を主張し、行使すべきだろうか、それともその時々の状況で適切と思われる行動を取るべきだろうか？　選択の自由がないのがあたりまえなら、こんな疑問は生じないだろう。だが自分にない選択の自由が他人にあるとき、または今ある選択の自由が失われようとしているとき、強い心理的反発が起こる。こんなとき、わたしたちはたいてい建前としての選択を優先し、後先顧みずに、選択の絶対的権利に固執するのだ。言い換えれば、人々を難しい選択から解放しようとして、選択権を取りあげれば、逆に大きな反発を招きかねない。

禁止されたものを人は欲しがる

一九七二年にフロリダ州マイアミの住民が、販売禁止が決まったある商品の買占めに走った。禁止条例の発表から施行までのわずかな間に、住民は店に殺到し、店頭から消えようとしていた商品を買えるだけ買い込んだ。禁止条例が実施されても、まだ気がすまない人たちは、販売がまだ認められていた外国から、商品をこっそり持ち込んだ。住民にとって、なしですませられないほど重要だったこの商品とは、一体何だったのだろう？　それは洗濯洗剤だった。とは言え、ただの洗濯洗剤ではない。マイアミ市は、リン酸塩を含む合成洗剤の販売と使用を、全米で先がけて禁止した市の一つだった。リン酸塩は、洗濯機の水を軟化し、洗浄力を高めるために用いられていた。困ったことに、リン酸塩は肥料の主要成分でもあることから、下水に排出されると、藻の大量発生を引き起こす原因になり、それが水を詰まらせ、動植物の呼吸を妨げ、時には神経毒などの有害物質を作ることもある。でも、あの白さの白いことといったら！　奇妙なことに、条例が施行された当時でさえ、洗浄力を高める作用がある物質は、リン酸塩のほかにもあったし、メーカーはすでに炭酸塩やその他の代用品を使った新しい洗剤を発売していた。どうして人々は法を破ってまでも、清潔な服にこだわったのだろう？　洗浄力が同じで、環境にやさしい、しかも合法的な洗剤が、ほかにあったのに。まるで「禁酒法の洗剤版みたい」と同僚は言う。この一例だけからでも、心理的反発がわたしたちの態度やふるまいに著しい影響をおよぼすことがよくわかる。

心理的反発は、心理的現象の例に漏れず、状況の事実関係ではなく、状況に対する認識によって引き起こされる。選択の自由が奪われたと感じれば、それが正しいかどうかとは関係なく、反発が起こる。選択権が大いに望まれる分野の一つが、制約でがんじがらめの医療だ。では即答してほしい、「保健維持機構」（ＨＭＯ）と聞いて、ぱっと思い浮かぶのは何？　多分、良いものではないだろう。あなただって、HMOの残酷物語をいろいろ耳にしているはずだ。二〇〇〇年の世論調査によれば、HMOに対する国民の支持率は二九％と、たばこ会社の支持率を辛うじて一％上回る程度だった。HMOはだれもが悪口を言いたがる医療制度になってしまったが、本当にここまで非難されても仕方がないのだろうか？

従来型の医療保険では、どこで治療を受けても、医療費の一部または全額が患者に支払われるが、HMOでは保険会社のネットワークに参加している病院や医師でなければ、保険は適用にならない。ネットワークは、プランによって異なる。また専門医にかかる時は、ネットワーク内の主治医の紹介がなければ、保険は適用されない。このシステムを通じて、HMOはネットワーク内の医師と割安な金額で契約し、差額を安い掛け金という形で顧客に還元している。人はおトクな話が好きだが、それよりさらに選択を好むのだろう。

HMOは拘束が多い、医療の質が低下したという話ばかりが耳に入ってくる。でもちょっと待ってほしい。こういった話は、HMOに加入すらしていない人からも聞こえてくるのだ。たとえばある研究で、一万八〇〇〇人超を対象にアンケート調査を行い、結果を分析したところ、約二五％の人が自分の保険の保障範囲を誤解していた。つまり従来型保険の加入者が、HMOに加入していると思い込んでいる場合もあれば、その逆の場合もあった。そして従来型保険に加入していると誤解していた人は、HMOに加入していると誤解していた人より満足度が高かった。つまり、回答者が実際に加入していたプランは、加入していると思い込んでいたプランよりも、満足度に与える影響が小さかったのだ。たしかにHMOの方が、医療機関や治療法などの選択肢は少ないが、だからと言って医療の質が劣るとは必ずしも言えない。一般にはそう考えられているようだが、この評価は、選択の制約を回避しようとする思考によって、不当に歪められているのかもしれない。心理的反発がわたしたちの判断を損なっているのだとしたら、何か打つ手はあるのだろうか？

Ⅵ．心理的反発の抑制

本当の意味で民主的な社会は、ある程度は心理的反発を促すようなものでなくてはならない。自由を脅かすものに対抗する動機を持たなければ、全体主義への道をまっしぐらに突き進むことになってしまう。わたしはなにも、心理的反発を抑圧する極秘プロジェクトを立ち上げようというわけではない。わたしたちの権利を脅かさず、利益に適《かな》うような方法で、心理的反発を迂回、操作、利用する戦略を立てて採り入れることはできるはずだ。

たとえば、世界中の親たちの奥の手、心理を逆手に取る方法はどうだろう？「うさぎどん」は、宿敵「きつねどん」にわなにかけられたとき、この方法でうまく切り抜けた。きつねどんが、うさぎどんをどうやってこらしめようか、あぶろうか、つるそうか、いや水に投げ込もうかと思案しているとき、うさぎどんは泣きついた。「おねがいだから、イバラの茂みにだけは投げ込まないで！　何をされてもいいけど、どうかイバラの茂みにだけは投げ込まないで！」。そこできつねどんは、どうしただろう？　もちろん、うさぎどんをイバラの茂みに投げ込んだのだ。そしてむろんのこと、この茂みで生まれ育ったうさぎどんは、まんまと逃げおおせたのだった。わたしの同僚が、幼い息子にこの方法でシェイクスピアに興味を持たせようとした。シェイクスピアの本は「パパのご本」だから、子どもは読んじゃだめだ、と申し渡し、プレイボーイやペントハウスなどの男性雑誌を隠すように、本棚の本の後ろや、浴室の洗面台の下の収納ボックスの中に隠した。ただし、必ず端っこがちょっとだけのぞくようにしておいた。息子は間もなく禁書を探しあて、こっそり読み始めた。そして次第に古典に深い関心を覚えるようになったと、同僚は悦に入っていた。

軽い抑制が効果的だ

だがこれよりもっと良い方法がある。スタンフォード大学でわたしの指導教官だった、前述のマーク・レッパーを覚えているだろうか？　かれが一九七〇年代に、心理学者のマーク・ザンナ、ロバート・エーベルソンと行った一連の研究は、今や古典となっている。ほかの点ではいつもと変わらないある日、カリフォルニア州のある幼稚園の学級の子どもたちは、「とくべつなお楽しみ」をもらった。いつものように教室で活動していた子どもたちは、一人ずつ別室に連れて行かれた。そこで白衣を着た実験者に、六種類のおもちゃを見せられた。電車、スリンキー、ブルドーザー、ぜんまいで動くロバのおもちゃ、エッチ・ア・スケッチ、そしてその年に大流行した電池で動くおもちゃ「ロビー・ザ・ロボット」だ。それから子どもたちはおもちゃを好きな順に並べた。ロビーが一番人気だった。実験者は、これからちょっと部屋を離れるけれど、その間ロビー以外のどのおもちゃで遊んでもいいよと言った。ただしこの時、何人かの子どもたちには、「〔もしロビーで遊んだら〕おじさんはカンカンに怒って、きみをお仕置きしなくてはならなくなるからね」と言って、ロビーで遊ばないよう、きつく釘をさした。残りの子どもたちには、「〔もしロビーで遊んだら〕おじさんは困ってしまうよ」とだけ言った。実験者がいない間、強く牽制された子どもたちは、ロビーを見つめていたが、近づかなかった。

軽く牽制された子どもたちも言いつけを守ったが、ロビーのずっと近くまで行ってじろじろ眺め、手に取ろうとして、最後の最後に手を引っ込めた。一週間後、別の実験者が、同じ子どもたちにもう一度どのおもちゃが好きかを尋ねた。軽く牽制された子どもたち、ロビーを我慢するのにあれほど苦労した子どもたちは、前ほどロビーに関心を示さなかった。だが強く牽制された子どもたちは、前にも増してロビーと遊びたがったのだ。

子どもたちは全員同じ制約を受けていたが、軽い牽制は、長い目で見た場合、強い牽制ほど強い心理的反発を生まなかった。強く牽制された子どもたちは、怒りやお仕置きを恐れて、ロビーに近づこうとしなかったが、ある種の「赤いボタン症候群」に悩まされ始めた。例の、赤い警告ボタンが目の前にあるときに陥る状態だ。おそらく子どもたちはこう考えていたのではないだろうか。「おじさんが遊んじゃいけないって言うくらいだから、ロビーはほんとにすごいおもちゃなんだろうなあ!」、「どうして言いつけを守らなくちゃいけないの？　あの人に指図される覚えはないよ!」。軽く牽制された子どもたちは、もう少しで衝動に負けそうになった。しかしかれらが迷ったというその事実が、かれらが遊ぶか遊ばないかの決定権が自分にあると信じていたことを物語っている。かれらはこんなふうに考えていたのだろう。「ほんとに遊びたいなら、ロビーで遊べるもん。だっておじさんは、ロビーで遊んだら困るって言っただけだ。そんなの、たいしたことじゃないさ、パパのことなんか、いつだって困らせてるし。でもぼくほんとは、そんなにロビーで遊びたくないんだ」

子どもたちは一週間後に、おもちゃをどう思うかと尋ねられたとき、以前のできごとを思い出し、それに応じてロビーを評価した。強く牽制された子どもたちは、ロビーをあきらめさせられたこと、自分に決定権がないことをはっきり自覚していた。だからかれらは心理的反発を見せ、ロビーを前よりさらに高く評価した。だが軽く牽制された子どもたちが見せた反応は、ずっと複雑だった。かれらはロビーですごく遊びたいと言ったのに、実際には遊ばなかった。言いつけを守らなくても、それほど困った結果にはならないことを知っていたため、遊ぼうと思えば遊べたはずだった。それなのになぜ、一番好きなおもちゃで遊ばなかったのだろうか？

一つの理由として考えられるのは、いわゆる「認知的不協和」だ。ロビーで遊べば、自分が口に出した願望と、実際に取った行動との間に不愉快な矛盾〔不協和の状態〕が生じる。行動は過去のもので、もう変えることはできない。そのため不協和を避けるには、願望の方を変えるしかなかった。「ロビーはそんなに特別なおもちゃじゃないのかもな。遊んだら楽しいかなって思ったけど、そうでもないみたい」。つまりこの実験では、子どもたちにロビーで遊ぶことを禁じつつも、裁量の余地を若干残しておくことによって、かれらの心理的反発を最小限にとどめ、ロビーに惹かれる気持ちを抑えることができた。そして子どもたちは、ロビーがそれほど「すごい」おもちゃではないという判断を、自分自身で下したと思っていたため、この新しい態度は持続したのだ。

保険業界の応用事例

保険業界は、こうした研究の成果をいち早く採り入れた。制約であることを感じさせない制約の価値に気づき、この新しい洞察を利用して、ＨＭＯに対する不信感の払拭《ふっしょく》を図ったのだ。具体的に、どうしたのだろうか？　もちろんプランの加入者に、心理的反発について説明したり、あなたの思っていることはすべて幻想ですなどと言ったわけではない。優先医療給付機構

（PPO）と呼ばれる、新しいプランを導入したのだ。PPOも、保険会社が認可された医療機関や主治医と提携してネットワークを形成し、主治医が専門医へのゲートキーパー役を果たすという点では、HMOと同じだ。主な違いは、PPOではネットワーク外の医療機関の診療にも保険が適用される点にある。ただし、ネットワーク内での診療と比べれば、かなり割高になる。そのためネットワーク内で受診しようという強い動機が働き、実際そうする人が多いのだが、それでも加入者は医療機関や治療方法の選択の自由度が高いという感じを抱く。このようにして、加入者はPPOの安い保険料というメリットを享受しつつも、HMOの厳しい制約がもたらす不満を感じずにすんでいるのだ。

法律も同様の手段を通じて人々の選択を感化することが多い。アルコールやたばこの消費を抑制することを目的とした「罪悪税」は、消費に制約を課すが、禁止するわけではないため、受け入れられている。こういった税はさまざまな目的で導入され、引き上げられる。たとえば欠勤、医療費の負担、アルコール関連の事故といった、社会的費用を軽減する効果がある。酒税を一〇％引き上げると、消費は平均して三、四％減少することが、さまざまな研究から明らかになっている。一般に酒税がかなり低いことを考えれば（ビール一ガロン〔三・七五リットル〕につき数セントという州もある）、めざましい効果と言える。またノーベル経済学賞受賞者のゲーリー・ベッカーと同僚たちの分析によれば、一箱につき二ドルを超える税金が課されているたばこの場合、一〇％の増税で、消費は最大八％も減少するという。さらによいことは、ティーンエイジャーや妊婦など、喫煙と飲酒によって失うものが大きい集団に、消費抑制効果が特に大きく働くことだ。そのうえ消費の減少率は一般に税収の増加率を下回るため、全体として税収が増え、政府が適切と考える方法で使える資金が増えることから、政府にとってはいいことずくめだ。だが勘定を持たされる消費者の側は、こうした税をどう受けとめているのだろう？

最近の研究では、喫煙のリスクが高い人たちが、たばこ税の引き上げを歓迎したという結果が出ている。喫煙者は数字に弱いのだろうか、それとも金がうなるほどあるのだろうか？　いや、かれらは税金が高くなればたばこが高くなることを知っているし、もちろん余分な出費は避けたいと思っている。ならどうして歓迎したのだろう？　喫煙者や喫煙予備軍は、たばこを吸うべきではないことを知っている。医学的にも、経済的にも、喫煙はまずい選択だ。だがかれらにとって、喫煙しないインセンティブは十分強くない。仲間からの圧力、クールに思われたいという願望、それともすでに中毒になっているなど、理由はさまざまだが、喫煙に非常に心を惹かれている。だから、たばこの値段が上がると、喫煙しないインセンティブが高まるため、増税は好ましいのだ。たばこの値段が高くなっていくと、人々はいつかある時点で、とても喫煙の習慣を続けられないと判断する。まだ喫煙していない人は、喫煙を始めないかもしれないし、喫煙者も本数を減らそうとするだろう。また禁煙を考えている人は、少し禁煙しやすくなる。同じたばこでも、値段が上がると魅力が薄れるのだ。

つまり、政府とわたしたちの双方にメリットがある、すばらしい話じゃないか！　でもちょっと待って。税金にのめり込む前に、別の視点からも考えてみよう。税金は全面禁止に比べれば制約が少ないかもしれないが、それでも過度の増税は心理的反発を招くことがあるのだ。人々が高価になりすぎた商品を欲しがるとき、何が起きるだろう？　カナダは一九八〇年代から一九九〇年代初めにかけて、たばこ税を急激に引き上げた際、辛い経験を通してこの答えを知った。この間、喫煙率は四〇％も低下したが、一九九四年までには闇市場が隆盛を極めるようになった。たばこの販売数量の三〇％が、犯罪組織がアメリカから持ちこんだ密輸品だった。犯罪だけではない。このように非課税の違法たばこが増えたせいで、カナダ政府は税収の落ち込みに苦慮した。一九九七年に政府は増税を撤回して減税に踏み切り、現在ではカナダの喫煙率とたばこ税率は、アメリカとほぼ同じ水準で落ち着いている。

引き算は加減が難しい。足りないと効果が薄く、やりすぎは逆効果を生み、スイートスポットを見つけるのは至難の業だ。税金など、多くの人に影響を与える決定では、万人に有効な解決策はない。一人ひとりが最適な効果が得られるような方法があればよいのだが。

Ⅶ・選択の放棄を選択する

ギリシャの叙事詩『オデュッセイア』は、社会の秩序を乱すいたずら者として描かれる英雄、オデュッセウスの物語だ。オデュッセウスは、一〇年におよぶトロイ戦争で激戦の末にギリシャを勝利に導き、故郷に向けて針路を取る。だがさまざまな試練に襲われ、故郷にたどり着いたのは、さらに一〇年後のことだった。このようにして「オデッセイ」という言葉に、長い冒険旅行という意味が与えられた。オデュッセウスは怪物たちと戦い、多くの部下を失い、風に船を故郷とは違う方向に流されながらも、目的を貫いた。魔法使いキルケの忠告のおかげで、美しい歌声で船乗りを死に導くセイレーンの誘惑からも逃れた。この半人半鳥たちの「高い魅惑的な歌声」に魂を奪われた無数の船乗りが、船を岩礁に乗り上げ、海に飛び込んでおぼれ死んでいた。それは、この世のものとは思えない声に近づこうとしたためだ。オデュッセウスは、セイレーンの島に近づいたら蜜ロウで耳栓をするよう、部下に命じた。だがかれ自身はどうしても歌が聴きたかったため、こんな命令を出した。

お前たちはわたしをロープでしっかりと
すり傷ができるまで縛らなくてはならない
その場で身動き一つできないほど
帆柱にまっすぐ、ロープでしっかりと縛りつけるのだ
たとえわたしが自由にしろと命令しても
ますますきつく、縄に縄を重ねて縛り上げるのだ

セイレーンに惑わされたかれは、縄をほどけと暴れたが、忠実な船員たちはかれをますますきつく縛りつけ、一心に船をこぎ続けて、危機を脱したのだ。その後オデュッセウスと仲間たちは、船乗りを食べる六頭の怪物スキュラと、船ごとのみこむほどの大渦巻きを起こす魔物カリュブディスに挟まれた海峡を航海した。恐れを知らぬ英雄は、二つの恐ろしい選択肢のどちらかを選ばなければならなかった。

古代ギリシャでさえ、「わかっちゃいるけどやめられない」という、人間の意思薄弱な傾向はよく知られていた。この状態を、ギリシャ人は「アクラシア」（自制の欠如という意味）と呼んだ。もちろんアクラシアに陥ったからといって、だれもが海の藻屑と消えるわけではない。でもわたしたちは、絶えず誘惑のジレンマにさらされている。ダブルクォーターパウンダー・チーズと特大サイズのフライドポテトをどうしても食べたいという欲求や、貯蓄を増やしたり、定期的に運動するといった、分別ある行動を先延ばしにしたいという衝動に次々と屈していけ

ば、小さな影響が積もり積もって、大きな打撃になるかもしれない。第4講では、こういった誘惑を我慢する方法として、最初から誘惑に近寄らないことを挙げた。でもこれは、ある程度までしか効果がない。ケーキをカウンターの見えるところに置いてじりじり悩むより、冷蔵庫に戻した方がいいが、それでも誘惑から完全に逃れることはできない。ケーキのお代わりがしたくてたまらない人が、誘惑に打ち勝つには、他力によって「縛られる」しかない。帆柱に体を縛りつけることには、一考の価値がある。

オデュッセウスが自分を縛って、船上にとどまる以外何もできないようにしたのは、賢明な選択だった。こうすることで、「船上にとどまるか、海に飛び込むか」というオデュッセウスの選択は、「オデュッセウスを縛りつけておくか、飛び込んで死なせるか」という船員たちの選択になった。船員たちは耳を蜜ロウでふさいでいたので、セイレーンに誘惑されずに正しい選択ができたが、オデュッセウスは誤った選択、命取りになり得る選択をしたかもしれなかった。わたしたちもオデュッセウスと同じように、自分の意思で、難しい選択を他人に委ねることができる。そうすれば、自己決定に伴う苦悩や不都合を取るか、他人に無理やり選択を制限されて自主性を侵害されるかの選択に悩まずにすむ。人生で行う選択の総量を減らすのではなく、その配分を変えるのだ。いま余計に選択をしておけば、将来の選択を減らすか、変えることができる。それには、頼りになる船員と、ロープさえあればいい。

最近では、これをするためのサービスや方法がいろいろとある。こういったものをうまく利用して、意思が強いときにあらかじめ自分を縛りつけておけば、意思が弱くなったとき、誤った選択をせずにすむ。たとえばカジノは、洗練されたデータベースや顔面認識技術を使って、いかさま師や反則プレーヤー、その他ブラックリスト登録者の入場を阻止している。ギャンブル依存症に悩む人たちは、カジノの主要チェーンに直接出向くか、「バンコップ」のような無料サービスを通じて、ブラックリストに個人情報を自主的に掲載しておけば、苦労して稼いだ金を散財せずにすむ。

アクラシアを物理的に防げなくても、まずい選択にペナルティを科すことはできる。たとえば寝坊の常習犯には、「スヌーズンルーズ」という、気の利いためざまし時計がお勧めだ。アラームを止めるスヌーズ・ボタンを押すたびに、自動的にインターネット経由であなたの銀行口座に接続して、予め選んでおいた慈善団体に一〇ドル以上寄付してしまうのだ。メーカーでは、最大限の効果を得るために、自分の嫌悪する団体（アンチ・チャリティ《慈善団体》）を登録することを推奨している。たとえば銃規制法強化の支持者なら全米ライフル協会（ＮＲＡ）、クローゼットが毛皮のコートで一杯の人なら動物愛護団体（ＰＥＴＡ）といった具合だ。

事前公約

事前公約のもう一つの例が、エール大学の経済学教授ディーン・カーランが同僚たちと立ち上げたウェブサイト、「スティック・ドットコム」（StickK.com）だ。カーランは博士課程時代、減量できなかったら年収の半分を友人に支払う約束をしたことで、一七キロもの減量に成功した。数年後、かれはこのプロセスを楽しく簡単なものにする「公約の店」というコンセプトで、スティック・ドットコムを立ち上げた。スティックは「公約遂行の契約を自分と結ぼう！」と呼びかけている。目標が達成できなければ、ある金額をあらかじめ決めた相手に寄付するという契約を結ぶのだ。契約は変更できず、履行できなければ、送金が実行されてしまう。送金先には、人、慈善団体、またはアンチ・チャリティを選ぶことができる。手痛い失敗をごまかしたい誘惑に駆られたときのために、友人などにレフリー、つまり船員役を頼んでもいい。このサイトは二〇〇八年一月に立ち上げられたのだが、同じ年の三月にはすでに一万人のユーザーを集めていた。登録されている公約は、減量、禁煙といった一般的なものから、充電池を使う、人前でげっぷをしない、といった変わったものまで、多岐にわたる。ペナルティも少額（「デンタルフロスを使って歯間を掃除すること、ペナルティは週一ドル、期間は四ヶ月間」）から、驚くほど大きいものまで、さまざまだ。あるティーンエイジャーなどは、インターネット中毒から抜け出せなければ、一年にわたって毎週一五〇ドルを支払うという契約を結んだ。これ自体、けなげな心がけだが、経過報告のためにインターネットを利用しなければならないことを考えれば、さらに立派な目標と言えよう。

言うまでもないことだが、そもそも金銭にかかわる目標を掲げる人にとって、スティック・ドットコムでの契約は、すばらしい効き目があるか、残酷で異常なこらしめになるかのどちらかだ。日々のやりくりにすでに苦労している人が何より困るのは、クレジットカードの支払いができなかったときに、追い打ちをかけるように金を取られることだ。実際、サイトでは倹約の公約がたくさん登録されているが、どれも金銭のからまない、象徴的なものだ。しかしユーザーが公約に金を賭けたがらない、または賭けられないなら、スティックの効果は新年の誓いと変わらなくなってしまう。幸い、「セイブ・モア・トゥモロウ」、略して「スマート」（SMarT）と呼ばれるプログラムを利用すれば、将来のための貯蓄がそれほど苦でなくなる。これは行動経済学者のリチャード・セイラーとシュロモ・ベナルチ両教授が開発したもので、年金ファンドへの拠出を増やすことをあらかじめ決めておくことで、退職資金を増やそうというものだ。スマートは、たとえば「手取り給与を減らしたくない」、「先のことにまで頭が回らない」、「現状を変えたくない」といった、貯蓄失敗のありがちな原因を考慮に入れ、それらを巧みに回避するか、逆手にとって利用している。

スマートを実際に導入した、ある企業の例を見てみよう。社員はまずファイナンシャル・アドバイザーと面談を行って、老後資金の準備が十分にできているかどうか診断してもらった。その結果、ほとんどの社員が目標にはるかおよばず、給与の四%しか拠出していなかったため、拠出率を一五%にまで早急に高める必要があると診断された。アドバイザーは手始めとして、401kプランへの拠出率をその場で五%引き上げることを提案し、それに従った人も何人かいた。いきなりは無理という人には、代案としてスマートを紹介した。このプログラムに加入した人は、当初は拠出を増やさなくていいが、昇給のたびに拠出率が三%ずつ引き上げられた。この三%という数字がミソなのだ。典型的な昇給率が三・五%であるため、拠出率を三%引き上げても手取り額は減らず、そのおかげで加入者はそれほど苦痛を感じずに拠出率を引き上げることができた。スマートはいつでも取り消し可能だが、手続きを故意に煩雑にしているため、そこまでしてキャンセルしようという人はほとんどいない。このようにして、スマート加入者の平均拠出率は、登録から五年の間に、一三%にまで高まった。それどころか、当初アドバイザーの提案に従った人たちの拠出率をも上回っていた。かれらの拠出率は、九%で頭打ちだった。最初に五%引き上げただけで、終わってしまったのだ。

ここに挙げた手法やプログラムは、どれも、裏目に出ることはまずないが、人間にもともと備わっているように思われる、自己決定権の委譲に対する嫌悪感のせいで、導入をためらう人がいるかもしれない。しかし現に多くの人が、これ以外にもさまざまな方法を使って、折ある事に選択を自ら手放しているのだ。選択への制約にスポットライトが当たるとき、そのまぶしさを耐え難く感じても、その同じ制約が、柔らかな光で照らされれば、それなりに美しいと感じるのではないだろうか。たとえばアメリカ人の大多数が、何らかの形で行動を禁止、強制する、宗教上の規範を守っている。こうしたきまりごとを無視することには、それなりの代償が伴うため、これもまた一種の罪悪税と言えるかもしれない。だが前に説明した喫煙者と同じで、信者は制約に自ら進んで従おうとする。自分の選択を差し出す代わりに、集団への帰属感覚と道徳的判断のよりどころを手に入れる。いわば、宗教集団と神を相手に約束を交わすのだ。実際、宗教に限らず、何かを信じるという行為は、程度の差こそあれ、信頼する他者に自分の選択を委ねることで成り立っている。「あなたが決めて下さい」とわたしたちは言う。「あなたを信頼していますから」

『ハムレット』をもじって言えば、「選ぶべきか、選ばざるべきか」、それが問題であるとき、「心の痛みも、この肉体が受けねばならぬ定めの数々の苦しみも」、逃れることはできない。人生はわたしたちに「数々の苦しみ」を与え、しかもその中から無理やり選ばせることで、絶えず試練を与え続ける。望ましい選択肢が、簡単ではっきりしていることはまずない。まかり間違うと、明らかに正しい選択肢や、ましな選択肢が存在しないのに、自分こそが、望ましくない結果を引き起こした張本人だという自覚で、押しつぶされそうになる。選択の自由は、精神的、感情的な代償を伴うことが多いのだ。

この講で取り上げた選択のシナリオは、架空のものからあまりに生々しいものまで、ほほえましいものから悲劇的なものまで、多岐にわたった。まずいヨーグルトを食べる羽目になることと、不適切な医療行為の犠牲になることは、別次元の問題に思われるかもしれない。だが人生を変えるほどの重大な選択であろうとなかろうと、どんな選択をしても、不安になったり、後悔したりする可能性があることは、覚えておいてほしい。それでも本講で紹介したさまざまな研究の成果が積み重なったおかげで、選択が人におよぼす悪影響を軽減する方法が、徐々にわかってきた。その方法とは、選択の幅をさらに広げることではなく、判断の一端を他者に委ねる、あるいは自分の行動に制約を加えることで、選択のプロセスを自分に有利に変えることだ。その具体例としては、あまりにも思い入れが強すぎて冷静な判断ができない場合に、専門家に相談したり、「スマート」のようなプログラムを使って、自分のためになるとわかっている措置や行動を促すなどだ。それでも難しい選択をせずにすむわけではないが、人生の浮き沈みに対する心構えはできる。実のところ、選択をまったくせずにすむ方法など存在しないのだ。「選ぶべきか、選ばざるべきか」という問いにどう答えようと、選択を行うのがあなただということに変わりはない。でも選択を行うからといって、必ずしも辛い思いをする必要はないのだ。

最終講

選択と偶然と運命の三元連立方程式

岩を山頂に運び上げたとたんに転げ落ちるシジフォス。神の罰とされるその寓話で、しかしシジフォスの行為に本当に意味はないのだろうか。人生もまた…

われわれは探求をやめない
そして探求の果てに
出発した場所に戻り
初めてその場所を理解するのだ

――T・S・エリオット

とうとう、ここにやってきた。わたしは風通しの良い部屋で、長椅子に腰掛けながら、期待からか、不安からか、何となくふわふわした気持ちでいる。なにしろ、これから高名なS・K・ジェイン師との会見を控えているのだ。天井に据え付けられたファンが、頭上で物憂げに回っている。たぶん、とわたしはぼんやり考える、訪問客に風を送るためではなく、この控えの間のどこかで焚かれているお香を行き渡らせるためなのだろう。ここに来るまでに通ってきた長い廊下は、普通の世界から、静かで神秘的な世界に通じる、通路のように思えた。戸口で二人の女性に迎えられ、どうぞ靴をお脱ぎ下さいと言われる。素足に触れる、滑らかでひんやりとした床は、なぜだか新しい経験の足がかりにふさわしい気がした。

先ほどの女性の一人が、手始めにわたし、息子、夫の生まれた日付と正確な時刻を尋ねてきた。わたしたちが生まれたときの、恒星と惑星の配置を示す占星図を打ち出すために、分単位まで正確に知る必要があるという。彼女は一つ指示を残して、隣室のコンピュータに情報を入力するために部屋を出て行った。わたしはヒンズー教のビシュヌ神に、悲嘆と欠点を取り除き、至福と歓喜をお与え下さいと、祈らねばならない。マントラ《真言》を百回唱えるのだ。「ハーレクリシュナ、ハーレクリシュナ、クリシュナクリシュナ、ハーレハーレ、ハーレラーマ、ハーレラーマ、ラーマラーマ、ハーレハーレ……」。数えやすいようにと、わたしは一〇〇個の玉でできた数珠を渡された。マントラを一度唱えるたびに、人差し指と親指で玉を一つずつ手繰っていく。先ほどからじっと待っていたもう一人の女性が、わたしの隣に腰掛けて進み具合を確認し、口ごもれば助け船を出してくれる。この場所に本来備わっているように思われる静寂を乱したくなくて、わたしは自分にも聞こえるか聞こえないかのささやき声で祈りを続ける。

最後の玉まで来ると、まるで恍惚状態から醒めたかのように、控え室のファンと香りが戻ってきた。ジェイン師との面会時間がやってきたのだ。ウダヤ・テレビで人気番組を持ち、著名な政府高官の鑑定がマスコミに大きく取り上げられるなど、ジェイン師はインドで最も有名な占星術師の一人だ。わたしが二〇〇九年の新年早々、かれのもとを訪れたのは、何かを決心したからではなく、予言と選択との関係に興味を持ったからだった。わたしはこれまで、インド人の多方面の友人、知人が、たとえば結婚の取り決め、日取りの決定、破談など、ありとあらゆる判断を占星術に頼っている様子を目の当たりにしてきた。わたし自身の結婚への道も、言うなれば、星に照らされていた。夫とわたしが結婚を決意したとき、両家は手放しで喜んだわけではなかった。南インドのバラモン〔最高位〕のカーストに属する、アイエンガー家の一員であるかれは、当然アイエンガーの家の者と結婚するものと思われていた。わたしはアイエンガー家の一員ではないばかりか、信仰さえ違った。両家の親戚に言わせれば、この縁談は不釣り合いで、失敗を宿命づけられていた。まもなくわたしの義理の母になろうとしていた人は、信頼する占星術師のもとに急いだ。ところが、彼女が部屋に足を踏み入れたとたん、まだ質問さえ口にしていないのに、占星術師はこう告げたのだ。

「二人は七回前の前世から夫婦で、七回後の来世まで夫婦でいるでしょう」

そうと決まれば、今世では、もう正式に結婚するしかなかった。このようにしてわたしたちは結婚した。もちろん、アイエンガー家の伝統的なしきたりに則った結婚式を挙げて。

インドの占星術師は、身の上相談を受けることが多いが、かれらの影響力は政界にもおよぶ。ジェイン師のもとを訪れる政治家や役人は、選挙の行く末を尋ねたり、国家運営の問題に助言を求めているのかもしれない。なぜ一人の人間に、そこまでの信頼を置けるのだろう？　占星術の何が、かれらをこれほどまでに惹きつけるのだろう？　わたしはここに、観察者、探求者、懐疑論者として来ていた。なぜ人々が、このような秘術に選択を指図されて平気でいられるのか、そのわけが知りたかった。それなのにわたしは、この不思議な「オフィス」の雰囲気と儀式に気圧《けお》されて、研究者の立場を保つのに苦労していた。

マントラを唱え終わると、聖所に通され、デスクの席に座らされた。そして、向かいに座っていたのが、当のジェイン師だったのである。わたしの想像するかれは、きゃしゃだが非常に強い印象を与える人物で、白装束に身を包んでいる。カサカサと音をたてながら紙の天空をさわり、占星図を確認すると、ジェイン師は穏やかな声で、わたしの結婚は運命づけられていたと言った。これを聞くのは二度めだ。わたしの息子は幸せな星の下に生まれ、長く充実した人生を送るだろう。セッションの最後に、わたしは一つだけ、具体的な質問を許された。

「何でもお好きな質問を」。かれは言う。

わたしはしばらく考えて尋ねる。「いま執筆中の本のことなのですが」とわたしは言う。「いかがでしょうか？」

ジェイン師は熟考するのに時間を少しと、距離も少し必要とする。かれは足を引きずるようにして、隣室に姿を消した。一体何をしているのだろう？　クリシュナ神像の前で瞑想し、鐘を鳴らして答えを呼び出しているのだろうか？　いや古代の叡智が集められた書物を、仔細に検討しているのかもしれないし、独自のマントラを唱えているのかもしれない。手法は何であれ、ジェイン師は答えを携えて戻ってきた。自信と慈愛に満ちた声で、答えを告げる。

「マダム、その本はあなたの期待をはるかにしのぐ出来になるでしょう」

選択と偶然と運命の三元連立方程式

選択をするということは、すなわち将来と向き合うことだ。一時間後、一年後、あるいはもっと先の世界をかい間見て、目にしたものをもとに判断を下す。その意味で、わたしたちはみな、素人の予言者だと言える。もっとも、わたしたちがよりどころとするのは、火星や金星、北斗七星などより、ずっと地球に近い要因が多いのだが。プロの予言者もやることは変わらないが、スケールがずっと大きく、やり方も巧妙だ。かれらは常識に心理学的洞察と演劇の要素を組み合わせて、未来を「見せる」ことの達人なのだ。奇妙なことに、かれらはとらえどころがないようでいて、実は物質的なようにも思える。かれらのテクニックを見破ることはできないが、手で触り、目で見て確認できる道具を多用することで、予言が科学的根拠をもとにしているという幻想を作り出しているのだ。

ジェイン師のもとを訪れる前、わたしはこの本のできばえについて、自分なりの考えを持っていた。どんな著者もそうだろうが、本当に読みたいと思えるような本、読者が共感し、夢中になり、何かを得られるような、そんな本が書ければと願っていた。でもジェイン師の声が、惑星や星のお告げを伝えたとたん、自分の判断はほんの束の間、消し飛んでしまったのだ。「はるかにしのぐ」とは、なんと耳に心地よい言葉だろう！　何しろかれは専門家なのだし、だれが星のお告げになど逆らえるだろう？

もちろん、もう一人の冷静な自分は、かれが奇跡など起こしていないことを知っている。かれの予言は漠然としていて、反証すらできないものもある。創造的に解釈、または曲解すれば、何が起こってもジェイン師のご託宣どおりだったように思わせることができる。そうわかっていたから、わたしは予言をあえて聞き流そうとした。それでも、あの静かで厳かな、お香に包まれた空間への短いトリップが、恍惚感を与え、心安まる体験だったことは否めない。あの儀式、あの確信。真の答えを星々から、つまり自分以外の存在から導き出せるのだという驚き。だからこそ、わたしはあれほど魅入られたのだ。

これまで見てきたように、選択というプロセスは、ときにわたしたちを混乱させ、消耗させる。考えるべきこと、担うべきことがあまりにも多すぎて、安楽な道を選びたくなるときがあったとしても、無理はない。選択にこれほどの力があるのは、それがほぼ無限の可能性を約束するからにほかならない。しかし可能性は、未知でもある。選択を利用して自分の思い通りに人生を変えることもできるが、それでも人生は不確実性に満ちている。それどころか、選択に力が宿っているのは、世界が不確実だからだとも言える。もし未来がすでに決まっているなら、選択にはほとんど価値がなくなる。だが選択という複雑なツールだけを武器に、この不確実な未来に立ち向かうのは、わくわくすると同時に、怖いことでもある。自分の決定がどんな結果を招くのか、前もって知ることができれば、どれほど心が安まるだろう。

子どもの時分にゲームブックの『きみならどうする？』シリーズを読んだ人なら、自分が物語の主人公になって、自分の選択を通して物語の筋を変えていく、あのワクワク感を覚えているだろう。あの本の醍醐味の一つは、「ズル」ができることだった。三つの選択肢から一つを選びながら物語を進めていくのだが、それぞれの選択肢がどんな結末になるのかをのぞき見してから、選択をしたことがある人も多いはずだ。自分の運命を自分の手で決めるのは気分がいいが、だからと言ってドラゴンに食われて終わりたくはない。二、三度道をまちがっても大したことはない、やり直しがきくのだから。でも最終目標は、最後までたどり着くこと、勝つことだった。大人になったわたしたちは、さまざまな選択を通して自分の人生を紡ぎ出し、子ども時代とは比べものにならないほどの自己決定権を持っているが、勝ちたいという欲求はまだ持ち続けている。ときには物語の作者ではなく、読者になって、自分の物語のページを繰って、先を読んでみたくもなる。

占星術などの占いは、まさにそれをやるための方法だ。しかし未来の片鱗をぼんやり見るだけでも、何らかの選択をあきらめなければならなくなる。よく見ようとすればするほど、ますますたくさんの選択を放棄することになる。その見返りとして、かなりの選択を進んで差し出す人もいれば、少しだけ、あるいはまったく差し出そうとしない人もいる。このようにして、一人ひとりが、人生の軌跡を明らかにするための、自分なりの算式を編み出していく。x量の選択と、y量の偶然、それにz量の運命。ほかにも多くの変数を見つけた人もいるだろう。その数式に、こうあるべきという正解はない。

だが占星術の魅力を味わってもなお、わたしの信念は揺るがなかった。それは、わたしたちがどこに行くか、そこにどうやってたどり着くかを最も強力に決定するものが、突き詰めてみれば、選択だという信念だ。選択が、どれほど気まぐれで、手に負えない、過酷なものであろうと、その信念は変わらない。そうは言っても、選択の幅が拡大の一途をたどる中、何らかの地図か、せめて道中の道しるべくらいは欲しいと思うのが人の常だ。

母になる選択

わたしの長年の友人の娘に、レイチェルという名の二八歳の女性がいる。レイチェルは幼い頃から、弁護士になるのが夢だった。高校時代には模擬裁判大会で優秀な成績を収め、大学では尊敬する教授に、頭の回転が速く弁護士向きだと、お墨付きをもらった。彼女は努力を重ね、一流のロースクールに合格した。彼女の祖母は工場で働きながら、図書館員になることを夢見た。母は看護師として働きながら、教授になることを夢見た。そしてレイチェルは、一族の女性として初めて、職業上の夢をかなえようとしていた。

レイチェルは在学中、同じロースクールの学生と結婚した。卒業後、子どもはどうするつもりと聞かれるたびに、そうね……いつかは、と言葉を濁していた。さしあたっては、仕事に専念したかった。ところが、新人として仕事を始めてからほんの数ヶ月しかたっていないのに、彼女は自分が妊娠していることを知って、愕然《がくぜん》としたのだった。彼女はいまや、生むか否かの選択を迫られていた。それまでも数々の選択をしてきた彼女だったが、この選択には、かつて見たことのないほど大きく真っ赤な字で「選択」と書かれていた。それは、彼女自身の気持ちが揺らいでいたからというよりは、「選択」という言葉が、少なくともアメリカでは妊娠中絶論争と切っても切り離せなくなっているからだった。あなたは女性なのだから、これを人生最大の選択として考えるべきだ、と決めつけられているような気がした。しかし彼女にとって、この選択はたしかに重大ではあったが、良心の呵責《かしゃく》に苛まれるような選択ではなかった。何より気がかりだったのは、実際的な問題だった。

　何年か後ではなく、今、子どもを生むことは、キャリアにどう影響するだろうか？　自分の人生は、また夫との関係は、どう変わるだろう？　わたしは肉体的、感情的、経済的に、親になる準備ができているだろうか？　子どもを、特にまだ仕事を始めたばかりの今の時期に持つことで、これからの人生に待ち受ける選択肢ががらりと変わってしまうだろう。それだけではない。自分の選択のほかに、子どもの選択も担うことになるのだ。弁護士になるのは並大抵のことではなかったが、まっすぐで確かな道を、一歩一歩進んでくればよかった。でも親になることは、それよりはるかに難しいことのように思われた。

　ある意味で、レイチェルのジレンマは、これから親になろうとするすべての人に共通する悩みだと言える。こんな状況で、不安にならない人がいるだろうか？　しかしレイチェルは、この問題に女性特有の側面があることに気がついた。彼女の夫も若くて野心的な弁護士だったが、子どもが自分の職業人生にどんな影響を与えるかなど、ほとんど気にしていなかった。

　これまで二人は伝統的な男女の性別による役割分担にとらわれず、いつも対等な関係だった。もちろん子どもができれば、かれも家事や育児を、ある程度は分担してくれるだろう。しかし子どもを持つことで、かれの人生も、彼女と劣らず変わるはずなのに、かれは仕事に対する熱意を疑問視されることはないだろう。知らせを告げたかれが、上司や同僚に背中を叩かれ、一杯やろうと誘われる様子が目に浮かぶようだった。でも彼女の職場では、もうお腹に赤ちゃんのいる人が、一体いつまで仕事を続けるつもりなのだろうと、いぶかしく思われるのは目に見えていた。夫がたまたま子どもが生まれる予定の弁護士と見られるのに対し、彼女は浮わついた頭の弱い母親が片手間に弁護士稼業をやっているとしか、見てもらえなくなる。彼女はまるで自分が、単純なクローン人間と入れ替わったかのように感じた。これまで並々ならぬ労力を費やして築き上げてきた自分像が、根底から覆されるような気がした。彼女がこの選択にこれほどひるんだ理由は、何よりここにあったのかもしれない。

レイチェルは、母や祖母に比べれば、職場でも家庭でも、はるかに大きな自由を手にしていた。上の世代の女性に固く閉ざされていたドアが、レイチェルには開かれていた。とは言え彼女には、こうしたすべてのドアの向こうから、手招きされているようには思えなかった。たしかに一部の社会的制約「から自由」ではあったが、少なくとも大きな犠牲を払わない限り、新しい機会を最大限に活用「する自由」はなかったのだ。夫と同じ教育を受け、同じ能力を持っているのに、かれと同じ選択を行い、同じ結果を期待することはできない。問題によっては、もっとややこしく悩ましい選択を迫られるだろう。選択の余地がそもそも存在するということは、たしかに大きな進歩だったが、人生の今この瞬間においては、それではまったく不十分であることを、彼女は思い知らされたのだった。

それでもレイチェルは、不安の奥底に、歓喜の奔流が流れていることに気づいた。妊娠は予想外ではあったが、けっして迷惑なできごとではなかった。もちろん、この感情に目をつぶって、理性的な判断を下すこともできた。だが彼女は、母親になるしかない、と思った。それが、自分に求められていることなのだ。彼女の知り合いにも、同じような状況に立たされた女性が何人かいた。母になることを選んだ人も、そうでない人もいた。だが彼女に言えるのは、どんな選択をしようと、最終的に一番幸せになったのは、自分の直感と熟考をもとに判断を下した人たちだということだった。レイチェルにとって、これは子どもを持つことが自分におよぼす影響を、良いものも悪いものもすべてひっくるめて、受け入れることを意味した。この先どんな不当な制約が課され、どんな犠牲を強いられるかを、はっきり見極めなくてはならない。すべてを考慮した上で、自分はなお子どもがほしいだろうか？　答えは、イエスだった。そこで彼女は、前途に待ち受ける難題に立ち向かう覚悟を決めたのだ。

レイチェルの物語は、正当な理由もなく選択を制限された、すべての女性の物語である。いやそれを言うなら、目につきやすい障害は取り除かれたが、行く手を阻むものがほかにもあることに気がついた、すべての人の物語でもある。選択は、最良の状態では、主導権を取り上げようとする人々や体制に抵抗する手段となる。だが選択の自由がだれにでも平等に開かれているという建前がふりかざされるとき、選択そのものが抑圧になる。選択は、性別や階級、人種差などから生じる不平等を無視する口実になる。なぜなら、とぼけたふりをして、こう言えるからだ。「ああ、でもかれらは自分でその道を選んだんじゃないか。そうじゃない道も選べたのに」。選択が、最善の解決策を見つける手段ではなく、問題をはぐらかすための口実として用いられるとき、わたしたちは道を踏み外したことを知る。

このように、権力の不均衡は、わたしたちの選択を実質上制限することが多いが、それは簡単に解決できる問題ではない。しかし正しい方向に一歩踏み出せば、それをきっかけに活発な議論が行われるだろう。

選択こそ、万人を平等にする手段ではないだろうか。何といってもアメリカンドリームをはじめとする、無数の夢が、選択という土台の上に築かれてきたのだ。第1講で見たように、選択の可能性、選択の言語、また選択の幻想にさえ、わたしたちを鼓舞し、高みに引き上げる力がある。とは言え、信念、レトリック、希望だけで十分ということではない。わたしたちもリクターの実験のラットと同じで、足下にしっかりとした地面がなければ、いつまでも生き延びることはできない。本物の選択がなければ、いつかは溺れてしまう。したがって、選択について自分が持っている思いこみを検証し、選択がどのような場合に、なぜ、どのような形で不十分なのかについて、率直に議論する必要がある。そのとき初めて、選択の可能性を十分に実現することができる。またこのような議論は、選択とは何か、選択をとことん守るべきなのか、といった問題について考えるきっかけになるかもしれない。

作家ホッジの自殺は選択だろうか

ピューリッツァー賞受賞詩人コンラッド・エイケンの娘で作家のジェーン・エイケン・ホッジは、九一年の生涯のほとんどをイギリスで暮らした。軽症型の白血病と高血圧症を患ってはいたが、年のわりには健康体だった。六〇年におよぶ作家活動で執筆した本は、四〇冊を超える。歴史的ロマンス小説を専門とし、「わたしの下らない本たち」と愛着を込めて呼んでいた。また文学的伝記作品も残している。オックスフォード大学在学中にジェーン・オースティンの作品を研究した関係で、オースティンの伝記を著した。作家として成功しただけでなく、二度めの結婚生活は長く続き、二人の娘とその家族と親しい関係を築いた。このようにホッジは仕事でもプライベートでも、だれもが夢見るような成功を手にしていた。

ホッジは二〇〇九年六月一七日にサセックスの自宅で亡くなり、家族や友人に衝撃を与えた。その後の数週間で、死の詳しい状況が判明するにつれ、ホッジが鮮やかな退場を仕組んだことが明らかになった。たとえば遺体のポケットから、DNRカード（蘇生措置をしないでほしいという意思を示したカード）が見つかった。かかりつけの医師は、いかなる状況においても蘇生措置をしないよう、前々から指示されていた。そして遺体のそばには、この自殺が自分だけの判断で行われたとしたためた手紙があった。そしてこの手紙からは、彼女が何年も前からこの目的のために薬を蓄えていたことも明らかになった。この根気強い入念な準備は、彼女が自分の意思で行動していたこと、衝動に駆られたわけではなかったことをはっきりと示していた。彼女は注意深く考え抜いた末に、死を選択したように思われる。

　だがそれでも、自殺を選択と呼ぶのは、ためらわれる。自殺は一般に絶望の行為、つまり自由意思で選ばれたのではなく、何らかの形で強制された行為と見なされるからだ。アルベール・カミュは、「人生が生きるに値するか否かを判断すること、それが哲学の根本問題に答えることなのだ」と、『シジフォスの神話』の中で述べている。ホッジの導いた答えは、自殺だった。「人生はもはや生きるに値しない」と。だがこの答えを、選択として受け入れることはできるだろうか、それともそれは状況の誤った認識に過ぎないのだろうか？（ちなみに、ここでいう「受け入れる」とは、彼女の行動を倫理的な立場から是認すべきかどうかは見る人自身の問題だ、ということではない。自殺に「正しい」とか「まちがっている」といったレッテルを貼るべき筋合いは、わたしたちにはない。ここで問題にしているのは、選択と、選択でないものの境界を、どこにどう定めるべきかということだけだ）

　人生には値段がつけられないのだから（保険会社の社員でもない限り）、人生にはもともと価値が備わっているということもできる。生きるべき理由と死を選ぶべき理由をてんびんにかけることは、すなわち人生にどれだけの値打ちがあるかを判断することに等しい。頭の中で何かまちがっているように思えるのは、この値踏みの行為なのだ。カミュはこう書いている。

むろん、生きることは、決してたやすいことではない。人はさまざまな理由から、生きていくうえで必要な、いろいろな行為を続けていく。習慣はその最たるものだ。自らの意思で死を選ぶということは、習慣というおかしなものの本質を認識したということでもある。日々の興奮は実はばかげたものであること、そして苦しみは実は何の役にもたたないことを、たとえ本能的にしろ、認識したということを暗に表しているのだ。

自殺を選択と見なすことができるかどうかは、カミュの説明するこの認識を、どう感じるかによって決まる。この認識を、深い情緒的、知的、あるいは霊的な悟りとして思い描ける人にとっては、死は選択であり得るかもしれない。他方、この認識が鬱などの精神疾患の影響にしか思えない人は、健全な精神を持つ人が死を選ぶはずがないと思うだろう。

第7講で見たように、わたしたちは他人のために生死の判断を下すことがある。この判断を、「運命」ではなく、「選択」と考えるとき、わたしたちは苦しみに苛まれる。死を選択するという考えに尻込みする人がいるのは、死を選択と見なすことが、あまりにも苦痛だからなのかもしれない。死は自分の手に負えない、理解もおよばないものだと考えたいのだ。

しかしその一方で、死は選択できるものだという考えに慰めを感じ、死が人生の選択の延長線上にあると考える人たちもいる。ホッジは死ぬ前年、地元紙のインタビューに答えて、こう語っていた。

「わたしは九〇歳ですが、家族や友人たちの助けを借りて、生活を楽しみ、切り盛りしています。でも、心許ない将来のために、確かな撤退計画があるとわかっていれば、なお幸せなのですが」

彼女は自分の人生と死の両方を、自らの手で決定し、わが身に起こることに、万全の状態で臨みたかったのだ。終末期医療（ターミナルケア）を題材とした小説を書いた彼女は、人生の末期にさまざまな問題が起こり、選択の自由が徐々に減少し、やがては消滅してしまうことを、痛いほどわかっていたのだろう。また作家として、自分の物語を自分の思い通りに終わらせることを、特に重要と考えていたのかもしれない。選択が、人生の物語を紡ぐ一つの方法であるなら、それは人生を締めくくる方法でもあるはずだ。そのことを最もよく表しているのは、彼女の父親の詩かもしれない。コンラッド・エイケンの詩『あなたが驚かなくなったとき』は、次のような提案で結ばれている。世界があなたを驚かさなくなったとき、「死を歓迎し、死に慈悲深く迎えられよ／そして果てしなき空無の一部にもどられよ／あなたはそもそもそこから目覚め、初めの驚きを覚えたのだ」。死を、もといた場所への帰還と考えれば、最後の選択として受け入れやすくなるのかもしれない。

頂上へ向かうその行為こそに意味がある

わたしたちが物語を語る理由は、さまざまだ。学ぶため、教えるため、他人を知るため、自分を知ってもらうため、自分があそこからここまでどのようにしてたどり着いたかを理解するため、等々。わたしたちは、自分が何らかの理由で行った選択によって、記憶を隅々まで星のように照らし出し、それを頼りに旅を続ける。「ぼくが競争に勝ったのはこういうわけだ」、いことさえできるのだ。「わたしはこうして生き延びた」、「すべてが変わってしまったのはこの時だった」――こうした物語を通して、わたしたちは自らの選択の重要性をことさらに強調する。選択という言語を使うことで、人生という未知の海を航海する方法を見出し、思いがけない波の動きを愛《め》でることさえできるのだ。

カミュは、シジフォスの神話をどのように描き出してみせただろうか。シジフォスが冥土で与えられた罰は、休みなく大岩を転がして山頂まで運び上げるというものだ。しかし岩は山頂に達したとたん、自らの重みで再びふもとまで転がり落ち、シジフォスはまたそれを押し上げなければならない。生を謳歌《おうか》していたシジフォスは、このむなしい苦役を永遠に繰り返さなければならなくなった。

だが山頂に着いてから下に降りるまでの間、かれには思案する時間がある。この状況はばかげているが、「シジフォスの運命はシジフォスに属する。シジフォスの岩はシジフォスのものなのだ……人間が自分の人生を顧みるそのわずかな瞬間に、岩に立ち戻ったシジフォスは、わずかに山の方に向き直りながら考えた。あの一連の無関係な行動が、かれの運命になり、かれの記憶のまなざしの下で一体化し、間もなくかれの死によって封印されるのだ」。この世の短い務めの中では、選択を通じて、岩を動かすことができる。カミュは主張する。「われわれはシジフォスを幸福だと思い描かねばならない。……頂上に向かうこの苦闘そのものが、人間の心を十分に満たすのだから」。もしカミュが正しいのなら、山のふもとでふてくされるか、選択をすることで山上へ、つまり幸せへ向かって手を伸ばすかは、わたしたち次第だ。

つまり、選択は人生を切りひらく力になる。わたしたちは選択を行い、そして選択自身がわたしたちを形作る。科学の力を借りて巧みに選択を行うこともできるが、それでも選択が本質的に芸術であることに変わりはない。選択の力を最大限に活用するには、その不確実性と矛盾を受け入れなくてはならないのだ。選択は、見る人によってさまざまに様相を変え、だれもがその目的に同意できるとは限らない。ときにわたしたちは選択に引き寄せられ、跳ね返されることもあるだろう。選択はどんなに用いても底をつくことはなく、解明すればするほど、まだ秘められた部分があることがわかる。選択の全貌を明らかにすることはできないが、だからこそ選択には力が、神秘が、そして並はずれた美しさが備わっているのだ。

謝辞

「終身在職権《テニュア》をもらって、そもそもどうしたいのさ？」

わたしが終身在職権の再審査に神経をすり減らしていたとき、友人で同僚のエリック・エイブラハムソンが、失敗したらどうしようという恐れを和らげようとして、こんな話をしてくれた。

「学者ってのは、檻《おり》の中で、サイクリングマシンのペダルを漕いでる、ラットみたいなもんだ。ますます強く速くペダルを踏むのに、一インチも前に進みやしない。しまいには、あまりにも必死に漕ぎすぎて、こりゃ死ぬなと思う。もしラッキーなら、ペダルを漕いで車輪を回しているきみの姿を、だれかが気に入ってくれて、絶好のタイミング、まさに倒れようというそのときに、檻の戸を開けてくれる。奇跡に奇跡が重なって、息ができるようになる。それだけじゃない、自転車を降りて、檻の外に出て、新鮮な空気を胸一杯吸い込み、何年かぶりに、外の世界をようく見ることができる。それが、終身在職権を得るってことだ。でもしばらくすると、またまわれ右して、自転車に戻るんだ。前とちがうのは、ずっとのんびり、じっくりしたペースで漕げるってことだけ」

そんなわけで、わたしが危険を冒して檻の外に出かけ、いろいろな可能性を前に、呆然としていたとき、幸運にも、ベストセラー作家のマルコム・グラッドウェルに出くわした。

「次は、いったい何をすればいいのかしら」

「本を書きなよ」

それが、かれの助言だった。ことの起こりは、それほどシンプルなことだった。でも執筆は、信じられないくらい大変なことでもあった。この本は、「檻」の外にしばらくとどまり、「檻」の中で学んだことを使って、目の前に広がる世界を照らし出してみたい、というわたしの思いから生まれたものでもある。わたしに限りない支援と理解、そして激励を与えてくれ、「檻」の外に集中することを、寛大にも許してくれた、コロンビア・ビジネススクールの同僚たちに感謝したい。

これまで十年を超える年月をかけて、人がどのようにして選択するかについて研究してきたわたしだが、執筆を通して、自分の知っていることがいかに少ないかを、いやというほど思い知らされた。この本は、わたしがこれまで取り組んできた、どんな学位論文や研究報告、奨学論文などよりも、ずっと困難だがやりがいのある仕事だった。執筆を通して、思っていた以上に多くのことを学ばせてもらった。

読者の皆さんが、この努力の成果に興味を感じてくれたら、そしてこの本が、これからの人生で皆さんが行うさまざまな選択に、少しでも光明を投じることができたら、こんなに嬉しいことはない。なぜかと言えば、選択の物語は、それを研究する者たちだけでなく、わたしたちみんなの物語だからだ。わたしはたくさんのすばらしい「選択する人々」に恵まれた。かれら、彼女らは、知恵と経験、意見を惜しみなく授けてくれた。かれらも、この本の、まぎれもない執筆者なのだ。

まず最初に、何かと相談に乗ってくれ、わたしの知識のすき間を埋めてくれた研究者たちに、心から感謝申し上げる。

クリステン・ジュール、リサ・リーバー、ローレン・リオッティ、そしてマーティン・セリグマンのおかげで、選択の本質に関する研究を、一層深く理解することができた。

わたしの両親の結婚式の話は、昔から断片的には聞いていたが、親切にも叔母のラーニ・チャダが、二人の結婚式や、より一般的なシークの伝統について、詳しく教えてくれた。

自由と選択が世界各地でたどってきた歴史について、深い洞察を与えてくれた、アレックス・カミングス、デニス・ダルトン、エリック・フォーナー、ジョン・ハンソン、ウィリアム・リーチ、オーランド・パターソン、ピーター・スターンズ、ジュード・ウェーバーに感謝する。

東ヨーロッパと中国では、たくさんの政治学者、社会学者、経済学者との、幸せな出会いがあった。かれらのおかげで、共産主義が、人々の現実や公正感におよぼした影響を、よりよく理解することができた。本当にたくさんの方たちにお世話になったが、特に、ロシアのオルガ・クーズニャ、カーステン・スプレンガー、セルゲイ・ヤコブレフ、ウクライナのスヴィトラーナ・チェルヌイショーワ、ミクハイロ・コリスニク、ドミトリー・クラコヴィッチ、ヴィクター・オクセンユク、ヴォロジーミル・パニオット、イエーヴェン・ペントサック、パヴロ・シェレメタ、インナ・ヴォロセヴィッチ、ドミトロ・ヤブロノフスキー、ポーランドのマリア・ダブロウスカ、エヴァ・グチュワ＝レスニー、ドニミカ・メゾン、ジョアナ・ソコトヴスカ、そして中国のカイ・フー・リー、ニンギュ・タンにお礼を申し上げたい。またこの研究をとりまとめ、実施する上で、何かと力になってくれたエレナ・レウツカヤには、格別の感謝を捧げる。

ファッション業界でも、多くの方たちのご厚意のおかげで、業界で何が行われているか、ファッションの情報がどのようにしてわたしたちに伝わるのかを、垣間見ることができた。デイビッド・ウルフ、アナ・ルシア・バーナル、パット・タンスキー、アビー・ドネガーをはじめとする、ドネガー・グループのみなさん、それからレスリー・ハリントンとマーガレット・ウォルチをはじめとするアメリカ色彩協会のみなさん、レイチェル・クランブリー、シェリ・ドンギア、そしてスティーブン・コルブをはじめとするアメリカ・ファッションデザイナー協議会のみなさん、マイケル・マッコー、ジェリー・スカップ、またラリー・ドリューとサル・セザラニをはじめとするトリバス・グループのみなさん、フェイス・ポップコーンのみなさんに、厚くお礼申し上げる。さまざまなプレゼンテーションや会議に同行して、その場の様子を教えてくれたり、消費者小売部門の背景調査を行ってくれた、スノーデン・ライトとアーロン・リヴァインには、本当に感謝している。さまざまなテーマの背景調査の大部分を引き受けてくれ、わたしがファッション業界を研究する出発点となった問題を提起してくれた、ヘンリ・リー・ストークにも深く感謝する。

またひょんなことから、ジャズの研究をすることになり、それを通して、選択という芸術についてさらに多くを学ぶことができた。これも、同僚のポール・イングラムのおかげだ。コロンビア大学ジャズ研究センターで、「ジャズと複数の選択肢の問題」というテーマで講演してくれないかと、声をかけてくれたのだ。この課題に途方に暮れたわたしは、ジョージ・ルイスやウィントン・マルサリスをはじめとする、ジャズの巨匠たちに話を伺った。こんなふうにして、新しい分野に足を踏み入れたことをきっかけに、わたしたちの人生で選択が果たす役割について、またちがった考えをもつようになった。かれらには、とびきりの感謝を捧げたい。またジャズについて、詳しいレクチャーを授けてくれた、キャロリン・アペルとジュード・ウェーバーにも感謝申し上げたい。

それから、わたしが医療上の意思決定についてもっていた知識をさらに広げてくれた、アトゥール・ガワンデとクリスティーナ・オルファァリ、ピーター・ユーベルに感謝する。

第二に、わたしが選択を研究する足がかりを築いてくれた人たちに、感謝の意を表したい。まずは、高校時代、ニューヨーク州視覚障害者委員会で、カウンセラーとしてお世話になったジュディ・カーピスに、特別の感謝を申し上げたい。大学へ、そして特にペンシルベニア大学ウォートン・スクールへの進学を勧めてくれたのは、彼女だった。彼女がいなかったら、絶対にこの進路を選ぶことはなかっただろう。

大学時代、進路について悩んでいた頃、目が見えなくとも実験ができることを教えてくれたのが、ジョン・サビーニだった。心理学の実習授業に、何とかして参加できないだろうかと、不安な気持ちで、かれにお願いした日のことは、今も忘れない。沈黙が永遠に続くのではないかと、びくびくしていた。でもかれは突然、デスクをバンと叩いて、「わかった」と言った。そして、こんな実験をしてみなさいと、提案してくれたのだ。人は、健常者と全盲者の前で、ばかなまねをしたとき、同じくらいきまりの悪い思いをするだろうか？　これが、すべての始まりだった。

マーティン・セリグマンは、大学生のわたしに、自分自身の研究を設計、実行する機会を与えてくれた。そのおかげで、これからの人生で自分が何をすべきかが、はっきりわかった。またかれは、是非スタンフォード大学に行って、マーク・レッパーとエイモス・トベルスキーに師事しなさいと、勧めてくれた。わたしはありがたく従った。

こんなふうにして、わたしの博士課程の指導教官になってくれたマーク・レッパーには、親身に指導していただき、本当にお世話になった。かれの導きがあったからこそ、正式に選択の研究を始めることができた。かれには、どのように思考するか、どのように問題提起するかを教わった。これまでわたしのためにどれだけのことをしてくださったかを思うと、感謝してもしきれない。

エイモス・トベルスキーにも、この場をお借りしてお礼申し上げたい。わたしが博士課程を修了する前に亡くなられたが、かれの研究と考えには、いまも多大な影響を受け続けている。それから、ダニ・カーネマンにも感謝申し上げる。トベルスキーとの共同研究について、長い時間をかけて解説してくださったおかげで、選択についての考えを整理することができた。

これまで長年にわたって、研究や会話を通して、たくさんの人たちに影響を受けてきた。この分野の偉大な研究者たちの功績を述べるだけで、一冊の本が書けるほどだ。せめて、次の方たちには、ここで特にお礼申し上げたい。ダン・アリエリー、ジョン・バーグ、ジョン・バロン、マックス・ベイザーマン、ローランド・ベナボウ、シュロモ・ベナルチ、ヨナ・バーガー、コリン・キャメラー、アンドリュー・カプリン、ロバート・チャルディーニ、ジョン・デイトン、マーク・ディーン、デイビッド・ダニング、キャロル・デウェック、クレイグ・フォックス、ダン・ギルバート、トム・ギロヴィッチ、チップ・ヒース、ロビン・ホガース、クリス・シー、北山忍、ラケシュ・クラナ、デイビッド・レイブソン、ジェニファー・ラーナー、ジョナサン・レバブ、ヘイゼル・マーカス、バーバラ・ミラーズ、ウォルター・ミッシェル、オリビア・ミッチェル、リード・モンタギュー、リチャード・ニスベット、ウォルフガング・ペッセンドルファー、リー・ロス、アンドリュー・ショッター、バリー・シュワルツ、キャス・サンスティーン、フィル・テトロック、そしてリチャード・セイラーに感謝する。

またわたしは、長年にわたって一緒に研究を進めてきた仲間たちにも、大きな影響を受けてきた。素晴らしい共同研究者たちのことは、本文中で紹介している。わたしにつき合ってくれて、本当にありがとう。

この本の原稿に目を通してくれた方たちにも、この本の「共鳴板」になってくれて、ありがとうと言いたい。貴重な時間を割いて、数え切れないくらい書き直した草稿を読み、有益な感想を寄せてくれた。ジョン・バロン、シモーナ・ボッティ、ダナ・カーニー、ロイ・チュア、サンフォード・デヴォー、サミット・ハルダー、アヒラ・アイエンガー、ヨナ・レーラー、クリスティーナ・オルファリ、ジョン・ペイン、タマル・ラドニック、バリー・シュワルツ、ビル・ダッガン、ビル・スコット、ジョアナ・スカッツ、カレン・シーゲル、ピーター・ユーベルのみなさんは、わたしを数々のあやまちから守り、正しい方向に導いてくれた。

この本を構想したのは、わたしかもしれないが、つきつめてみれば、この本はすばらしい協力関係のたまものと言える。わたしのアシスタントたちには本当に助けられたし、全員からたくさんのことを学ばせてもらった。一人ひとりのユニークな才能のおかげで、夢のような強力なチームができた。カニカ・アグローワルは、ご意見番の役割を果たしてくれた。彼女が投げかける質問は、どれもこれも非常に難しかったが、しかし、とても重要な質問だということが判明することになる。彼女に面白いというお墨つきをもらうと、自分が何かを確かに成し遂げたと思うことができた。ケイト・マクパイクは、優れたまとめ役として、いつもものごとの核心に迫り、その時々の困難な状況を、いちばん望ましい形で解決してくれた。チームの雰囲気がよどんでいるときも、車輪を回し続けてくれたのは、彼女だった。ラニ・アキコ・オオシマは、言葉に魔法をかけ、原稿に数え切れないほどの創造的な仕上げを施し、想像もしなかったような方法で、命を吹き込んでくれた。そして最初から最後まで、世界中どこにいても、わたしたちの議論のロジックを検証し、研究の幅と深みを広げるために、精力的に奔走し、尽力してくれたのは、ジョン・リマレクだった。

それでも、あの二人がいなかったなら、他の方々からこれだけのご尽力を得ながら、何も世に送り出すことはできなかっただろう。お二人は、まるで錬金術のように、わたしの原稿を、本物の、ずっしりとした本に変えてくれた。トウェルブ・パブリッシングの編集者ジョン・カープと一緒に仕事ができたのは、大変光栄なことだった。かれは業界きっての優秀な編集者という評判だが、それすらも正当な評価とは言いがたい。トウェルブ・パブリッシングのかれのチームと一緒に仕事をするのは、わたしにとって名誉であり、喜びでもあった。またエージェントのティナ・ベネットには、貴重なご指導と変わらぬ励ましを頂いた。この本の可能性を最大限に引き出すために、献身的な働きをして下さったことに、驚きと感謝の気持ちでいっぱいだ。あなたのように優秀で、やる気にあふれたエージェントが、どうしてこれほど素敵な人でいられるのだろう？　とても信じられない。

それから、この本を執筆する前も最中も後も、ずっとそばにいてくれたわたしの家族には、誰よりも感謝している。義父のN・G・R・アイエンガーは、実の父のように、いつも進み具合を気にかけてくれ、ものごとには優先順位をつけなくてはならないことを、思い出させてくれた。義母のリーラ・アイエンガーは、すべてがあなたの望んだとおりになるわよと、いつもすばらしいやり方で、わたしを安心させてくれた。お二人には心から感謝している。ツワン・チョドンにもありがとうを言いたい。執筆に取りくむ間、息子と家を、安心して任せることができた。妹のジャスミン・セティは、困ったときにはいつでも、アイデアのキャッチボールをして、意見を聞かせてくれた。そしてその間ずっと、母のクルディープ・セティは、ただの使命感を超えて、行く手の障害をすべて取り除き、どんなことをしてでもわたしを励まそうとしてくれた。お母さん、いつも傍にいてくれて本当にありがとう。

夫のガルド、あなたの変わらぬ忍耐と支援は、表彰ものだ。わたしたちのアパートメントを、執筆工場に変えてしまい、執筆にほとんどの時間をとられてしまうなど、あなたにはいろんな我慢をさせてしまった。この本を書き上げられたのは、あなたがいてくれたからこそだ。そして、わたしたちの一番大事な共同作品、息子のイシャーンへ。あなたは毎晩「きょうはどんなお話を書いたの?」と尋ね、わたしの説明を辛抱強く聞いてくれる、「こどもコンサルタント」の役割を果たしてくれた。あなたにもわかるように、おもしろく書こうとするうちに、ほかの人たちに話を伝える、新しくて良い方法を、自然に思いついた。そしてもっと大事なことは、どんなに気落ちしているときでも、あなたをたった一度抱きしめるだけで、そんな気持ちはすっかり消えてしまったことだ。

あなたたち二人を、言葉にできないほど愛している。

ソースノート

＊本書で、家族や友人について述べた箇所は、名前や詳細を一部変更している。また最終講に登場するレイチェルは、複数のモデルから合成した人物である。

第1講　選択は本能である

泳ぐラットについて詳しくは、Richter（1957）を参照せよ。この論文では、文化的タブーを犯した後で、突然何の理由もなしに亡くなる人々と、このラットの実験との関係を考察している。この現象について詳しくは、以下を参照のこと。"Sternberg, E., "Walter B. Cannon and 'Voodoo' Death': A Perspective from 60 Years On," *American Journal of Public Health* 92（10）（2002）: 1564-1566.

イヌの後天的無力感に関する研究は、Seligman and Maier（1967）を参照せよ。

選択にかかわる脳システムについては、以下に説明がある。Berridge and Kringelbach（2008）, Bjork and Hommer（2007）, Delgado（2007）, Ochsner and Gross（2005）, and Tricomi et al.（2004）. 皮質線条回路と線条体が、より一般的に、選択したいという欲求を促す上で重要な役割を果たしていることは、これらの部位に損傷が生じると、「athymhormia」と呼ばれる状態になることからもわかる。この状態になった人は、知性や対人反応能力は残っているが、自己保存を含む、どんな自発的行動を起こそうという意欲も失う。この例については、たとえば以下を参照のこと。Verstichel, P., and Larrouy, P., "Drowning Mr. M.," *Scientific American Mind*（2005）, http://www.scientificamerican.com/article.cfm?id=drowning-mr-m.

また同様に、わたしたちが長期的な計画を立てる上で、前頭前皮質が重要な役割を果たしていることは、フィニアス・ゲージに関する有名な話にも表れている。ゲージは、鉄棒が前頭前野を貫通した状態で生きていた。かれを診た医者は、こう述べている。

かれの知的能力と動物的性癖の……均衡は、破壊されてしまったようだ。現在のかれは、気まぐれで、傲慢で、以前はそんな習慣はなかったのに、ときに汚い冒瀆的な言葉をまき散らし、仲間に敬意をほとんど払わない。自分の欲望に反する束縛や忠告を許さず、ときに執拗に頑固になったかと思うと、気まぐれで優柔不断になる。将来の業務に関わる計画を次から次へと立てるが、段取りをつけたかと思うと、もっと見込みがありそうなものにすぐにすげ替えてしまう……このように、かれの気質は劇的に変わってしまった。あまりにも根本的に変わってしまったので、友人や知人はかれのことを「もはやゲージではない」と評したほどだ。[Harlow, J. M., "Recovery from the Passage of an Iron Bar through the Head," *Publications of the Massachusetts Medical Society 2*（1868）: 327-347].

子どもの意思決定能力が、時間とともに成熟していく様子については、Bahn（1986）およびKokis et al.（2002）を参照した。前頭前皮質の発達については、Sowell et al.（2001）で説明されている。動物が選択を好むことは、Catania（1975）、Suzuki（1999）およびVoss and Homzie（1970）で、人間を対象とした同じテーマの研究はBown et al.（2003）およびLewis et al.（1990）で、それぞれ報告されている。

動物園から逃げ出そうとする動物たちの物語は、Marshall（2007）およびＢＢＣニュースの"Berlin bear's breakout bid fails"（2004）と"Orangutan escapes pen at US zoo"（2008）からとった。監禁が動物に与える悪影響について、さらに詳しくは、Clubb and Mason（2003）、Clubb et al.（2008）、Kalueff et al.（2007）、Kifner（1994）およびWilson（2006）を参照せよ。たとえば抗潰瘍治療剤の試験の準備段階などとして、動物を監禁することで、意図的にストレスを誘引する方法に関する研究は、不幸にもたくさん行われている。これらの研究について詳しくは、Paré, W. P., and Glavin, G. B., "Restraint Stress in Biomedical Research: A Review," *Neuroscience and Biobehavioral Reviews 10*（3）（1986）: 339-370および同誌に発表された一九九四年の更新版（18（2）: 223-249）を参照のこと。

ストレス反応と、それが人間に与え得る悪影響は、Selye（1946）の古典的研究に詳しく述べられている。第二期ホワイトホール研究のデータをもとにして行われた諸研究の完全な文献目録は、ロンドン大学ユニバーシティ・カレッジ疫学・公衆衛生学部が管理しており、オンラインで入手可能である。
http://www.ucl.ac.uk/whitehallII/publications

健康と、仕事における裁量権との関係に関する研究報告は、ジェイン・E・フェリー博士がとりまとめ、イギリス国家公務員労働組合と内閣府の名前で発表した小冊子にまとめられており、以下で入手可能である。
http://www.ucl.ac.uk/whitehallII/pdf/Whitehallbooklet_1_.pdf.

ささいだが広範囲な影響を伴うストレス要因の方が、強烈だがそれほど頻繁に起こらないストレス要因よりも、積もり積もって大きな影響をおよぼすことは、DeLongis et al.（1988）および Ames et al.（2001）によって実証されている。

自己決定感が、より一般的に健康に影響をおよぼすことは、Friedman and Booth-Kewley（1987）で裏づけられている。自己決定感をもつことで、腹内側前頭前野の働きが活発になり、身体がストレスに反応しにくくなることが、最近の研究でわかっている。たとえば以下を参照のこと。Maier, S., Amat, J., Baratta, M., Paul, E., and Watkins, L., "Behavioral control, the medial prefrontal cortex, and resilience," *Dialogues in Clinical Neuroscience* 8（4）（2006）: 397-406.

介護施設の患者に関する研究は、Langer and Rodin（1976）で説明されている。また以下の文献が、Langer and Rodin の研究成果における、重要な留意点を指摘している。Schultz, R., and Hanusa, B., "Long-term effects of control and predictability-enhancing interventions: Findings and ethical issues," *Journal of Personality and Social Psychology* 36（11）（1978）: 1194-1201. この研究では、同じような老人ホームの入居者を、数年間にわたって追跡調査した。その結果、長い目で見ると、自己決定権が新たに与えられ、その後それが剥奪されると（つまり実験が終了し、日課が元通りに戻されると）、一度も自分で決めたと感じなかった場合よりも、かえって悪影響をおよぼすことがわかった。また、比較的ささいな選択肢を与えることで、健康の増進を図る手法は、動物福祉で実践されている、「環境エンリッチメント」と似たところがある。近年の動物園は、動物にとって自然な環境を再現するだけでなく、動物に本能を駆使する機会を与えようとしている（たとえばリンゴを氷漬けにしたり、簡単なからくり箱に食べ物を入れたりして、動物が食物をただ与えられるだけでなく、自分から獲得できるようにする。また好奇心や狩猟本能を満足させるような玩具を与えたり、同じ種の仲間とふれあえるようにするなど）。

人生に対する自己決定感を持つことが、ＨＩＶ感染者とエイズ発症者に良い影響を与えるという研究は、Taylor et al.（2000）にまとめられているので、参照してほしい。王立マーズデン病院の研究は、Watson et al.（1999）で説明されている。ただし、ＨＩＶ／エイズに関する研究成果には、おおむね一貫性があるのに対し、希望を持ち続けることがガン患者の身体に与える影響は、研究によってまちまちである。詳しくはTurner-Cobb（2002）を参照のこと。またこの文献は、無力感と関係のある、ストレスや鬱の影響についても述べている。乳ガン患者の病気に対する統制感と、それが心理におよぼす影響については、Taylor et al.（1984）を引用した。

第2講　集団のためか、個人のためか

ユニテリアン・ユニバーサリズムの信者に関する統計は、以下から引用した。"Engaging Our Theological Diversity," by the Commission on Appraisal of（Unitarian Universalist Association 2005）. またオンラインでは、以下で入手可能である。http://www.uua.org/documents/coa/engagingourtheodiversity.pdf

宗教と幸福に関するわたしの研究は、旧姓セティで発表した。Sethi and Seligman（1993）. 信心深さと幸福度との有意な関連を裏づける研究は、ほかにもある。たとえばWitter, R. A., Stock, W. A., Okun, M.A., and Haring, M. J. "Religion and subjective well-being in adulthood: A quantitative synthesis," *Review of Religious Research* 26（4）（1985）: 332-342など。興味深いことに、宗教的信念の強さよりも、宗教儀式に参加する頻度の方が、幸福度との関連性が強かった。つまりこのことは、こうした好ましい影響の大部分が、神や神々そのものに対する信仰というよりは、宗教集団との関わりから一般に得られる恩恵（たとえば社会的支援、自制心の促進、生活の指針など）によってもたらされている可能性を、提起している。二つの要因のもつれをわかりやすく解き明かしている文献として、以下を挙げておく。Jacobs,

A. J., *The Year of Living Biblically: One Man's Humble Quest to Follow the Bible as Literally as Possible*, Simon & Schuster (2007). また、たとえば兵役などの、宗教とは無関係な、高度に構造的な環境が、「人格形成」上好ましい影響をおよぼすことを示す事例報告も多い。

デカルトの有名な命題「我思う、ゆえに我あり」は、もとは『方法序説』(1637)の中で、フランス語(je pense donc je suis)で提唱された。より有名なラテン語型(cogito ergo sum)が登場するのは、『哲学原理』(1644)である。ミルの言葉は、かれの著作『自由論』(1859)からの引用である。初期の共産主義哲学を概説した研究の代表的なものが、Marx and Engels (1972)である。

個人主義と民主主義とのつながり、そして集団主義と個人主義のつながりは、自由への尊重が西洋の個人主義的文化の独自の産物であること、そして集団主義的文化が権威主義と抑圧に寛容であることの、証左と見なされることが多い。この見方は、問題をあまりにも単純化しすぎているように思われる。たしかに自由を「第一義的な」社会的価値ととらえるのは、西洋で生まれた考え方だが、自由への尊重は、文化を超える概念だと、わたしは考えている。詳しくは、以下を参照のこと。Patterson, O., *Freedom, Volume I: Freedom in the Making of Western Culture*, Basic Books (1992) およびSen, A., *Development as Freedom*, Anchor (2000), pp. 223-240. また本講のⅦでも、自由の概念が文化によって異なり、外部者の目からは自由の欠如としてとらえられがちなことを説明している。

個人主義度(やその他の側面)によって国を順位づけした調査は、Hofstede (1980)で説明されているが、ここで挙げた数値は、ホフステードの最新データを引用した。オンラインで入手可能である。http://www.geert-hofstede.com/hofstede_dimensions.php.このパターンは、Triandis (1995)で紹介されている諸研究によって、裏づけられている。またホフステードもトリアンディスも、個人や文化の個人主義的またはは集団主義的傾向に影響を与える、いろいろな要因を挙げている。自分が個人として、個人主義と集団主義の軸上のどこに位置するかを知りたい人は、トリアンディスの著書に記載されたスケールを見てほしい。

結婚について論じるにあたっては、取り決め婚と強制結婚との区別をはっきりさせておく必要がある。強制結婚は、配偶者の一方又は双方が、同意なく結婚させられることをいう(未成年者の結婚を含む)。

強制結婚は、以前は当たり前のように行われていたが、今日ではほとんどの国で、人権侵害として、法律により禁じられている。ただし、取り締まりが厳しくない地域では、今でも行われている。どんな強制結婚も、定義上、何らかの第三者によって取り決められた結婚だが、取り決め婚の大多数は、強制されたものではない。

ムムターズ・マハルと、彼女の死を悼んで建てられた記念碑に関する物語は、以下を参照した。Koch, E., *The Complete Taj Mahal: And the Riverfront Gardens of Agra,* Thames & Hudson Ltd. (2006). シュメール人の詩は、オックスフォード大学によるシュメール語文学テキスト電子出版のために翻訳された、"A balbale to Inana and Dumuzid" からの引用である。この文献は、オンラインで入手可能。http://www-etcsl.orient.ox.ac.uk/section4/tr40802.htm. 聖書の二つの言葉は、それぞれDeuteronomy 25:5-10およびSong of Songs 4:9からの引用であり、後者は新国際版からとった。

カペラヌスの言葉は、Capellanus（1969）からの引用である。愛と結婚の分断の例は、ミシェル・ド・モンテーニュの『エセー』（1580）の「ウェルギリウスの詩句について」にもある。「良い結婚というものがあるとすれば、それは恋愛の同伴と条件を拒絶し、友愛の性質を真似ようとするものだ」。社会における結婚観の変化は、Coontz（2005）を参照した。

インドでの恋愛結婚と取り決め婚の比較は、Gupta and Singh（1982）で説明されている。結婚に関するショーの名言は、Shaw（1911）からの引用であり、それを裏づける神経学的研究の成果は、以下で説明されている。Aron, A., Fisher, H., Mashek, D., Strong, G., Haifang, L., and Brown, L., "Reward, motivation, and emotion systems associated with early-stage intense romantic love," Journal of Neurophysiology 94（2005）: 327-337. Aron and Fisherの最新の研究によれば、何十年にもわたって、お互いに強い愛情を抱き続ける夫婦も（この研究では、「白鳥」と呼ばれている）、一〇％いるという。この研究は未発表だが、Harlow and Montague（2009）の中で説明されている。残る九〇％の夫婦にとって幸いなことに、情熱が消え去った後、必ずしも相手に対して冷淡になるわけではなく、もっと穏やかだが長続きする、「思いやりに満ちた愛情」に発展することがあるという。「愛してる」という言葉に込められた、さまざまな意味は、以下に詳しく述べられている。Sternberg, R. J.,"A triangular theory of love,"

Psychological Review 93（2）（1986）：119-135. インドでの取り決め婚に関するデータはBumiller（1990）を、愛情がなくても結婚しようとする大学生の割合はSlater（2006）を引用した。

わたしが子どもたちを対象に行った研究は、Iyengar and Lepper（1999）に発表された。興味深いことに、のちに独立して行われた研究によって、脳活動に似たようなパターンが見られることがわかった。Zhu, Y., Zhang, L., Fan, J., and Han, S., "Neural basis of cultural influence on self-representation," *NeuroImage*, 34（2007）：1310-1316. この研究で、アメリカ人学生は、自分に関する判断を下す場合にだけ、腹内側前頭前皮質と前部帯状回が活性化した。これに対して中国人の実験協力者は、自分の母親に関する判断を下すときにも、これらの脳の部位の活動が活発になった。他人に関する判断では、活性化は見られなかった。

シールドエアでの文化的衝突は、Smith（1994）で説明されている。同社がどのような困難に見舞われ、それに対してどのように対応したかは、以下に詳しい。Katzenbach, J., and Smith, D., "*The Wisdom of Teams: Creating the High-Performance Organization*," Harper Business（1994）.

魚の研究は、Masuda and Nisbett（2001）で説明されている。画像はアメリカ心理学協会とリチャード・ニスベットの許可を得て再現した。

「天は自ら助くる者を助く」の名言は、実はアルジャーノン・シドニーのDiscourses Concerning Government（1698）からの引用だが、この考えは、ソフォクレス『断章』288の名言、「天は自ら行動しない者に、助けを与えない」（エドワード・プランプトリの翻訳による）にまで遡ることができる。またこのことは、西洋文化にこの考えが古くから存在することの証明でもある。バガバッド・ギーターの言葉は、第二章第四七話からの引用で、いくつかの翻訳の組み合わせである。

オリンピック選手の動機を何がコントロールしているかに関する研究はKitayama et al.（1997）に、オリンピックのニュース報道に関する研究はMenon et al.（1999）に、より一般的なコントロール認識の違いに関する研究はMahler et al.（1981）およびParsons and Schneider（1974）に、それぞれ説明がある。こうした考え方の違いのせいで、人生のさまざまなできごとへの反応に、どのような違いが見られるかは、以下に詳しく述べられている。Weisz, J., Rothbaum, M., and Blackburn, C., "Standing out and standing in:

The psychology of control in America and Japan," *American Psychologist*, 39 (9) (1984): 955-969.

シティコープ従業員に関するわたしの研究は、DeVoe and Iyengar (2004) および、現時点では未発表の、Sanford DeVoe との共同研究、"Rethinking autonomy as an incentive: The persistent influence of culture within a multinational organization."に説明されている。

ベルリンの壁崩壊に対するジェニングスのコメントはShales (1989) から、一般人の発言は、タイム誌（一九八九年）の記事"Freedom!"から引用した。壁への郷愁を明らかにした世論調査は、Connolly (2007) で説明されている。

自由に二つの意味があるという分析の、有名なもう一つの例に、Berlin, I. *Four Essays on Liberty*, Oxford University Press (1969)（アイザィア・バーリン『自由論』二〇〇〇年、みすず書房、新装版）に発表された随筆、「二つの自由概念」がある。フロムが、究極的には二つの要素を統合すべきだと主張するのに対し、バーリンは、積極的自由（「への自由」）を促すという名の下に、消極的自由（「からの自由」と同義）が損なわれれば、抑圧を招きかねないとして、積極的自由に批判的な態度をとる。

アメリカとヨーロッパの経済政策の違いに関するデータは、Alesina et al. (2001) からの引用である。また経済成果の統計については、ＧＤＰとジニ係数（二〇〇九年六月時点）をCIAのThe World Factbookから引用した。最新のデータは、オンラインで入手可能である。https://www.cia.gov/library/publications/the-world-factbook/rankorder/2172rank.html.および https://www.cia.gov /library /publications/the-world-factbook/fields/2172.html.アメリカの億万長者の相対的な人数は、Kroll et al. (2009) をもとに試算した。スウェーデンおよびドイツと比較した、アメリカの世代間所得相関は、Björklund and Jäntti (1997) およびCouch and Dunn (1997) からの引用である。二〇四二年時点でのアメリカ人の祖先別人口比率の予測は、Bernstein and Edwards (2008) からの引用であり、「文明の衝突」に関するハンチントンの論文は、Huntington (1996) で説明されている。

第３講　「強制」された選択

人がだれにでも当てはまる性格描写を、自分だけに当てはまる、きわめて正確なものととらえる傾向は、これを多用した興行師にちなんで、バーナム効果と呼ばれる。また以下のそっけない標題がつけられた論文の著者にちなんで、フォアラー効果と呼ばれることもある。Forer, B. R.,"The fallacy of personal validation: A classroom demonstration of gullibility," *Journal of Abnormal and Social Psychology* 44（1）（1949）：118-123. 点の個数推定という枠組を利用した、一つめの実験はLeonardelli and Brewer（2001）に、二つめの実験はLeonardelli（1998）に説明されている。平均以上効果について、詳しくはAlicke and Govorun（2005）を参照せよ。レイク・ウォビゴンという名前は、ケイラーの長寿ラジオ番組「プレーリー・ホーム・コンパニオン」から生まれた。もっと詳しく知りたい人は、以下を参照のこと。Kruger, J.,"Lake Wobegon be gone! The 'below-average effect' and the egocentric nature of comparative ability judgments," *Journal of Personality and Social Psychology* 77（2）（1999）：221-223.

人が自分のことを、普通の人より自立した存在だと考えていることは、Pronin et al.（2007）を参照した。これを表す風刺画は、ランダル・マンローによるインターネット連載漫画で、羊（シープ）と人々（ピープル）を重ね合わせた造語の「シープル」という題がついている。オンラインで入手可能。http://xkcd.com/610/. これに関連して、人が自分をほかとはちがう存在と考えているという所見は、Srull and Gaelick（1983）を参照した。

名前や衣服の最適な独自性に関するわたしの研究は、Iyengar and Ames（2005）で発表されている。名前には、ほどほどの独自性が好まれることを、より一般的に説明した研究に、以下がある。Madrigal, A.,"Why your baby's name will sound like everyone else's," *Wired Science*（2009）. http://www.wired.com/wiredscience/2009/05/babynames. 別の興味深い例に、ヒット・ソング・サイエンス・サービスがある。このサービスは、新曲をいくつかの要素に分けて数値化し、過去のヒット曲の数値傾向との類似性から、その曲がどれだけヒットするかを予測するというものだ。このプログラムの精度は、わたしの知る限りでは科学的に検証されていないが、音楽業界の好評を得ており、聞くところによれば、現代ジャズ・アーティストのノラ・ジョーンズの成功を、ズバリ当てたという。彼女はこれまで、十一部門のグラミー賞を受賞し、三六〇〇万枚のアルバムを売り上げている。詳しい情報は、同社のウェブサイトをみてほしい。http://uplaya.com.

ダンの名言は、Devotions Upon Emergent Occasions（1624）の"Meditation XVII"（『不意に発生する事態に関する瞑想』一七番）からの引用である。「誰がために鐘は鳴るやと、そは汝がために鳴るなれば」という文句も、ここに含まれている。

ベニントン研究とその追跡研究については、Alwin et al.（1991）に詳しい説明がある。学生たちの発言は、Newcomb（1958）から引用した。認知的不協和に関する古典的研究は、Festinger（1957）である。もっと詳しく読みたい人には、以下をお勧めする。Cooper, J., *Cognitive Dissonance: 50 Years of a Classic Theory*, Sage（2007）. 反態度的な〔自分の考え方に反する〕文を書かせる研究はたくさん行われているが、比較的最近のものとしてElliot and Devine（1994）を挙げておく。同調は、必ずしも不協和を招き、意図したとおりの態度変化をもたらすとは限らない。集団的影響に関するアッシュの有名な研究、Asch, S. E.,"Effects of Group Pressure upon the Modification and Distortion of Judgment," in Guetzkow, H., ed., *Groups, Leadership and Men*, Carnegie Press（1951）は、協力者が明らかに答えがまちがっていることを知りながら、暗黙の集団的圧力に従わざるを得なくなる例である。正しい答えがわからないとき、外部の影響が内部化される可能性は、さらに高まる。知覚の古典的な例については、以下を参照のこと。Sherif, M., "A study of some social factors in perception," *Archives of Psychology* 27（187）（1935）：23-46.

コルベアによるブッシュの酷評は、Sternbergh（2006）で説明されている。かれのパフォーマンスの一部始終は、動画共有サイトのユーチューブに投稿されている。http://www.youtube.com/view_play_list?p=8E181BDAEE8B275B.

新卒者の就職活動における優先順位に関するわたしの研究は、Wells and Iyengar（2005）に、また集団の注文行動の研究は、Ariely and Levav（2000）にそれぞれ説明されている。実用性の高いものほど、人となりを表さないという、逆相関についてはBerger and Heath（2007）に、リストバンド研究はBerger and Heath（2008）にある。同じ節で紹介した、歌のリズムを指で叩くゲームも、チップ・ヒースとその兄弟ダンのものである。以下を参照した。*Made to Stick: Why Some Ideas Survive and Others Die*, Random House（2007）（『アイデアのちから』二〇〇八年、日経ＢＰ社）。

わたしたちが一般に、他人にどう見られているかに気がつかないことは、Kenny and DePaulo（1993）にまとめられている。またその根底にある、さまざまなプロセスについては、Krueger（2003）に詳しく説明されている。ものごとの明るい側面を見れば、人が両親や友人など、いろいろな集団の人たちに、自分の異なる側面を見せていることを自覚しており、したがってちがう相手にどんなふうに見られているかを、高い精度で推測できるとする、最近の研究がある。Carlson, E., and Furr, M.,"Evidence of differential meta-accuracy: People understand the different impressions they make," *Psychological Science* 20（8）（2009）：1033-1039. 相手が自分に恋愛感情を持っているかどうか、またジョークがウケたかどうかの認識については、わたしのスピード・デートに関する研究を引用した。これらの具体的な研究成果は、以下からとった。"Through the looking-glass self: The effects of trait observability and consensuality on self-knowledge." これは、わたしがAlexandra Suppesと共同執筆した未発表原稿だが、この研究の成果は、以下でも発表されている。Fisman, R., Iyengar, S. S., Kamenica, E., and Simonson, I., "Gender differences in mate selection: Evidence from a speed dating experiment," *Quarterly Journal of Economics* 121（2）（2006）：673-697 およびFisman, R., Iyengar, S. S., Kamenica, E., and Simonson, I., "Racial preferences in dating" *Review of Economic Studies* 75（1）（2008）:117-132.

多面評価のフィードバックが普及しているというデータは、Edwards and Ewen（1996）を引用した。職場で自分を実際以上によく見せようとするのは逆効果だという研究成果は、Anderson et al.（2008）から引用した。他人が思い描く自分が、自分が思い描く自分と同じであってほしいと思っていることは、数々の研究によって示されている。これらの研究はSwann et al.（2003）にまとめられている。

社会資本は消滅しつつあるのではなく、単に形を変えているだけかもしれないと、パットナムは述べている。だが、この新しい形態にも、それなりの問題があるかもしれないと、キャス・サンスティーンの著書*Republic.com*, Princeton University Press（2001）（『インターネットは民主主義の敵か』二〇〇三年、毎日新聞社）は指摘する。インターネットの人をつなぐ力のおかげで、わたしたちは自分の関心や趣味、信念を、これまでよりもずっと細かなレベルで、追求できるようになった。しかし、自分がさらされる情報を自分で選べるがゆえに、いわゆる「エコーチェンバー」（反響室）効果にとらわれるおそれがある。これは、さまざまな考え方をもつ集団が、自分たちがすでにもっている信念を裏づけるような情報を求め、それに疑問を投げかけるような情報を避けるうちに、ますます過激化して、互いに孤立していくというものだ。この効果の比較的軽度な実例が、国際政策観プログラム（ＰＩＰＡ）による調査に表れている。この調査によると、保守系ケーブルテレビ局ＦＯＸニュースの視聴者の八〇％が、イラク戦争について、少なくとも一つの思い違いをしていた。たとえば、サダム・フセインが、アルカイダのテロリスト網に関与していたことを示す、明らかな証拠が見つかったなど。ＰＢＳやＮＰＲの視聴者では、思い違いをしていた人の割合は二三％だった。ＰＩＰＡ報告は、オンラインでも閲覧できる。http://www.worldpublicopinion.org/pipa/pdf/oct03/IraqMedia_Oct03_rpt.pdf.

第４講　選択を左右するもの

本講では、自動システムと熟慮システムを、主に判断と選択という観点から取り上げたが、この二つのシステムは行動を制御する上でも、同じくらい大切な役割を担っている。道を歩きながら哲学論議にふけるには、両方のシステムが必要だ。自動システムのおかげで、足がもつれてよろめかずにすむし、熟慮システムのおかげで、自分の議論に足を取られて失敗せずにすむ。もっと重要なことに、車の運転など、最初は熟慮を要する活動も、十分な練習を積むことで、大部分を自動的な活動にすることができる。Thaler and Sunstein（2008）でも用いられている、「自動」と「熟慮」の用語は、Dennett（1997）にならった。科学文献では、その他さまざまな名称でよばれている。たとえば「ホット」システムと「クール」システム、「ヒューリスティック」処理と「分析的」処理、それに無味乾燥な「システム・ワン」と「システム・ツー」など。これらのシステムについてもっと知りたい人は、以下を参照してほしい。Stanovich, K. E., *What Intelligence Tests Miss: The Psychology of Rational Thought*, Yale University Press（2009）.

不貞に関する統計データはGuerrero et al.（2007）を、先延ばしに関する統計はGallagher et al.（1992）を、貯蓄に関する統計はHelman et al.（2004）を引用した。

目先の報酬が、脳のさまざまな部位を活性化させるという研究は、McClure et al.（2004a）で説明されている。ミッシェルの満足遅延に関する最初の研究はMischel et al.（1972）に、青年期の成功との関係はShoda et al.（1990）に説明されている。こうしたパターンが成人後も続くという研究成果は、まだ発表されていないため、ウォルター・ミッシェルが二〇〇九年一〇月一三日にコロンビア大学で行った講演、"Willpower: Decomposing Impulse Control"の、パワーポイント資料と口述内容を参照した。誘惑を自動的に回避する方法についてもっと知りたい人は、以下を参照のこと。Reyna, V., and Farley, F., "Is the teen brain too rational?" *Scientific American Reports: Special Edition on Child Development*（2007）: 61-67.

Ⅱで説明したヒューリスティックとバイアスは、わたしたちの判断に影響を与えるさまざまな要因のうちの、氷山の一角でしかない。バイアスに関する画期的論文は、Tversky and Kahneman（1974）である。カーネマンはトベルスキーと共同で行った、プロスペクト理論に関する研究で、二〇〇二年にノーベル経済学賞を受賞した。これは、リスクと確率に関する人々の理解が、選択に与える影響を説明したものだ。プロスペクト理論についてもっと知りたい人は、以下を参照のこと。Kahneman, D., and Tversky, A., "Prospect Theory: An Analysis of Decision under Risk," *Econometrica* 47（2）（1979）, 263-291. バイアスを、もっと幅広い観点から概説した研究に、Plous（1993）がある。ビジネス環境にバイアスがおよぼす影響については、Bazerman, M., *Judgment in Managerial Decision Making*, Wiley（2005）（『バイアスを排除する経営意思決定：ビヘイビヤラル・ディシジョン・セオリー入門』一九九九年、東洋経済新報社）を参照のこと。

クレジットカードを使うと、支出が増えるという現象については、Feinberg（1986）およびPrelec and Simester（2001）を参照のこと。現金の代わりにチップを用いるカジノの習慣も、チップを使うことで支出の生々しさが和らげられることが、一つの説明になるかもしれない。そのほか、スロットマシンのベルや笛などの仕掛け（幼い頃の肯定的な自動的評価を呼び覚ます。このような評価は、大人になっても完全には消えず、決定のよりどころとなる）や、報酬のランダムな性質（専門用語では、「変動強化スケジュール」と呼ばれ、固定的スケジュールよりも、意欲を高める効果があることを、多くの研究が示している）なども、人が損失回避の性向を持ちながら、なぜ賭博にこれほど惹かれるのかを説明する。

ゴイズエタの物語は、Tichy and Cohen（1997）の二七ページに手を加えたものである。利益と損失のフレームが、医療上の判断に与える影響に関する研究は、McNeil et al.（1988）に説明されている。フレーミングを利用して、行動に意図した影響をおよぼす方法について、詳しく知りたい人は、以下を参照のこと。"The Framing Wars" by Matt Bai, *New York Times*, July 17, 2005. オンラインでも入手可能である。http://www.nytimes.com/2005/07/17/magazine/17DEMOCRATS.html.

デイ・トレードに関する統計データは"Report of the Day Trading Project Group"（1999）およびSurowiecki（1999）で、住宅購入者の予測に関する研究はShiller（2008）で、それぞれ説明されている。興味深いことに、シラーとケースは、あまり目立たなかった過去の住宅バブル期にも、ほぼ同じパターンが見られることを発見した。Shiller, R. J., and Case, K.," The behavior of home buyers in boom and post-boom markets," *New England Economic Review*, November-December 1988: 29-46. 最後に、以下の記事によれば、金融業界が同じようにして、パターン検出を誤ったことも、サブプライム住宅ローン危機の損失をさらに膨らませた要因の一つだという。http://www.wired.com/techbiz/it/magazine/17-03/wp_quant?currentPage=all.

職務遂行能力を予測する上で、インタビューがあまり役に立たないことは、Hunter and Hunter（1984）および McDaniel et al.（1994）に、またそれにもかかわらずインタビューが広く行われていることは、Ahlburg（1992）に、それぞれ説明されている。専門家に関する研究は　Tetlock（2003）に説明されており、わたしたちが人とのつきあいの中で、自分の予想をどのようにして裏づけようとするかは、かれの著書で詳しく述べられている。*Expert Political Judgment: How Good Is It? How Can We Know?*, Princeton University Press（2005）. 特定の世界観を支持していることを公表していない、普通の人々にも、似たような結果が認められることは、以下に説明されている。Lord, C., Ross, L., and Lepper, M., "Biased assimilation and attitude polarization: The effects of prior theories on subsequently considered evidence," *Journal of Personality and Social Psychology* 37（11）（1979）: 2098-2109.

エクマンの嘘探知能力については、Ekman（2001）を参照したほか、わたしが長年にわたって出席してきた、さまざまな会議や学術機関でのかれの講演の資料をまとめた。アインシュタインの名言は

Murphy（1933）から、サイモンの発言はSimon（1992）からの引用である。十分な専門知識があれば、意識的に気づかない事実を、自動システムが勝手に検知して分析してくれるという、格好の例が、Gladwell（2005）の序章の、何かがおかしい彫像の話や、Lehrer（2009）の第二章「ドーパミンの予測」のシルクワームミサイル事件だ。ポーカー・プレーヤーと空港治安担当官の能力は、Gigerenzer（2007）第一章の「虫の知らせ」からとった。世界級の専門家レベルの知識を培うのに必要な訓練の量は、Ericsson et al.（1993）を引用した。

　フランクリンの道徳的代数に関する説明は、Franklin（1833）から引用した。ライファに関する同じような逸話で、おそらく作り話だが、何十年も前から学術の殿堂に広まっているものが、以下にも紹介されている。Bazerman, M. *Smart Money Decisions: Why You Do What You Do With Money* (*and How to Change for the Better*), Wiley (1999).

　就職活動に関するわたしの研究の、年収と満足度に関する所見は、Iyengar et al.（2006）からとった。カーネマンの幸福に関する研究は、Kahneman et al.（2006）に説明されている。またもう少し後で説明した、できごとの起きる文脈を考慮に入れないために、感情の強さを過大評価しがちな人間の性向についても、同じ文献を参照している。総合社会調査（ＧＳＳ）の所得階層による幸福度のデータも、この文献に含まれている。お金と幸福度との関係（のなさ）や、将来の幸福度を予測することの難しさについて、もっと知りたい人は、以下を参照のこと。http://www.norc.org/GSS+Website/.

　ウィルソンのポスター研究はWilson et al.（1993）で、恋愛研究はWilson et al.（1984）で、それぞれ説明されている。選択について深く考えすぎると、専門家の判断に比べて、客観性が損なわれることは、以下に詳しく説明されている。Wilson, T. D. and Schooler, J. W. "Thinking too much: Introspection can reduce the quality of preferences and decisions," *Journal of Personality and Social Psychology* 60（2）（1991）: 181-192. 人が自分の感情の強さを誤って覚えているという、ウィルソンの所見は、Wilson et al.（2003）に説明されている。二つの頭脳システムの性質と影響について、もっと知りたい人には、ウィルソンの著書をお勧めする。*Strangers to Ourselves: Discovering the Adaptive Unconscious*, Belknap Press,（2002）.

「吊り橋上の恋愛」研究はDutton and Aron（1974）に、アドレナリンの研究はSchachter and Singer（1962）に、それぞれ説明されている。

第5講　選択は創られる

ドネガー・グループとアメリカ色彩協会についてもっと知りたい人は、それぞれのウェブサイトを参照のこと。http://www.doneger.com/web/231.htmおよびhttp://www.colorassociation.com/ファッション業界を、別の側面からとらえた研究に、以下がある。Gavenas, M. L., *Color Stories: Behind the Scenes of America's Billion-Dollar Beauty Industry*, Simon & Schuster（2002）. マーケティング担当者とデザイナーが協力の下に、どのようにしてスタイルを決定し、それにどんなアイデンティティをもたせるかを決めているかについては、以下に詳しい。Frank, T., *The Conquest of Cool: Business Culture, Counterculture, and the Rise of Hip Consumerism*, University of Chicago Press（1997）.

ゲーリーが設計したＩＡＣ本社ビルの描写は、Ourousoff（2007）からの引用である。『プラダを着た悪魔』は、映画版からの引用である。映画はLauren Weisberger（2003）の原作をもとにしており、著者がヴォーグ誌の名物編集長アナ・ウィンターのアシスタントをしていたときの体験が、大まかなベースになっている。

ペンとテラーによるミネラルウォーターのトリックは、第一シーズンのエピソード七からとった。かれらが行った味覚テストの結果は、独自とは言い難い。たとえば、二〇〇一年に全米ネットのモーニングショー『グッド・モーニング・アメリカ』が行ったテストでも、同じようにニューヨーク市の水道水が四五%と、一番人気のミネラルウォーターのほぼ二倍の得票率で、ダントツの一位を獲得している。この詳細は、以下に説明されている。http://abcnews.go.com/GMA/story?id=126984&page=1.　ワインの値段を変える研究はPlassmann et al.（2008）にあり、この実験でも、後に説明するコーラ研究と同じように、ｆＭＲＩで脳を分析している。

ミネラルウォーターの消費者のうち、水道水の安全性に懸念を表明している人の割合は、アメリカ水道協会研究財団（American Water Works Association Research Foundation）による調査、"Consumer

Attitude Survey on Water Quality Issues"（1993）を引用した。ミネラルウォーターの消費に関するデータは、Royte（2008）の第一章からの引用である。水道水とミネラルウォーターの相対的な品質と、上水道から採水したミネラルウォーターの割合は、天然資源保護評議会による、以下の報告書からの引用である。"Bottled Water: Pure Drink or Pure Hype?" ポーランド・スプリングは、「源泉」を勝手に解釈したことで、二〇〇三年に集団訴訟を起こされた。同社は不正行為を認めなかったものの、訴訟は同年に一〇〇〇万ドルで和解している。このことは、Brooks（2003）に報告されている。

誇大広告に関する詳細は、Foulke（1995）を参照のこと。この文献には、「ニワトリ胚抽出物、ウマ血清、ブタ皮抽出物」といった、おどろおどろしい原料名にお化粧が施され、別の名称に変えられた例が列挙されている。ランコムとメイベリンのファンデーションの類似性は、Begoun（2006）で紹介されている例の一つである。

ｆＭＲＩを使った、ソフトドリンクの好みに関する研究は、McClure et al.（2004b）に説明されている。コーラとペプシの違いを明らかにした目隠しテストの有名な例が、「ペプシ・チャレンジ」だ。これは一九七〇年代と八〇年代にペプシが放映した一連のテレビＣＭである。このＣＭによれば、ロゴの代わりに、何の意味もない文字の書かれたカップから、ペプシとコーラの両方を飲んだとき、筋金入りのコーラ党の大多数が、ペプシの方がおいしいと思ったという。ペプシ・チャレンジは、コカ・コーラがあの破滅的な、ニュー・コークを発売するきっかけになった。これはゴイズエタが在任中に犯した、最大の失敗とされている。味を変えた新しいコーラは、目隠しテストではペプシより人気があったが、一般大衆がもとのコーラに持っていた、心地よい連想を、何一つ持たなかった。そのため、売上は落ち、ボイコット運動や、もとのフォーミュラに戻して欲しいという手紙書きキャンペーンが起こった。商品はまもなく市場から撤去された。

マルコム・グラッドウェルは、著書『第1感』の中で、ペプシ・チャレンジでこのような結果が出たのは、「一口テスト」というやり方のせいだった、という持論を展開している。一口しか飲ませないことで、甘めのペプシに軍配が上がったというのだ。もう一つ、考えられる説明は、試飲者が別の種類のプライミングの影響を受けていたというものだ。ペプシのカップには、偶然または故意に、より肯定的な意味合いを持つ文字が割り当てられたという考え方である。Hughes, M., *Buzzmarketing: Get People to Talk about Your Stuff*, Portfolio（2005）で説明されているように、コカ・コーラは広告で、心理学者にこう指摘させている。「M（ペプシ）がまろやか〝mellow〟とマイルド〝mild〟を表すのに対し、Q（コーラ）は奇妙〝queer〟を表している」。後の広告ではこう変わった。「L（ペプシ）はすてき〝lovely〟とライト〝light〟を表すが、S（コーラ）が何を表しているかは、お察しのとおりだ」（ヒント：ペン&テラーの片割れ、ペン・ジレットが大好きな、お下品な言葉〔訳注：shit〕）。コカ・コーラは後にペプシ・チャレンジをなぞった広告を展開した。二つのテニスボールを見せて、どちらがフワフワしているかを尋ねるというものだ。ちなみにこの広告は、コーラとペプシが実質的に同じ商品であることを、暗に認めている。

　プライミングが歩く速度に与える影響を調べたバーグの研究は、Bargh et al.（1996）に説明されており、反射性に関する引用はBargh（1997）からとった。サブリミナル・メッセージが空腹に与える影響は、Byrne（1959）に説明されている。サブリミナル広告の最も有名な例が、映画館のスクリーンに「コカ・コーラを飲もう」、「お腹がすいた？　ポップコーンを食べよう」というメッセージを、短時間点滅させたところ、コーラとポップコーンの売上が飛躍的に伸びたと主張した研究だ。この研究をきっかけに、サブリミナル効果を実際に利用することに対して、一般市民から激しい抗議が巻き起こり、公共の放送で利用することが禁じられたのだ。しかし、のちに実験のデータが捏造されていたことが明らかになった。この効果についてもっと知りたい人はSnopes.comの記事〝Subliminal Advertising〟を参照のこと。オンラインでも入手可能である。http://www.snopes.com/business/hidden/popcorn.asp.

　マーケティング担当者やその他の世論形成者は、プライミングだけに頼っているわけではなく、たとえば前講で説明したような、さまざまな認知バイアスなども、最大限に利用している。たとえば「クレジットカード使用手数料」という代わりに、「現金値引き」をうたう店は、フレーミングを利用している。頭痛薬「ヘッドオン」のしつこいCMは、商品を身近なものに感じてもらうために、繰り返しを利用している。

　学校という場所が投票におよぼす影響はBerger et al.（2008）に、身長が収入におよぼす影響はJudge aod Cable（2004）とPersico et al.（2004）に、またほんの一目見ただけで候補者の有能性を判断する実験はBallew and Todorov（2007）に、それぞれ説明されている。わたしたちがきわめて重大な決断を下すときでさえ、いろいろな意味で外見に惑わされることについては、Cialdini（1998）にまとめられている。もっと詳しく知りたい人は、『第1感』の第三章「見た目の罠：第一印象は経験と環境から生まれる」を参照のこと。二〇〇〇年の大統領選挙で、投票用紙に名前が記載された順序がおよぼした影響は、Krosnick et al.（2004）に説明されている。

第6講　豊富な選択肢は必ずしも利益にならない

わたしが、後にIyengar and Lepper（1999）として発表した、子どもの研究のために、データ収集を始めたころ、選択条件と非選択条件を比較する枠組としては、主に以下の文献をもとにした。Zuckerman, M., Porac, J., Lathin, D., and Deci, E. L.,"On the importance of self-determination for intrinsically motivated behavior," *Personality and Social Psychology Bulletin* 4（3）（1978）：443-446. この研究では、参加者が六つのパズルの中から自分で選んだものを解くか、実験者に割り当てられたパズルを解いた。選択と動機の関係に関するさまざまな理論について、もっと詳しく知りたい人は、以下を参照のこと。DeCharms, R., *Personal Causation: The Internal Affective Determinants of Behavior*, Academic Press（1968）およびDeci, E. L., and Ryan, R. M., *Intrinsic Motivation and Self-Determination in Human Behavior*, Plenum（1985）.

わたしがドレーガーズで行った調査は、Iyengar and Lepper（1999）にある。この論文で報告したもう一つの実験では、研究室での観察でも、同様の結果が得られた。このときは、参加者に六個または三〇個のゴディバのチョコレートの中から、好きなものを選んでもらった。「多すぎる選択肢」なるものが存在することを示した後続研究には、Chernev, A., " When more is less and less is more: The role of ideal point availability and assortment in consumer choice," *Journal of Consumer Research* 30（2）（2003）：170-183（これもチョコレートを使っている）や、Reutskaja, E., and Hogarth, R., "Satisfaction in choice as a function of the number of alternatives: When 'goods satiate'," *Psychology and Marketing* 26（3）（2009）：197-203　およびShah, A. M., and Wolford, G.,"Buying behavior as a function of parametric variation of number of choices," *Psychological Science* 18（5）（2007）：369-370 などがある。

アメリカ全体で販売されている消費財（具体的には、UPCコードのついた商品）の増加に関する統計は、Weinstein and Broda（2007）から引用した。一九四九年当時のスーパーマーケットの取扱品目に関するデータは、*The Supermarket Industry Speaks: 1965* からの引用である。二〇〇五年のデータも、同じ刊行物の最近の号を引用したが、名称が変更になっている。*The Food Marketing Industry Speaks: 2005.* ウォルマートの取扱品目はZook and Graham（2006）を、またオンラインで買える商品の数は、ネットフリックスとアマゾンのそれぞれのウェブサイトの数字を直接引用した。

オンラインでしか買えない商品の売上が、インターネット小売業者の全売上に占める割合はAnderson（2006）を、顧客の購買行動はElberse（2007）を、それぞれ引用した。これらの研究成果は、生産者にとってのテールのメリットに関する研究とともに、*Harvard Business Review* の二〇〇八年七－八月号に収録されたElberseの"Should You Invest in the Long Tail?" の中で、詳しく述べられている。この中でエルバースは、インターネット・マーケティングの成功要因は、ロングテール理論が示唆するように、幅広い品揃えにあるのではなく、むしろ少数のメガヒット商品にあると結論づけている。アンダーソンはロングテールに関するブログを運営しており、そこでこの記事に反論している。http://www.longtail.com/the_long_tail/2008/06/excellent-hbr-p.html. プロクター&ギャンブルが製品ラインを縮小して成功したことはOsnos（1997）に、ゴールデン・キャットの同様の成功はKrum（1994）に、それぞれ報告されている。

チェスの名人の成績に関する研究は、Chase and Simon（1973）に説明されている。サイモンの研究的関心はすばらしく多岐にわたっていたが、その中でも特に本講と関係があるのが、今日「限定合理性」と呼ばれる経済概念の発展に、かれが果たした貢献だ。一般に、古典的な経済理論は、人々が任意の大きさの選択肢の集合に含まれる、すべての選択肢の良い点悪い点を合理的に分析して、自己の利益を最大化するような選択肢を選ぶという、単純化された仮定を打ち立てている。ところがサイモンは、人間の情報処理能力の限界や、選択肢の比較に要する労力を考えると、実はこの最大化プロセスは、何らかの品質基準を満たす最初の選択肢を選ぶ「満足化」よりも、好ましくない結果をもたらすかもしれないと主張し、この所見によって多大な影響をおよぼした。

４０１kの加入率の分析とそのグラフはIyengar et al.（2004）から、拠出率と拠出パターンへの影響はIyengar and Kamenica（2008）から引用した。メディケア改革に関するブッシュのスピーチは、プレスリリース"President Applauds Congress for Passing Historic Medicare Bill"（2003）に、全文が収録されている。パートDに関する議論や分析はたくさんあるが、以下に簡単にまとめられている。http://www.medicalnewstoday.com/articles/35664.php. パートDが、自己負担額の減少と処方薬の購入額の増加という点でおよぼした恩恵はYin et al.（2008）に、当初の加入パターンはHeiss et al.（2006）に説明されている。ミズ・グラントの発言はPear（2006）を引用した。パートDが一般に、どれくらいわかりやすいと（わかりやすくないと）思われているかという調査は、カイザー・ファミリー財団が行った二つの調査、"The Public's Health Care Agenda for the New Congress and Presidential Campaign"および"National Surveys of Pharmacists and Physicians, Findings on Medicare Part D"（ともに二〇〇六年）を引用した。

ドアをクリックする実験は、Shin and Ariely（2004）に説明されているが、Ariely（2008）ではもっと詳しく、面白おかしく取り上げられている。

選択肢が増えれば増えるほど後悔が増すという現象を掘り下げ、また前述のサイモンの注記で説明した最大化と満足化の関係や、現代の選択者が直面するその他多くの問題を取り上げた研究として、バリー・シュワルツのThe Paradox of Choice, Ecco（2003）（『なぜ選ぶたびに後悔するのか——「選択の自由」の落とし穴』二〇〇四年、武田ランダムハウスジャパン）を強くお勧めする。

スウェーデンの年金改革の落とし穴は、Cronqvist and Thaler（2004）に詳しい。退職プランを自動加入方式にしたことの効果は、Choi et al.（2006）で説明されており、臓器提供でもこの方式が同じように劇的な効果を挙げたことは、以下で説明されている。Johnson, E., and Goldstein, D., "Do defaults save lives?," *Science* 302（2003）：1338-1339.

雑誌の取り揃えに関するわたしの研究は、Mogilner et al.（2008）に取り上げられており、ドイツ車の購入者に関する研究は、研究成果報告書"Order in Product Customization Decisions: Evidence from Field Experiments."からとった。ウィントン・マルサリスとのインタビューは、二〇〇八年七月二四日に行った。

第7講　選択の代償

「ヒポクラテスの言葉」の原典は、かれの著作『礼儀について』である。ヒポクラテスの体液説とその驚くべき持続性については、Garrison（1966）を参照した。プラシーボ効果とその歴史について、また最近の興味深い進展に関する詳細については、以下を参照のこと。Silberman, S., "Placebos are getting more effective. Drugmakers are desperate to know why," *Wired Magazine*, August 24, 2009. オンラインでも入手可能である。http://www.wired.com/medtech/drugs/magazine/17-09/ff_placebo_effect?currentPage=all.

　選択との関連で述べた医療史、たとえば患者と医師の関係に対するヒポクラテスの考え方や、アメリカ医師会の倫理綱領、プラット医師と匿名のフランス人医師の事例などは、ほとんどがKatz（1984）からの引用である。ガンの診断を患者に知らせる医師の割合は、Schneider（1998）を引用した。

　選択が、実在の親と仮想の親に与える影響に関するわたしの研究は、Botti et al.（2009）に説明されている。同じデータセットを、より広範な視点から考察したのが、以下の研究である。Orfali, K., and Gordon, E., "Autonomy gone awry: A cross-cultural study of parents' experiences in neonatal intensive care units," *Theoretical Medicine and Bioethics* 25（4）（2004）: 329-365. ハイドの最初の引用はThe Gift（1983）の七八ページから、長文の引用は八〇ページから、それぞれとった。

　アルツハイマー病の患者数に関する予測はSloane et al.（2002）から、ガンの患者数に関する予測は"Probability of Developing Invasive Cancers Over Selected Age Intervals, by Sex, US, 2003-2005" からの引用である。オンラインで入手可能。http://www.cancer.org/downloads/パーキンソン病に関するデータは、全米パーキンソン病財団のホームページからとった。オンラインで入手可能。http://www.parkinson.org/こうした病気が呈するジレンマの実例については、以下を参照のこと。White, J., "When do families take away the keys? Spokane Woman with Alzheimer's took wrong turn and died," *The Spokesman-Review*, October 3, 1999. 人工肛門造設術の合併症に関するピーター・ユーベルの研究は

Amsterlaw et al.（2006）に、またヨーグルトを使ったわたしの研究はBotti and Iyengar（2004）に、それぞれ説明されている。

ブレームが説明する、ボタンを押したくなる理由は、Brehm（1966）からの引用である。禁止された洗剤の事例は、Lessne and Notarantonio（2006）で説明されている。保健維持機構（ＨＭＯ）の支持率は、Blendon and Benson（2001）からの引用である。人々が自分の健康プランについて抱いている考えの調査は、Reschovsky et al.（2002）に説明されている。

ロボットのロビーの研究は、Zanna et al.（1973）で説明されている。アルコールやたばこの消費量に、価格が与える影響に関する研究は、Chaloupka et al.（2002）およびBecker et al.（1994）に説明されている。また以下の研究は、健康に悪い食品に、同様の税（ときに「不健康税」と呼ばれる）を課すことを提唱している。Jacobson, M. F., and Brownell, K. D.,"Small taxes on soft drinks and snack foods to promote health," *American Journal of Public Health* 90（6）（2000）: 854-857. 喫煙者がたばこ税の引き上げを歓迎することは、Gruber and Mullainathan（2005）に説明されている。カナダでたばこに対する過度の課税が引き起こした問題については、Gunby（1994）に説明されている。こぼれ話だが、カナダはこの一年後に、別の密輸品の送り先ではなく、送り手として、悪名を馳せるようになった。それは強力トイレだ。アメリカでは、一九九五年水保全法によって、トイレの一回の洗浄で流す水量が、一・六ガロン（約六リットル）に制限されるようになって以来、もっと洗浄力の強いトイレを求める人たちが、カナダ国境からトイレを密かに持ち込むようになった。この活動に手を染めていたのは、犯罪組織ではなく、主に個人だったのだが、その理由は、ギャングが「トイレの売人」という称号を欲しがらなかったせいかもしれない。

オデュッセウスの命令は、『オデュッセイア』のRobert Faglesによる英訳の、二七六ページから引用した。カジノに行くとき、マストに自分をくくりつけたい人はhttp://www.bancop.net/を、スヌーズンルーズを購入したい人はhttp://www.thinkgeek.com/stuff/41/snuznluz.shtml をのぞいてほしい。スティック・ドットコム設立の経緯は、同社ホームページの"About"のページを引用した。http://www.stickk.com/about.php. セイブ・モア・トゥモロウは、Thaler and Benartzi（2004）で説明されている。人々が知らず知らずのうちに賢明な決定を下せるようにする方法について、詳しくは以下を参照のこと。

Thaler, R., and Sunstein, C., *Nudge: Improving Decisions about Health, Wealth, and Happiness*, Yale University Press (2008). ハムレットの言葉は、第三幕第一場からの引用。

最終講　選択と偶然と運命の三元連立方程式

冒頭の引用は、Eliot (1943) "Little Gidding" (「リトル・ギディング」) より。S・K・ジェイン師との会見は、バンガロールのかれの事務所で、二〇〇九年一月五日の午前一一時という、わたしの知る限りでは占星術上、何の意味もない日時に行われた。かれの仕事についてもっと知りたい人、占ってほしい人は、かれのウェブサイトを訪問してほしい。http://www.skjainastro.com/. ジェーン・エイケン・ホッジの死に関する情報はBrown (2009) から、彼女の父の詩はAiken (1953) からの引用である。

特に断りのない限り、ソースノートと参考文献で紹介した、インターネットをベースとするすべての出典は、二〇〇九年一〇月一五日時点で、所定のアドレスで入手可能だったコンテンツをもとにしている。それ以降、コンテンツが変更されたり、入手不可能になった場合、以前のバージョンはインターネット・アーカイブを通じて入手可能である。http://www.archive.org/index.php.

主要参考文献一覧

Ahlburg, D. A. "Predicting the job performance of managers: What do the experts know?" *International Journal of Forecasting* 7 (4) (1992): 467-472.

Aiken, C. *Collected Poems*. Oxford University Press (1953).

Alesina, A., Glaeser, E., and Sacerdote, B. "Why doesn't the US have a European-style welfare state?" *Brookings Papers on Economic Activity* 2 (2001): 187-277.

Alicke, M. D., and Govorun, O. "The Better-than-Average Effect, " in Alicke, M. D., Dunning, D. A., and Krueger, J., I. *The Self in Social Judgment*. Psychology Press (2005).

Alwin, D. F., Cohen, R. L., and Newcomb, T. M. *Political Attitudes Over the Life Span: The Bennington Women after Fifty years*. University of Wisconsin Press (1991).

Ames, S. C., Jones, G. N., Howe, J. T., and Brantley, P. J."A prospective study of the impact of stress on quality of life: An investigation of low income individuals with hypertension." *Annals of Behavioral Medicine* 23 (2) (2001): 112-119.

Amsterlaw, J., Zikmund-Fisher, B. J., Fagerlin, A., and Ubel, P. A."Can avoidance of complications lead to biased healthcare decisions?" *Judgment and Decision Making* 1 (1) (2006): 64-75.

Anderson, C. *The Long Tail*. Hyperion (2006).
『ロングテール――「売れない商品」を宝の山に変える新戦略』（二〇〇六年、早川書房）

Anderson, C., Ames, D., and Gosling, S. "Punishing hubris: The perils of status self-enhancement in teams and organizations." *Personality and Social Psychology Bulletin* 34 (2008): 90-101.

Ariely, D. *Predictably Irrational*. Harper (2008).
『予想どおりに不合理』（二〇〇八年、早川書房）

Ariely, D., and Levav, J. "Sequential choice in group settings: Taking the road less traveled and less enjoyed." *Journal of Consumer Research* 27 (3) (2000): 279-290.

Bahn, K. D. "How and when do brand perceptions and preferences first form? A cognitive developmental investigation." *The Journal of Consumer Research* 13 (3) (1986): 382-393.

Ballew, C. C., and Todorov, A. "Predicting political elections from rapid and unreflective face judgments." *Proceedings of the National Academy of Sciences* 104 (46) (2007): 17948-

17953.

Bargh, J. A. "The Automaticity of Everyday Life," in *The Automaticity of Everyday Life: Advances in Social Cognition*, Volume X. Wyer, R. S., Jr. ed. Lawrence Erlbaum (1997): 1-62.

Bargh, J. A., Chen, M., and Burrows, L. "Automaticity of social behavior: Direct effects of trait construct and stereotype activation on action." *Journal of Personality and Social Psychology* 71 (1996): 230-244.

Begoun, P. "Best of Beauty 2006." Paula's Choice, Inc. (2006). http://www.cosmeticscop.com/bulletin/BestofBeauty2006.pdf.

Berger, J., and Heath, C. "Where consumers diverge from others: Identity signaling and product domains." *Journal of Consumer Research* 34 (2) (2007): 121-134.

Berger, J., and Heath, C. "Who drives divergence? Identity signaling, outgroup dissimilarity, and the abandonment of cultural tastes." *Journal of Personality and Social Psychology* 95 (3) (2008): 593-607.

Berger, J., Wheeler, S. C., and Meredith, M. "Contextual priming: Where people vote affects how they vote." *Proceedings of the National Academy of Sciences* 105 (26) (2008): 8846-8849.

Bernstein, R., and Edwards, T. "An Older and More Diverse Nation by Midcentury." U.S. Census Bureau press release, August 14, 2008.

Berridge, K. C., and Kringelbach, M. L. "Affective neuroscience of pleasure: Reward in humans and animals." *Psychopharmacology (Berl)* 199 (3) (2008): 457-480.

Bjork. J. M., and Hommer, D. W. "Anticipating instrumentally obtained and passively-received rewards: A factorial fMRI investigation." *Behavioural Brain Research* 177 (1) (2007): 165-170.

Björklund, A., and Jäntti, M. "Intergenerational income mobility in Sweden compared to the United States." *The American Economic Review* 87 (5) (1997): 1009-1018.

Blendon, R. J., and Benson J., M. "Americans' views on health policy: A fifty-year historical perspective." *Health Affairs (Project HOPE)* 20 (2) (2001): 33-46.

Botti, S., and Iyengar, S. S. "The psychological pleasure and pain of choosing: When people prefer choosing at the cost of subsequent outcome satisfaction." *Journal of Personality and Social Psychology* 87 (3) (2004): 312-326.

Botti, S., Orfali, K., and Iyengar, S. S."Tragic choices: Autonomy and emotional response to medical decisions." *Journal of Consumer Research* 36 (3) (2009): 337-352.

Bown, N. J., Read, D., and Summers, B. "The lure of choice." *Journal of Behavioral Decision Making* 16 (4) (2003): 297-308.

Brehm, J. *A Theory of Psychological Reactance*. Academic Press (1966).

Brooks, A. "Poland Spring Settles Class-Action Lawsuit." NPR Morning Edition (September 4, 2003). http://www.npr.org/templates/story/story.php?storyId=1419713.

Brown, D."Romantic Novelist Plotted Her Death in Secret, and in Fear." *The Times* (July 29, 2009). http://www.timesonline.co.uk/tol/life_and_style/health/article6731176.ece.

Bumiller, E. *May You Be the Mother of a Hundred Sons: A Journey Among the Women of India*. Random House (1990).

Byrne, D. "The effect of a subliminal food stimulus on verbal responses." *Journal of Applied Psychology* 43 (4) (1959): 249-252.

Callahan, S. *Adrift: Seventy-six Days Lost at Sea*. Houghton Mifflin (1986).
『大西洋漂流 76 日間』（一九八八年、早川書房）

Camus, A. *The Myth of Sisyphus*. Justin O'Brien, trans. Vintage/Random House (1955).
『シーシュポスの神話』（新潮文庫、改版版）（一九九六年、新潮社）

Capellanus, A. *The Art of Courtly Love*, John Jay Parry, trans. Columbia University Press (1941). (Reprinted: Norton, 1969).
『宮廷風恋愛の技術』（叢書・ウニベルシタス）（一九九〇年、法政大学出版局）

Catania, A. C. "Freedom and knowledge: An experimental analysis of preference in pigeons." *Journal of the Experimental Analysis of Behavior* 24 (1) (1975): 89-106.

Chaloupka, F. J., Grossman, M., and Saffer, H. "The effects of price on alcohol consumption and alcohol-related problems." *Alcohol Research & Health* 26 (1) (2002): 22-34.

Chase, W. G., and Simon, H. A."Perception in chess." *Cognitive Psychology* 4 (1) (1973): 55-61.

Choi, J., Laibson, D., Madrian, B., and Metrick, A. "Saving for Retirement on the Path of Least Resistance, " in Ed McCaffrey and Joel Slemrod, eds., *Behavioral Public Finance:*

Toward a New Agenda. Russell Sage Foundation (2006), pp. 304-352.

Cialdini, R. B. *Influence: The Psychology of Persuasion*, rev. ed. Collins (1998).
『影響力の武器——なぜ、人は動かされるのか』（第二版）（誠信書房、二〇〇七年）

Clubb, R., and Mason, G. "Captivity effects on wide-ranging carnivores." *Nature* 425 (2003): 473-474.

Clubb, R., Rowcliffe, M., Mar, K. U., Lee, P., Moss, C., and Mason, G. J. "Compromised survivorship in zoo elephants." *Science* 322 (2008): 1649.

Confucius. *The Analects*. Lau, D. C., trans. Chinese University Press (1983).
『論語』（岩波文庫）（一九九九年、岩波書店、改版版）

Connolly, K. "Germans Hanker after Barrier." *The Guardian* (November 8, 2007).

Coontz, S. *Marriage, a History: From Obedience to Intimacy or How Love Conquered Marriage*. Viking Adult (2005).

Couch, K. A., and Dunn, T. A. "Intergenerational correlations in labor market status: A comparison of the United States and Germany." *The Journal of Human Resources* 32 (1) (1997): 210-232.

Cronqvist, H., and Thaler, R. "Design choices in privatized social-security systems: Learning from the Swedish experience." *American Economic Review* 94 (2) (2004): 424-428.

Delgado, M. R. "Reward-related responses in the human striatum." *Annals of the New York Academy of Sciences* 1104 (2007): 70-88.

DeLillo, D. *White Noise*. Penguin Books (1986).
『ホワイト・ノイズ』（一九九三年、集英社）

DeLongis, A., Folkman, S., and Lazarus, R. S. "The impact of daily stress on health and mood: Psychological and social resources as mediators." *Journal of Personality and Social Psychology* 54 (3) (1988): 486-495.

Dennett, D. C. *Kinds of Minds: Toward an Understanding of Consciousness*. Basic Books (1997).

DeVoe, S. E., and Iyengar, S. S. "Managers' theories of subordinates: A cross-cultural examination of manager perceptions of motivation and appraisal of performance." *Organizational Behavior and Human Decision Processes* 93 (2004): 47-61.

Dutton, D. G., and Aron, A. P. "Some evidence for heightened sexual attraction under conditions of high anxiety." *Journal of Personality and Social Psychology* 30 (4) (1974): 510-517.

Edwards, M. R., and Ewen, A. J. 360° Feedback: *The Powerful New Model for Employee Assessment & Performance lmprovement.* AMACOM American Management Association (1996).

Ekman, P. *Telling Lies: Clues to Deceit in the Marketplace, Politics, and Marriage, Third Edition.* W. W. Norton & Co. (2001).
『暴かれる嘘——虚偽を見破る対人学』(一九九二年、誠信書房)

Eliot, T. S. *Four Quartets.* Harcourt, Brace and Company (1943).
『四つの四重奏曲—— FOUR QUARTETS』(一九八〇年、大修館書店)

Elliot, A. J., and Devine, P. G. "On the motivational nature of cognitive dissonance: Dissonance as psychological discomfort." *Journal of Personality and Social Psychology* 67 (1994): 382-394.

Ericsson, K. A., Krampe, R. T., and Tesch-Römer, C. "The role of deliberate practice in the acquisition of expert performance." *Psychological Review* 100 (3) (1993): 363-406.

Feinberg, R. A. "Credit Cards as Spending Facilitating Stimuli: A Conditioning Interpretation. " *Journal of Consumer Research* 13 (3) (1986): 348-356.

Festinger, L. A *Theory of Cognitive Dissonance.* Stanford University Press (1957).

Foulke, J. E. "Cosmetic Ingredients: Understanding the Puffery." *FDA Consumer*, Publication No. (FDA) 95-5013 (1995).

Franklin, B. Private Correspondence of Benjamin Franklin, Volume 1. Franklin, W. T., ed. R. Bentley (1833): 16-17.

Friedman, H. S., and Booth-Kewley, S. "The 'disease-prone personality': A meta-analytic view of the construct." *American Psychologist* 42 (6) (1987): 539-555.

Fromm, E. *Escape from Freedom.* Farrar & Rinehart (1941).
『自由からの逃走』(新版)(一九六五年、東京創元社)

Gallagher, R. P., Borg, S., Golin, A., and Kelleher, K. "The personal, career, and learning skills needs of college students." *Journal of College Student Development* 33 (4) (1992): 301-

310.

Garrison, F. H. *An Introduction to the History of Medicine*. W. B. Saunders Company (1966).

Gigerenzer, G. *Gut Feelings: The Intelligence of the Unconscious*. Viking Adult (2007).
『なぜ直感のほうが上手くいくのか？――「無意識の知性」が決めている』（二〇一〇年、インターシフト）

Gladwell, M. *Blink: The Power of Thinkinlg Without Thinking*. Little, Brown and Company (2005).
『第１感――「最初の２秒」の「なんとなく」が正しい』（二〇〇六年、光文社）

Gruber, J. H., and Mullainathan, S. "Do cigarette taxes make smokers happier?" *Advances in Economic Analysis and Policy* 5 (1) (2005), article 4.

Gunby, P. "Canada reduces cigarette tax to fight smuggling." *Journal of the American Medical Association* 271 (9) (1994): 647.

Gupta, U., and Singh, P. "An exploratory study of love and liking and type of marriage." *Indian Journal of Applied Psychology* 19 (1982): 92-97.

Harlow, J., and Montague, B. "Scientists Discover True Love." *The Sunday Times* (January 4, 2009). http://women.timesonline.co.uk/tol/life_and_style/women/relationships/article5439805.ece.

Heiss, F., McFadden, D., and Winter, J. "Who Failed to Enroll in Medicare Part. D, and Why? Early Results." Health Affairs Web Exclusive (August 1, 2006): w344-w354 http://content.healthaffairs.org/cgi/content/abstract/hlthaff.25.w344.

Hofstede, G. *Culture's Consequences: International Differences in Work-Related Values*. Sage Publications (1980).
『経営文化の国際比較――多国籍企業の中の国民性』（一九八四年、産業能率大学出版部）

Homer. *The Odyssey*. Robert Fagles, trans. Penguin Classics (1999).
『ホメロス　オデュッセイア』（上）（下）（岩波文庫）（一九九四年、岩波書店）

Hunter, J. E., and Hunter, R. F., "Validity and Utility of Alternative Predictors of Job Performance." *Psychological Bulletin* 96 (1) (1984): 72-98.

Huntington, S. P. *The Clash of Civilizations and the Remaking of World Order*. Simon & Schuster (1996).
『文明の衝突』（一九九八年、集英社）

Hyde, L. *The Gift: Imagination and the Erotic Life of Property*. Vintage Books (1983). 『ギフト――エロスの交易』（二〇〇二年、法政大学出版局）

Iyengar, S. S., and Ames, D. R. "Appraising the unusual: Framing effects and moderators of uniqueness-seeking and social projection." *Journal of Experimental Social Psychology* 41 (3) (2005): 271-282.

Iyengar, S. S., Huberman, G., and Jiang, W. "How Much Choice Is Too Much? Contributions to 401(k) Retirement Plans, " in Mitchell, O. S., and Utkus, S., eds. *Pension Design and Structure: New Lessons from Behavioral Finance*. Oxford University Press (2004): 83-96.

Iyengar, S. S., and Kamenica, E. "Choice Proliferation, Simplicity Seeking, and Asset Allocation." Working paper (2008). http://faculty.chicagobooth.edu/emir.kamenica/documents/simplicitySeeking.pdf.

Iyengar, S. S., and Lepper, M. R. "Rethinking the value of choice: A cultural perspective on intrinsic motivation." *Journal of Personality and Social Psychology* 76 (3) (1999): 349-366.

Iyengar, S. S., Wells, R. E., and Schwartz, B. "Doing better but feeling worse: Looking for the 'best' job undermines satisfaction." *Psychological Science* 17 (2) (2006): 143-150.

Judge, T. A., and Cable, D. M. "The effect of physical height on workplace success and income: Preliminary test of a theoretical model." *Journal of Applied Psychology* 89 (3) (2004): 428-441.

Kahneman, D., Krueger, A. B., Schkade, D., Schwartz, N., and Stone, A. A. "Would you be happier if you were richer? A focusing illusion." *Science* 312 (2006): 1908-1910.

Kalueff, A. V., Wheaton, M., and Murphy, D. L. "What's wrong with my mouse model? Advances and strategies in animal modeling of anxiety and depression." *Behavioural Brain Research* 179 (1) (2007): 1-18.

Katz, J. *The Silent World of Doctor and Patient*. Free Press, Collier Macmillan (1984).

Kenny, D. A., and DePaulo, B. M. "Do people know how others view them?: An empirical and theoretical account." *Psychological Bulletin* 114 (1) (1993): 145-161.

Kifner, J. ABOUT NEW YORK: "Stay-at-Home SWB, 8, Into Fitness, Seeks Thrills." *New York Times* (July 2, 1994). http://www.nytimes.com/1994/07/02/nyregion/about-new-york-stay-at-home-swb-8-into-fitness-seeks-thrills.html.

主要参考文献

Kitayama, S., Markus, H. R., Matsumoto, H., and Norasakkunkit, V. "Individual and collective processes in the construction of the self: Self enhancement in the United States and self-criticism in Japan." *Journal of Personality and Social Psychology* 72 (6) (1997): 1245-1267.

Kokis, J. V., Macpherson, R., Toplak, M. E., West, R. F., and Stanovich, K.E. "Heuristic and analytic processing: Age trends and associations with cognitive ability and cognitive styles." *Journal of Experimental Child Psychology* 83 (1) (2002): 26-52.

Kroll, L., Miller, M., and Serafin, T. "The World's Billionaires (2009)" *Forbes*. http://www.forbes.com/2009/03/11/worlds-richest-people-billionaires-2009-billionaires_land.html.

Krueger, J. "Return of the ego-self-referent information as a filter for social prediction: Comment on Karniol (2003)." *Psychological Review* 110 (3) (2003) 585-590.

Krum, F. "Quantum leap: Golden Cat Corp.'s success with category management." *Progressive Grocer*, Golden Cat Corp. (1994): 41-43.

Langer, E. J., and Rodin, J. "The effects of choice and enhanced personal responsibility for the aged: A field experiment in an institutional setting." *Journal of Personality and Social Psychology* 34 (2) (1976): 191-198.

Lehrer, J. *How We Decide*. Houghton Mifflin Co. (2009).

Leonardelli, G. J. "The Motivational Underpinnings of Social Discrimination: A Test of the Self-Esteem Hypothesis." Unpublished master's thesis (1998).

Leonardelli, G. J., and Brewer, M. B."Minority and majority discrimination: When and why." *Journal of Experimental Social Psychology* 37 (2001): 468-485.

Lewis, M., Alessandri, S. M., and Sullivan, M. W. "Violation of expectancy, loss of control, and anger expressions in young infants." *Developmental Psychology* 26 (5) (1990): 745-751.

Mahler, L , Greenberg, L., and Hayashi, H. "A comparative study of rules of justice: Japanese versus American." *Psychologia* 24 (1) (1981): 1-8.

Marshall, C. "Tiger Kills 1 After Escaping at San Francisco Zoo." *New York Times* (December 26, 2007). http://www.nytimes.com/2007/12/26/us/26tiger.html

Marx, K., and Engels, F. *The Marx-Engels Reader*. Robert C. Tucker, ed. Norton (1972).

Masuda, T., and Nisbett, R. E. "Attending holistically versus analytically: Comparing

the context sensitivity of Japanese and Americans." *Journal of Personality and Social Psychology* 81 (5) (2001): 992-934.

McClure, S. M., Laibson, D. I., Loewenstein, G., and Cohen, J. D."Separate neural systems value immediate and delayed monetary rewards." *Science* 306 (2004a): 503-507.

McClure, S. M., Li, J., Tomlin, D., Cypert, K. S., Montague, L. M., and Montague, P. R."Neural correlates of behavioral preference for culturally familiar drinks." *Neuron* 44 (2) (2004b): 379-387.

McDaniel, M. A., Whetzel, D. L., Schmidt, F. L., and Maurer, S. D. "The validity of employment interviews: A comprehensive review and meta-analysis." *Journal of Applied Psychology* 79 (4) (1994): 599-616.

McNeil, B. J., Pauker, S. G., and Tversky, A. "On the Framing of Medical Decisions," in Bell, D. E., Raiffa, H., and Tversky, A., eds. *Decision Making: Descriptive, Normative, and Prescriptive Interactions.* Cambridge University Press (1988): 562-568.

Menon, T., Morris, M. W., Chiu, C., and Hong, Y. "Culture and the construal of agency: Attribution to individual versus group dispositions." *Journal of Personality and Social Psychology* 76 (5) (1999): 701-717.

Mischel, W., Ebbesen, E. B., and Raskoff Zeiss, A. "Cognitive and attentional mechanisms in delay of gratification." *Journal of Personality and Social Psychology* 21 (2) (1972): 204-218.

Mogilner, C., Rudnick, T., and Iyengar, S. S. "The mere categorization effect: How the presence of categories increases choosers' perceptions of assortment variety and outcome satisfaction." *Journal of Consumer Research* 35 (2) (2008): 202-215.

Murphy, J., trans. Introduction to *Where Is Science Going?* by Max Planck. Allen & Unwin (1933): 7.

Newcomb, T. M. "Attitude Development as a Function of Reference Groups: The Bennington Study," in *Readings in Social Psychology*, 3rd ed., Eleanor E. Maccoby, Theodore M. Newcomb, and Eugene L. Hartley, eds. Henry Holt and Co. (1958), pp.265-275.

Ochsner, K. N., and Gross, J. J. "The cognitive control of emotion." *Trends in Cognitive Sciences* 9 (5) (2005): 242-249.

Orwell, G. 1984. Harcourt Brace Jovanovich (1977).
『一九八四年』（新訳版）（二〇〇九年、早川書房）

Osnos, E. "Too Many Choices? Firms Cut Back on New Products." *Philadelphia Inquirer* (September 27, 1997): DI, D7.

Ouroussoff, N. "Gehry's New York Debut: Subdued Tower of Light." *New York Times* (March 22. 2007).

Parsons, O. A., and Schneider, J. M. "Locus of control in university students from Eastern and Western societies." *Journal of Consulting and Clinical Psychology* 42 (3) (1974): 456-461.

Pear, R. "Final Rush to Make Deadline for Drug Coverage." *New York Times* (May 16, 2006).

Pendergrast, M. *For God, Country, and Coca-Cola: The Unauthorized History of the Great American Soft Drink and the Company that Makes It.* Maxwell Macmillan (1993).
『コカ・コーラ帝国の興亡――１００年の商魂と生き残り戦略』（一九九三年、徳間書店）

Piper, W. *The Little Engine That Could.* Illustrated by George and Doris Hauman. Grosset & Dunlap (1978).
『ちびっこきかんしゃだいじょうぶ』（にいるぶっくす）（二〇〇七年、ヴィレッジブックス）

Plassmann, H., O'Doherty, J., Shiv, B., and Rangel, A. "Marketing actions can modulate neural representations of experienced pleasantness." *Proceedings of the National Academy of Sciences* 105 (3) (2008): 1050-1054.

Plous, S. *The Psychology of Judgment and Decision Making.* McGraw-Hill (1993).
『判断力――判断と意思決定のメカニズム』（二〇〇九年、マグロウヒル・エデュケーション）

Prelec, D., and Simester, D., "Always leave home without it: A further investigation of the credit-card effect on willingness to pay. " *Marketing Letters* 12 (1) (2001): 5-12.

Pronin, E., Berger, J., and Molouki, S. "Alone in a crowd of sheep: Asymmetric perceptions of conformity and their roots in an introspection illusion." *Journal of Personality and Social Psychology* 92 (4) (2007): 585-595.

Reschovsky, J. D., Hargraves, J. L., and Smith, A. F. "Consumer beliefs and health plan performance: It's not whether you are in an HMO but whether you think you are." *Journal of Health Politics, Policy and Law* 27 (3) (2002): 353-378.

Richter, C. P. "On the phenomenon of sudden death in animals and man." *Psychosomatic Medicine* 19 (1957): 191-198.

Royte, E. *Bottlemania*. Bloomsbury USA (2008).
『ミネラルウォーター・ショック——ペットボトルがもたらす水ビジネスの悪夢』(二〇一〇年、河出書房新社)

Schachter, S., and Singer, J." Cognitive, social, and physiological determinants of emotional state." *Psychological Review* 69 (5) (1962): 379-399.

Schneider, C. E. *The Practice of Autonomy: Patients, Doctors, and Medical Decisions*. Oxford University Press (1998).

Seligman, M. E. P., and Maier, S. F. "Failure to escape traumatic shock." *Journal of Experimental Psychology* 74 (1967): 1-9.

Selye, H. "The general adaptation syndrome and the diseases of adaptation." *Journal of Clinical Endocrinology* 6 (2) (1946): 117-230.

Sethi, S., and Seligman, M. E. P. "Optimism and fundamentalism." *Psychological Science* 4 (4) (1993): 256-259.

Shales, T. "The Day the Wall Cracked: Brokaw's Live Broadcast Tops Networks' Berlin Coverage." *The Washington Post* (November 10, 1989).

Shaw, G. B. *The Doctor's Dilemma, Getting Married, and The Shewing-up of Blanco Posnet*. Brentano's (1911).

Shiller, R. J. *The Subprime Solution: How Today's Global Financial Crisis Happened, and What to Do about It*. Princeton University Press (2008).

Shin, J., and Ariely, D. "Keeping doors open: The effect of unavailability on incentives to keep options viable." *Management Science* 50 (5) (2004): 575-586.

Simon, H. A. "What is an 'explanation' of behavior?" *Psychological Science* 3 (3) (1992): 150-161.

Simpson, J. *Touching the Void*. HarperCollins (1988).
『死のクレバス——アンデス氷壁の遭難』(一九九一年、岩波書店)

Slater, L. "True Love." *National Geographic* (February 2006).

Sloane, P. D., Zimmerman, S., Suchindran, C., Reed, P., Wang, L., Boustani, M., Sudha, S. "The public health impact of Alzheimer's disease, 2000-2050: Potential implication of treatment advances." *Annual Review of Public Health*. 23 (2002): 213-231.

Smith, D. K. *Discipline of Teams: Sealed Air Corp.* Harvard Business Publishing (1994). Prod. #: 6778-VID-ENG.

Srull, T. K., and Gaelick, L. "General principles and individual differences in the self as a habitual reference point: An examination of self-other judgments of similarity." *Social Cognition* 2 (1983): 108-121.

Sternbergh, A. "Stephen Colbert Has America by the Ballots." *New York* (October 8, 2006).

Styron, W. *Sophie's Choice.* Random House (1979).
『ソフィーの選択』（上）（下）（新潮文庫）（一九九一年、新潮社）

Surowiecki, J. "Day Trading Is for Suckers." Slate.com (August 3, 1999). http://www.slate.com/id/1003329/.

Suzuki, S. "Selection of forced- and free choice by monkeys (*Macaca fascicularis*)." *Perceptual and Motor Skills* 88 (1999): 242-250.

Swann, W. B., Jr., Rentfrow, P. J., and Guinn, J. S."Self-Verification: The Search for Coherence, " in *Handbook of Self and Identity*, Leary, M. R., and Tagney, J. P., eds. Guilford Press (2003): 367-383.

Taylor, S. E., Kemeny, M. E., Reed, G. M., Bower, J. E., and Gruenewald. T. L. "Psychological resources, positive illusions, and health." *American Psychologist* 55 (1) (2000): 99-109.

Taylor, S. E., Lichtman, R. R., and Wood, J. V."Attributions, beliefs about control, and adjustment to breast cancer." *Journal of Personality and Social Psychology* 46 (3) (1984): 489-502.

Tetlock, P. E. "Correspondence and Coherence: Indicators of Good Judgment in World Politics," in Hardman, D., and Macchi, L., eds. *Thinking: Psychological Perspectives on Reasoning, Judgment and Decision Making.* John Wiley & Sons, Inc. (2003).

Thaler, R., and Benartzi, S. "Save more tomorrow: Using behavioral economics to increase employee saving." *Journal of Political Economy* 112 (1) (2004): 164-187.

Thaler, R., and Sunstein, C. *Nudge: Improving Deasions about Health, Wealth, and Happiness.* Yale University Press (2008).
『実践行動経済学――健康、富、幸福への聡明な選択』（二〇〇九年、日経ＢＰ社）

Tichy, N. M., and Cohen, E. B., *The Leadership Engine: How Winning Companies Build*

Leaders at Every Level. HarperCollins (1997).
『リーダーシップ・エンジン——持続する企業成長の秘密』（一九九九年、東洋経済新報社）

Triandis, H. *Individualism & Collectivism.* Westview Press (1995).
『個人主義と集団主義——２つのレンズを通して』（二〇〇二年、北大路書房）

Tricomi, E. M., Delgado, M. R., and Fiez, J. A. “Modulation of caudate activity by action contingency.” *Neuron* 41 (2) (2004): 281-292.

Turner-Cobb, J. M. “Psychological and neuroendocrine correlates of disease progression.” *International Review of Neurobiology* 52 (2002): 353-381.

Tversky, A., and Kahneman, D. “Judgments under uncertainty: Heuristics and biases.” *Science* 185 (1974):1124-1131.

Voss, S. C., and Homzie, M. J. “Choice as a value.” *Psychological Reports* 26 (1970): 912-914.

Watson, M., Haviland, J. S., Greer, S., Davidson, J., and Bliss, J. M., “Influence of psychological response on survival in breast cancer: A population-based cohort study.” *Lancet* 354 (9187) (1999): 1331-1336.

Wells, R. E., and Iyengar, S.S. “Positive illusions of preference consistency: When remaining eluded by one's preferences yields greater subjective well-being and decision outcomes.” *Organizational Behavior and Human Decision Processes* 98 (1) (2005): 66-87.

Whitman, W. *Leaves of Grass.* D. S. Reynolds, ed. Oxford University Press (2005).
『草の葉』（上）（中）（下）（岩波文庫）（一九九八年、岩波書店）

Wilson, T. D., Dunn, D. S., Bybee, J. A., Hyman, D. B., and Rotondo, J. A. “Effects of analyzing reasons on attitude-behavior consistency.” *Journal of Personality and Social Psychology* 47 (1) (1984): 5-16.

Wilson, T. D., Lisle, D. J., Schooler, J. W., Hodges, S. D., Klaaren, K. J., and LaFleur, S. J. “Introspecting about reasons can reduce post-choice satisfaction.” *Personality and Social Psychology Bulletin* 19 (1993): 331-339.

Wilson, T. D., Meyers, J., and Gilbert, D. T. “‘How happy was I, anyway?’ A retrospective impact bias.” *Social Cognition* 21 (6) (2003): 421-446.

Wilson, T. V. “Why is the birth rate so low for giant pandas?” 08 September 2006. *How Stuff Works*.com. http://animals.howstuffworks.com/mammals/panda-birth-rate.htm.

主要参考文献

Yin, W., Basu, A., Zhang, J., Rabbani, A., Meltzer, D. O., and Alexander, G.C. "The effect of the Medicare Part D prescription benefit on drug utilization and expenditures." *Annals of Internal Medicine* 148 (3) (2008): 169-177.

Zanna, M. P., Lepper, M. R., and Abelson, R. P. "Attentional mechanisms in children's devaluation of a forbidden activity in a forced-compliance situation." *Journal of Personality and Social Psychology* 28 (3) (1973): 355-359.

Zook, M., and Graham, M. "Wal-Mart Nation: Mapping the Reach of a Retail Colossus, " in *Wal-Mart World: The World's Biggest Corporation in the Global Economy*. Brunn, S. D., ed. Routledge (2006), pp.15-25.

訳者あとがき

高級食材店の試食コーナーに、二四種類の色とりどりのジャムを並べたときと、六種類のジャムだけを並べたときとでは、どちらがよく売れるだろう？

これが、本書の著者、シーナ・アイエンガーがスタンフォードの大学院生時代に行なった、有名な「ジャム研究」だ。結果は驚くべきものだった。実際の売り上げは、品揃えが少ない方が、圧倒的に多かったのだ。

本書『選択の科学』（原書名"The Art of Choosing"）は、いまや「選択」の研究の第一人者となった著者が、約二〇年にわたって行なってきた、数々の研究成果や考察をまとめたものだ。本国アメリカでは二〇一〇年三月の刊行以来、ニューヨーク・タイムズ、ウォールストリート・ジャーナル、ワシントンポスト、ニューズウィークなどのメディアで次々と紹介され、大きな話題を呼んでいる。選択は、自由、自己決定権、平等、民主主義などと深く結びついた概念であり、普遍的な権利として、あたりまえのように肯定されてきた。でも実際、選択とはいったい何なのだろう、選択は何に左右されるのか、選択の自由はどうあるべきなのだろう——本書の刊行をきっかけに、選択に関するさまざまな議論が巻き起こっている。

たとえば、くだんの「ジャム研究」についても、保守派から「選択の意義を否定する社会主義的な研究」といった激しい批判と論争が起こった。しかし、実際には本書にも書かれているように、著者の「ジャム研究」は、すでに産業の様々な分野に応用されている。消費財メーカーが多すぎるブランドを整理して、売り上げ増をはかったり、あるいは、コンサルティング会社が、顧客に提示する際のプランを三者択一のツリーをつかって行なったりとその応用範囲は広い。

本書が、英「フィナンシャルタイムズ」紙とゴールドマン・サックスが選ぶ、二〇一〇年のビジネス本ベスト6に選出されているのも、「選択」に関する広範な研究を紹介した本書にはビジネスに応用できるヒントが満載されていると評価されたからだろう。

だが、本書を本当に価値あるものにしているのは、そうした実利的な側面だけでなく、さらに深いところにまで、著者の研究が届いている点だ。

たとえば、「選択は善」という考えは、欧米では当てはまるが、アジアではむしろある程度の規範をもって決められたほうが、ものごとがうまくいくことが、シティバンクの世界の支店を対象にした調査や、アジア系の子どもをつかった実験で明らかにされる。さらに、第1講では、「選択は生物の本能である」として、職能階級の高い人のほうが、低い人よりも健康リスクが少なく、長寿であること、その理由は、選択権の幅によるものであることが、長年の追跡調査で明らかにされている。しかし、そこで「選択万歳」とならないところが、著者の真骨頂で、「では、原理主義的な宗教に所属している人は、不幸なのか」といった疑問から、学部生時代に、九つの宗教における人々の「楽観度」を面接調査している（第2講）。その結果は、原理主義に分類された宗教を信じていた人ほど、楽観的で、鬱病にかかっている人の割合も低かったのである。

つまりこの本の真の価値は、単純に結論にとびつくことをせずに、多角的な視点によって、「選択」の複雑さを浮き彫りにしている点にあるようにおもう。第7講の「選択の代償」で、わが子に延命措置を施《ほど》こすか否かという辛い「選択」を強いられた親たちの調査を通じて、みずから選ぶことは、むしろ後々まで続く後悔につながるという調査結果を目のあたりにしたとき、読者は、第1講で得た地平とはまったく別の地平に立つことになる。

シーナ・アイエンガーは、インドからのシーク教徒の移民の両親のもとに、一九六九年カナダに生まれ、アメリカに育った。幼い頃に遺伝性の視覚障害を発症し、高校生になる頃完全に視覚を失ってしまう。ペンシルベニア大学ウォートンスクールに進学するが、その生い立ちから、文化や宗教が選択に与える影響を、自然と研究対象にするようになった。同大の著名な心理学者マーティン・セリグマンに導かれ、その後スタンフォードでもマーク・レッパーやエイモス・トベルスキーに師事し、独創的な研究で注目を集めてきた。これまで数々の賞やフェローシップを得ており、二〇〇二年には社会科学分野で大統領若手優秀研究者賞を受賞するなど、気鋭の研究者である。現在コロンビア大学のビジネススクールの教授を務める。

彼女が訳者に明かしてくれたところによれば、ビジネススクールというのは、学際的研究にもっともむいたところだということだ。心理学、経済学、脳神経学、社会学、歴史、文学といった分野をまたぐことで、「選択」の力と、我々の生活に果たす役割について初めて理解できるのだという。ビジネススクールでは、グローバリゼーションと、リーダーシップの講座を持っている。どちらも「選択」という視点からのユニークな授業になっているようだ。

目が見えないことで選択を制限されることについてどう思うか、というインタビューに、彼女はこう答えている。

選択に制約を課されることで、逆に本当に大切なことだけに目を向け、選択しやすくなる。限られた選択肢を最大限活かすために、創造性を発揮することもまた楽しいのだと。

その思いは、〝選択は芸術〟だという、原書のタイトルにも込められている。

本書を読むと、じつは彼女の人生こそが、さまざまな選択の織りなす物語だと気づかされる。彼女は、何もかもが運命によって決められているとされたシーク教徒のコミュニティで育ちながら、アメリカの公立学校で、アメリカの中心にある「光り輝くもの、とてつもなく明るいために、目が見えなくとも見えるものに気がついた」。

それが、「選択」だった。

本書は、強い意志をもって扉を一つひとつノックし、それを次々と開いていった彼女だからこそ、書けたのだろう。シーナの存在自体が、選択の秘めるとてつもない力を証明しているのだ。

Being based on U.S. edition, this Japanese edition is edited by Bungei Shunju
under the author's supervision.

櫻井祐子（さくらい・ゆうこ）
1965年、東京生まれ。京都大学経済学部経済学科卒。大手都市銀行在籍中の96年、オックスフォード大学で経営学の修士号を取得。98年よりフリーの翻訳者として活躍。主な訳書に、『100年予測』（ジョージ・フリードマン、2009年）、『メイキング・オブ・ピクサー』（デイヴィッド・A・プライス、2009年）など。

シーナ・アイエンガー（Sheena Iyengar）
1969年、カナダのトロントで生まれる。両親は、インドのデリーからの移民で、シーク教徒。1972年にアメリカに移住。3歳の時、眼の疾患を診断され、高校にあがるころには全盲になる。家庭では、シーク教徒の厳格なコミュニティが反映され、両親が、着るものから結婚相手まで、すべて宗教や慣習できめてきたのをみてきた。そうした中、アメリカの公立学校で、「選択」こそアメリカの力であることを繰り返し教えられることになり、大学に進学してのち、研究テーマにすることを思い立つ。スタンフォード大学で社会心理学の博士号を取得。現在、ニューヨークのコロンビア大学ビジネススクール教授。本書が初めての著書。

選択《せんたく》の科学《かがく》
コロンビア大学ビジネススクール特別講義《とくべつこうぎ》

二〇一〇年十一月十五日　第一刷
二〇二四年 四 月 五 日　第十八刷

著　者　シーナ・アイエンガー
訳　者　櫻井祐子《さくらいゆうこ》
発行者　花田朋子
発行所　株式会社文藝春秋
〒一〇二―八〇〇八
東京都千代田区紀尾井町三―二三
電話　〇三―三二六五―一二一一
印刷所　大日本印刷
製本所　加藤製本

ISBN978-4-16-373350-0